D0278790

HELP YOURSELF TO ESSENTIAL
FRENCH GRAMMAR

A grammar reference and workbook
GCSE/Standard Grade

Thalia Marriott
Mireille Ribière

LONGMAN

Addison Wesley Longman Ltd
Edinburgh Gate, Harlow,
Essex CM20 2JE, England
and associated companies throughout the world

© Addison Wesley Longman Limited 1997

The right of Thalia Marriott and Mireille Ribière
to be identified as authors of this Work has been
asserted by them in accordance with the Copyright,
Designs and Patents Act of 1988.

All rights reserved. No part of this publication
may be reproduced, stored in a retrieval system,
or transmitted in any form or by any means, electronic,
mechanical, photocopying, recording, or otherwise,
without the prior written permission of the
publishers or a licence permitting restricted copying
in the United Kingdom issued by the Copyright
Licensing Agency Ltd, 90 Tottenham Court Road,
London, W1P 9HE

ISBN 0582 28724 3

First published 1997
Produced by Longman Singapore Publishers Pte Ltd
Printed in Singapore

The publisher's policy is to use paper manufactured from sustainable forests.

Acknowledgements

Our sincere thanks to Amy Burnand, Stephen Fraser, Virginia Marriott, Niobe
O'Connor and Jane Palmer for their comments on the manuscript and to Timothy
Warner and Mayo Marriott for their unwavering support.

We are grateful to L'École des Loisirs for permission to reproduce
an extract from the novel *Je ne t'aime pas Paulus* by Agnès Desarthe
(published 1991), page 124.

Contents

Introduction

Help Yourself to Essential French Grammar is a combined grammar reference book and workbook. It is designed for both self-study and class-based learning at the elementary and intermediate stages of learning French.

It is suitable for use as a one-year revision programme for Year 11 pupils at school and as preparation for GCSE or Standard Grade. It is also aimed at adult students taking intermediate French or GCSE, and for individuals studying on their own.

Preparation for GCSE and Standard Grade (Scotland)

Using this book will enable students to reach the level required to obtain basic and higher GCSE grades and foundation, general and credit levels at Standard Grade (Scotland).

Units 1–8 cover the structures and grammar required. Unit 9 goes beyond the requirements of most syllabuses, acting as a bridge to further study in French.

Presentation of grammar and vocabulary

The structures and exercises are carefully graded. Grammatical terms like "noun" and "verb" are only used where absolutely necessary and are explained when first used.

The vocabulary used in the exercises covers topics which are appropriate to communicative language teaching and learning at this level: everyday activities, personal and social life, the world around us, the world of work, the international world.

All vocabulary is carefully selected as being appropriate to the requirements of GCSE syllabuses.

Contents of the units

Each unit contains three chapters. In Units 1–8, every chapter starts with *What do you know?* exercises which are designed to identify problem areas and assess the particular needs of students.

After the *What do you know?* exercises come the explanations of the grammar points. These present in plain language the structures and grammar needed in order to speak and write simple but correct French.

The grammar explanations are followed by *What have you learnt?* exercises, enabling students to apply and practise the grammar covered in the chapter.

At the end of each unit, a 'Revision test' helps the student to check that she or he has understood and remembered the grammar explained in the last three chapters.

Unit 9 presents some more advanced points of grammar. Each of the three chapters contains grammatical explanations followed by simple practice exercises. The unit ends with a 'Revision test'.

Appendices

Appendices include verb tables and further information about language rules and usage which will be useful to students when doing the exercises and when communicating in French.

Glossaries and grammar index

The French–English and English–French glossaries provide all the vocabulary needed to complete the exercises. The 'Grammar index' enables both teacher and learner to find grammatical explanations for all grammar points covered in the book.

Key to exercises

Solutions to all exercises are given at the end of the book. These pages are perforated and can be removed for class use.

Further advice to students learning on their own

You can use this book in three ways: as a workbook, as a grammar reference, or as both.

Using the book as a workbook

The exercises and language points covered in Units 1 to 9 are carefully graded to enable you to work systematically through the book. Use the *What do you know?* exercises to find out your strengths and weaknesses, read through the grammar explanations and then do the *What have you learnt?* exercises to put the knowledge you have acquired to use. Finally, at the end of each unit, revise what you have learnt by doing the 'Revision test'.

Using the book as a grammar reference

To find out about a particular point of grammar, look up the chapter reference in the 'Grammar index' at the back of the book. Read the explanations carefully and do the relevant exercises (*What do you know? What have you learnt?* and Revision test).

Before you begin ...

Here is some advice on how to tackle the various exercises.

1 Remember that the vocabulary needed to understand and complete the exercises is provided in the glossaries at the back of the book.

2 Before starting each exercise, read through it carefully to make sure you understand the point of the exercise and the meaning of the sentences. We suggest that you write out the answers in full and check your work carefully for spelling mistakes, agreement of adjectives, verb endings, etc.

3 Then, and only then, check your answers against the key to the exercises at the back of the book. Learn from any mistakes you make, and note down any vocabulary that you did not know.

Bonne chance!

Mireille Ribière
Thalia Marriott

Faisons connaissance

Before looking at the explanations in this chapter, find out what you know by doing the following exercises.

A Sylvain's cousin, Xavier, is coming from Belgium to stay with him for a while. Mounira is very keen to know more about Xavier. Insert **le**, **l'**, **la** or **les** as appropriate.
e.g. Il aime ... croissants.   →   Il aime les croissants.

Un cousin mystérieux

MOUNIRA Ton cousin Xavier, il est comment[1] ?

SYLVAIN Il est blond et il a ... cheveux longs.

MOUNIRA De quelle couleur sont ses yeux ?

SYLVAIN Il a ... yeux verts.

MOUNIRA Il aime ... sport ?

SYLVAIN Oui, bien sûr. Il pratique ... athlétisme et ... tennis.

MOUNIRA Il aime sortir ?

SYLVAIN Oui, beaucoup. Il déteste ... télévision mais il adore ... cinéma.

MOUNIRA Il est gourmand[2] ?

SYLVAIN Oui, très gourmand. Il adore ... chocolat et ... gâteaux.

B Select the appropriate verbs from the list given below the character descriptions. Then write these verbs in the present tense.
e.g. Quand ils ... quelqu'un   →   Quand ils rencontrent quelqu'un

Êtes-vous timide ?

1 Les gens qui sont timides ... toujours avant de faire quelque chose.
2 Quand ils ... quelqu'un, ils ne ... jamais en premier.

hésiter   rencontrer   parler

Êtes-vous impatient ?

1 Les gens qui sont impatients n'... jamais.
2 Ils ... toujours de faire les choses très vite.

attendre   essayer

Êtes-vous travailleur ?

1 Les gens qui sont travailleurs ... toujours leur travail.
2 En général, ils ... dans la vie.

finir   réussir

---

[1] *il est comment?*: what's he like?

[2] *être gourmand*: to be fond of sweet things; to be fond of good food.

How to use **le, la, les**

1 A NOUN is the name for a person, place or thing. *Student, supermarket* and *books* are all nouns. Nouns are SINGULAR (only one) or PLURAL (more than one).
In French, nouns are MASCULINE or FEMININE: this is their GENDER.

2 **Le, la, les** are used with nouns:

	SINGULAR	PLURAL
MASCULINE	**le** camion *the lorry*	**les** camions *the lorries*
FEMININE	**la** voiture *the car*	**les** voitures *the cars*

Le and **la** shorten to **l'** before nouns beginning with **h** or a vowel (**a, e, i, o, u**):

l'hôpital   *the hospital*   l'autoroute   *the motorway*

3 **Le, la, les** mean *the* in English:

La gare n'est pas loin   *The station isn't far*
Donne-moi **les** billets   *Give me the tickets*

4 **Le, la, les** are often used where we would not use *the* in English, for example:

a   in general statements and when expressing likes and dislikes:

J'adore **les** mathématiques   *I love maths*
Le sport est bon pour la santé   *Sport is good for the health*

b   when describing a person's face, hair, eyes and other parts of the body:

Elle a **les** cheveux courts   *She has short hair*
Ils ont **les** yeux bleus   *They have blue eyes*

c   **le** (or **l'**) before the names of languages:

L'espagnol est plus facile que **le** russe   *Spanish is easier than Russian*

Note that after **parler**, *to speak*, you usually leave out **le** or **l'**:

Je parle français   *I speak French*

Help Yourself to Essential French Grammar

Saying what's happening: the present tense

5   A VERB is a word which describes an action. *Eat, climb* and *learn* are all verbs in English.
    In order to learn verbs in French, you must know their INFINITIVE form. The INFINITIVE of the verb usually ends in **-er**, **-ir** or **-re**, for example:

> **parler** *to speak or talk*   **finir** *to finish*   **vendre** *to sell*

6   The PRESENT TENSE of a verb describes what we usually do, or are doing at the time:

> **Je joue** au football le samedi   *I play football on Saturdays*
> Qu'est-ce que **vous regardez** ?   *What are you watching?*
> **Nous regardons** un film   *We are watching a film*

7   Remember that the present tense often describes what someone is doing – you do not translate the *is/are* and *-ing* into French:

> Qu'est-ce que tu **manges** ?   *What are you eating?*
> Je **mange** des biscuits   *I am eating some biscuits*

8   In French there are three groups of REGULAR VERBS:

a   verbs with an infinitive ending in **-er**, for example **parler** (*to speak* or *talk*):

je parle	*I speak*
tu parles	*you speak*
il/elle parle	*he/she speaks*
nous parl**ons**	*we speak*
vous parl**ez**	*you speak*
ils/elles parl**ent**	*they speak*

b   verbs with an infinitive ending in **-ir**, e.g. **finir** (*to finish*):

je fin**is**
tu fin**is**
il/elle fin**it**
nous fin**issons**
vous fin**issez**
ils/elles fin**issent**

c   verbs with an infinitive ending in **-re**, e.g. **vendre** (*to sell*):

je vend**s**
tu vend**s**
il/elle vend
nous vend**ons**
vous vend**ez**
ils/elles vend**ent**

For verbs which are irregular in the present tense, see Chapter 3 and following chapters

CHAPTER 1   WHAT HAVE YOU LEARNT?

Now that you have studied the explanations on the previous pages, check that you have understood them by doing the following exercises.

A Nathalie and her friends are discussing their likes and dislikes. Write the words in brackets in French using **le**, **l'**, **la** or **les**.
e.g. J'adore [music], et avant tout [rock music].
→   J'adore la musique, et avant tout le rock.

Les goûts[1] et les préférences

NATHALIE   Je n'aime pas beaucoup [sport], et surtout pas [football].

CHRISTOPHE J'aime bien [sciences], mais je préfère [English].

PATRICK   J'adore [television]. Je regarde surtout [films].

ANNE   Je suis très gourmande. J'adore [sweets] et particulièrement [chocolates].

KHALED   Moi, j'aime les filles qui ont [blue eyes] !

B Here is a test on how much you like television. Write the verbs in brackets in the present tense.

Jeu-test – La télévision et vous

1 Qu'est-ce que vous faites quand vous êtes seul chez vous, le soir ?
    a Vous (*choisir*) une émission intéressante dans TV Magazine.
    b Vous (*allumer*) la télé et vous (*oublier*) de faire votre travail.
    c Vous (*finir*) vite vos devoirs et vous sortez.

2 Qu'est-ce que vous faites quand vous êtes au bord de la mer ?
    a Vous (*regarder*) quelques bonnes émissions.
    b Vous (*passer*) des heures devant le téléviseur.
    c Vous (*descendre*) à la plage tout le temps.

3 Qu'est-ce que vous faites quand la télé tombe en panne[2] ?
    a Vous (*attendre*) patiemment le réparateur.
    b Vous (*essayer*) de trouver quelque chose à faire, mais sans succès.
    c Vous (*remarquer*) que la maison est silencieuse.

If you like, do the test to find out what kind of viewer you are. Tick the sentences which best describe your attitude and check your results*.

---

[1] *les goûts*: tastes.

[2] *tomber en panne*: to be broken; to break down.

*Un maximum de a : vous êtes raisonnable ; un maximum de b : vous êtes un(e) passionné(e) de télé ; un maximum de c : la télé ne vous intéresse pas.

UNIT

1

A   Rémi has a new penfriend. This is an extract from his first letter to her. Insert **un** or **une** as appropriate.

Je me présente : Rémi, dix-sept ans

J'habite dans … village qui est situé dans … département du sud de la France. Je vis près d'… plage, dans … maison entourée d'… jardin. Je fais mes études dans … collège technique.

J'ai … guitare électrique et je joue avec … groupe de rock pendant les week-ends.

B   You are preparing the commentary for a school video on job opportunities. In the following job descriptions, insert **un, une, des**, or leave blank as appropriate.

Deux professions intéressantes

1   Olivier travaille comme … pâtissier dans … pâtisserie de Toulouse. Il fait … gâteaux et … desserts. C'est … métier dur qui demande beaucoup d'imagination.

2   Yakine est … infirmière. Elle soigne … enfants dans … grand hôpital de la région parisienne. C'est … profession difficile mais passionnante.

C   Here is a list of some of the things we do first thing in the morning and last thing at night. Replace the expressions underlined by the appropriate reflexive verbs, chosen from the list below.

e.g. j'<u>ouvre les yeux</u>.   →   je me réveille.

La routine du matin et du soir

Le matin	1	je <u>sors du lit</u> vers sept heures.
	2	je <u>fais ma toilette</u>.
	3	je <u>mets mes vêtements</u>.
	4	je <u>fais vite</u> pour ne pas être en retard.
Le soir	5	je <u>prends une douche</u>.
	6	je <u>vais au lit</u> vers dix heures du soir.

se coucher   se dépêcher   se doucher   se laver   se lever[1]   *s'habiller*

---

[1] An accent is needed – see "acheter" in the verb tables (page 126).

How to use **un**, **une**, **des**

1 **Un**, **une**, **des** are used to say *a, one* or *some* in French:

	SINGULAR	PLURAL
MASCULINE	**un** magasin *a shop, one shop*	**des** magasins *some shops*
FEMININE	**une** maison *a house, one house*	**des** maisons *some houses*

2 **Des** usually means *some*, which can be left out in English:

J'ai acheté **des** chocolats hier   *I bought (some) chocolates yesterday*

3 **Un**, **une** are not generally used in French when you describe someone's job:

Nassim est professeur   *Nassim is a teacher*
Il travaille comme facteur   *He is working as a postman*

*For the use of **du**, **de la** and **des** see Chapter 5*

Masculine and feminine noun endings

4 The ending of a noun often tells you whether it is MASCULINE or FEMININE.

a MASCULINE word endings

WORD ENDING	EXAMPLE	TRANSLATION
-age	le chauff**age**	*heating*
-eau	un bur**eau**	*an office*
-et	un bill**et**	*a ticket*
-ment	un apparte**ment**	*a flat*

Feminine exceptions: l'eau   *water*   une page   *a page*
la peau   *skin*   une plage   *a beach*

b FEMININE word endings

WORD ENDING	EXAMPLE	TRANSLATION
-ance, anse, ence	une ambul**ance**	*an ambulance*
-ette	une servi**ette**	*a towel*
-sion, -tion	la télévi**sion**	*television*
-ure	une chauss**ure**	*a shoe*

Masculine exception: le silence   *silence*

The present tense: reflexive verbs

5 REFLEXIVE VERBS usually describe actions which you do to yourself, like washing, etc.:

Les enfants **se lavent** maintenant	*The children are washing now*
Je **me réveille** à huit heures	*I wake up at eight o'clock*
Elle ne **s'habille** pas	*She is not getting dressed*

Note from the last example where to put **ne** and **pas** (*not*). See also Chapter 8.

6 A REFLEXIVE PRONOUN (**me, te, se, nous, vous**) goes before reflexive verbs:

se laver		*to wash (oneself)*	
je	**me** lave	*I*	*wash*
tu	**te** laves	*you*	*wash*
il/elle	**se** lave	*he/she*	*washes*
nous	**nous** lavons	*we*	*wash*
vous	**vous** lavez	*you*	*wash*
ils/elles	**se** lavent	*they*	*wash*

7 **Me, te** and **se** are shortened to **m', t', s'** before **h** or a vowel (**a, e, i, o, u**):

s'habiller, *to get dressed*		**s'amuser,** *to have fun*	
je	**m'**habille	je	**m'**amuse
tu	**t'**habilles	tu	**t'**amuses
il/elle	**s'**habille	il/elle	**s'**amuse
nous	**nous** habillons	nous	**nous** amusons
vous	**vous** habillez	vous	**vous** amusez
ils/elles	**s'**habillent	ils/elles	**s'**amusent

For a list of common reflexive verbs in French, see page 138

Tu and vous

8 There are two words for *you* in French:

a **tu** is the form you use when talking to a friend, a member of the family or a child. It is often used between young people who don't know each other:

Écoute, **tu veux** sortir ce soir ?	*Listen, do you want to go out tonight?*
Tu viens, maman ?	*Are you coming, mum?*

b use **vous** when talking to a person you don't know well, or to more than one person:

Pouvez-vous m'aider, s'il vous plaît ?	*Can you help me, please?*
Vous pouvez tous commencer	*You can all start*

CHAPTER 2   WHAT HAVE YOU LEARNT?

A Odile is replying to Rémi, her new penfriend. This is an extract from her letter. Insert **un** or **une** as appropriate.

Je me présente: Odile, quinze ans

J'habite dans … appartement à Genève. C'est … ville très agréable. Près de chez moi, il y a … théâtre, … cinéma, … piscine et … stade. Je fais mes études dans … lycée international.

J'ai … passion pour l'automobile et, le samedi, je travaille dans … garage. Je fais aussi partie d'… équipe de basket.

B The following character descriptions are from a magazine. Write all the verbs in brackets in the present tense.

Tu es optimiste

Le matin, quand tu (*se réveiller*), tu es de bonne humeur[1]. Tu (*se doucher*) toujours en chantant. Tu as le sens de l'humour et tu (*s'amuser*) tout le temps.

Tu es pessimiste

Le matin, quand tu (*se lever*[2]), tu es de mauvaise humeur[1]. Tu ne (*se laver*) jamais en chantant. Tu (*s'inquiéter*[3]) facilement et tu es souvent triste.

For further practice, work out whether you're an optimist or a pessimist and rewrite the whole paragraph in the first person:

e.g. Je suis optimiste. Le matin, quand je …, etc.

or   Je suis pessimiste. Le matin, quand je …, etc.

C Each of the following jobs can be described by one of the words in the list below. Using **être**, write a new sentence to indicate each person's job.

e.g. Elle vend du pain.   →   Elle est boulangère.

Quelle est leur profession ?

1 Il écrit dans un journal.
2 Je distribue le courrier.
3 Elle coupe les cheveux.
4 Il répare les moteurs de voiture.
5 Elle conduit un camion.
6 Je m'occupe d'animaux malades.

> *chauffeur   coiffeuse   facteur   journaliste   mécanicien   vétérinaire*

---

[1] *être de bonne humeur*: to be in a good mood; *être de mauvaise humeur*: to be in a bad mood.

[2] An accent is needed – see "se lever" in the verb tables (page 132).

[3] An accent is needed – see "espérer" in the verb tables (page 130).

Help Yourself to Essential French Grammar

UNIT

1

CHAPTER 3   WHAT DO YOU KNOW?

A Cédric has just started at a new school. His new school friends ask him about his family. Match the questions and the answers.

En famille

QUESTIONS

1 Combien vous êtes dans ta famille ?
2 Où est-ce que vous habitez ?
3 Est-ce que tu aimes faire partie d'une grande famille ?
4 Pourquoi ?
5 Comment est-ce que tu t'entends[1] avec tes frères et sœurs ?

RÉPONSES

a Très bien, en général.
b Parce que je ne m'ennuie jamais.
c Sept.
d Dans un appartement.
e Oui, j'adore.

B Cédric has a twin brother called Cyril. This is how their older brothers and sisters describe them. Write the correct form (i.e. the plural) of the words in brackets.

Cédric et Cyril

1 Cédric et Cyril sont nés le même jour et ils se ressemblent beaucoup. Ce sont des (*jumeau*).
2 Ils ont tous les deux[2] les (*œil*) gris et les (*cheveu*) blonds.
3 Ils aiment les mêmes (*film*) et les mêmes (*jeu*).
4 Ils adorent les (*animal*) et ils détestent les (*cours*) de maths.
5 Pourtant, ils ont des (*caractère*) très différents.

C For once, Cyril is going on a skiing holiday on his own. He's not used to it. Change the underlined verbs from the "nous" (we) form to the "je" (I) form as indicated.
e.g. Nous <u>allons</u> à la montagne.   →   Je vais à la montagne.

Noël à la montagne

1 Nous <u>avons</u> une nouvelle paire de skis !
2 Nous <u>partons</u> demain dans les Alpes.
3 Nous <u>connaissons</u> bien la région.
4 Nous <u>faisons</u> le voyage en train.
5 Nous <u>revenons</u> le 31 décembre.

---

[1] *s'entendre avec quelqu'un*: to get on with someone.

[2] *tous les deux*: both.

Help Yourself to Essential French Grammar

Asking questions

1 There are two simple ways of asking a QUESTION:

  a by using a questioning tone of voice:

Elle veut venir avec nous ?	*Does she want to come with us?*
Pourquoi tu es en retard ?	*Why are you late?*

  b by using the phrase **est-ce que** before a sentence. Note that **est-ce que** shortens to **est-ce qu'** before an **h** or vowel:

Est-ce qu'elle veut venir avec nous ?	*Does she want to come with us?*
Pourquoi **est-ce que** tu es en retard ?	*Why are you late?*

2 Useful QUESTION WORDS:

pourquoi ... ? *why ... ?*	**Pourquoi est-ce que** tu pars ? *Why are you going?*
comment ... ? *how ... ?*	**Comment est-ce que** tu voyages ? *How are you travelling?*
où ... ? *where ... ?*	**Où est-ce que** tu loges ? *Where are you staying?*
combien ... ? *how much ... ?*	**Combien est-ce que** ça coûte ? *How much does it cost?*
combien de temps ... ? *how long ... ?*	**Combien de temps est-ce que** tu restes là-bas ? *How long are you staying there?*
quand ... ? *when ... ?*	**Quand est-ce que** tu reviens ? *When are you coming back?*

Plural forms of nouns

3 The PLURAL of most nouns is formed by adding **-s** to the SINGULAR:

un rêve (*dream*)	des rêve**s**

Note the following exceptions:

  a nouns ending in **-s**, **-x** and **-z** do not change:

un colis (*parcel*)	des colis
le prix (*price*)	les prix

    Help Yourself to Essential French Grammar

b nouns ending in **-au** and **-eu** add **-x**:

un bateau (*boat*)   des bateau**x**
un jeu (*game*)   des jeu**x**

c nouns ending in **-al** change to **-aux**:

un journal (*newspaper*)   des journ**aux**

Note the following irregular plural:

l'œil (*eye*)   les **yeux**

The present tense: irregular verbs

4 Many common verbs are IRREGULAR – see the verb tables on page 126. Here is the present tense of six irregular verbs which are used very often:

a **aller**, *to go*

je vais
tu vas
il/elle va
nous allons
vous allez
ils/elles vont

b **avoir**, *to have*

j'ai
tu as
il/elle a
nous avons
vous avez
ils/elles ont

c **être**, *to be*

je suis
tu es
il/elle est
nous sommes
vous êtes
ils/elles sont

d **faire**, *to do or make*

je fais
tu fais
il/elle fait
nous faisons
vous faites
ils/elles font

e **mettre**, *to put*

je mets
tu mets
il/elle met
nous mettons
vous mettez
ils/elles mettent

f **savoir**, *to know*

je sais
tu sais
il/elle sait
nous savons
vous savez
ils/elles savent

CHAPTER 3   WHAT HAVE YOU LEARNT?

A One of your friends has come to stay with you. You ask him how he gets on with his parents. Reword each question by using one of the question words listed below.

e.g. Vous vous disputez pourquoi ?

→   Pourquoi est-ce que vous vous disputez ?

Tes parents et toi

1 Tu t'entends comment avec tes parents ?
2 Vous vous disputez pourquoi ?
3 Ils te donnent de l'argent de poche ?
4 Ils te donnent combien ?
5 Pendant le week-end, tu vas où ?
6 Le samedi soir, tu rentres quand ?

Combien est-ce que … ?	*Comment est-ce que … ?*
Est-ce que … ?	*Où est-ce que … ?*
Pourquoi est-ce que … ?	*Quand est-ce que … ?*

B You introduce your friend to your family and explain to him how everybody in the house contributes to the chores. Replace the verbs shown in brackets with the correct form of the verb in the present tense.

Les habitudes de la maison

1 Ma mère ne (*savoir*) pas faire la cuisine.
2 Mon père (*faire*) les repas.
3 Mes frères (*remplir*) le lave-vaisselle.
4 Mes sœurs (*mettre*[1]) la table.
5 Et moi, je (*sortir*[2]) la poubelle.

C You and your friend have the same birthday. You compare how many treats and presents each of you got. Your friend was definitely spoilt! Write in the underlined words, making them plural.

e.g. J'ai eu une <u>cassette</u> de jazz. – Moi, j'ai eu dix …

→   Moi, j'ai eu dix cassettes de jazz.

Et toi, combien ?

1 Ma mère m'a fait un <u>gâteau</u>.   Ma mère m'a fait deux …
2 Mon frère m'a acheté un <u>jeu</u> vidéo.   Moi, j'ai eu quatre …
3 Mes cousins m'ont envoyé un <u>colis</u>.   Mes cousins m'ont envoyé deux …
4 J'ai reçu un <u>animal</u> en peluche[3].   Moi, j'ai reçu cinq …
5 Mes copains m'ont fait un <u>cadeau</u>.   Mes copains m'ont fait plusieurs …

---

[1] *mettre la table*: to lay the table.

[2] *sortir quelque chose*: to take something out.

[3] *en peluche*: cuddly (when talking about toys).

Help Yourself to Essential French Grammar

Revision test 1–3

A You have found a list of errands in a supermarket trolley. Check that you know the gender of all the nouns. Put (f.) after feminine nouns and (m.) after masculine nouns.
e.g. Épicerie : légumes → Épicerie (f.) : légumes (m.).

Liste de commissions
Alimentation (…) : fromage (…), poulet (…), veau (…), confiture (…), baguette (…), gâteaux (…).
Cadeau (…) : disque (…), cassette (…), ou eau (…) de toilette (…).
Bureau (…) de poste (…) : paquet (…), lettres (…), timbres (…).
Gare (…) : renseignements (…), billet (…) et réservation (…).
Essence (…).

B While waiting for a bus in Switzerland, you start talking to the boy sitting next to you. Provide the correct questions in French.

Premier contact
TOI [What's your name?]
LUI Kévin Martin.
TOI [Do you have brothers and sisters?]
LUI Non, je suis fils unique.
TOI [Where do you live?]
LUI J'habite dans un village de montagne mais je vais à l'école à Genève.
TOI [How do you go to school?]
LUI En car.
TOI [How long does it[1] take?]
LUI 45 minutes.
TOI [When does the first term start?]
LUI En septembre.

C You are packing your case before going on holiday. You start by putting in one of everything. But you soon have misgivings and begin to add things. Check how much you've got in the end.
e.g. Un pantalon + 2 = trois pantalons.

Ma valise est prête
1 Un T-shirt + 4 = …
2 Un chapeau de soleil + 1 = …
3 Une chemise + 3 = …
4 Un pyjama + 2 = …
5 Un pull + 1 = …
6 Un jeu vidéo + 5 = …

---

[1] Use *ça* to say "it".

Help Yourself to Essential French Grammar

D You like disagreeing with people. Answer the questions below, starting your
sentences with « Moi, je … » and using one of the verbs listed.
e.g. • J'aime le thé. Et toi ?
   – [Say that you like coffee better.]   →   Moi, j'aime mieux le café.

Et toi ?
1 • J'aime bien la radio. Et toi ?
   – [Say that you prefer television and cinema.]
2 • J'aime assez les cheveux longs. Et toi ?
   – [Say that you like short hair better.]
3 • Je n'aime pas la campagne. Et toi ?
   – [Say that you love nature and animals.]
4 • Le français et l'anglais m'intéressent. Et toi ?
   – [Say that you hate languages.]

   adorer   aimer mieux   détester   préférer[2]

E Gymnastics is a very popular sport with young people. Here is a recent press
interview. Write the verbs in brackets in the present tense.

Championnes de gymnastique
• *Sophie et Kenza, vous* (être) *championnes de gymnastique. Vous* (pouvoir) *nous
parler un peu de vous ?*
   SOPHIE Je (*avoir*) seize ans et je (*habiter*) à Lille avec mes parents.
   KENZA Moi, je (*être*) plus jeune : j'ai quinze ans. Et je (*venir*) de Grenoble.
• *Je suppose que vous vous entraînez*[3] *beaucoup ?*
   SOPHIE Oui, tous les jours. Nous (*aller*) au lycée le matin, et nous (*s'entraîner*)
   l'après-midi.
   KENZA Avant les compétitions, l'entraînement (*se terminer*) assez tard.
• *Vous* (avoir) *un peu de temps libre ?*
   SOPHIE Non, très peu. Le soir, nous (*finir*) nos devoirs.
   KENZA Et pendant le week-end, nous (*essayer*) de nous reposer.
• *Qu'est-ce vous aimez le plus dans la vie de championne ?*
   KENZA Nous (*partir*) souvent à l'étranger. Et nous (*rencontrer*) beaucoup de gens.
   SOPHIE Nous (*apprendre*) à être indépendantes et je (*trouver*) ça très bien.

F Here is a silly joke! Write the verbs in brackets in the present tense.

Blague
L'instituteur demande à Antoine de conjuguer le verbe marcher.
• Je (*marcher*), tu (*marcher*) …
– Plus vite, dit l'instituteur.
• Il (*courir*), nous (*courir*), vous (*courir*), ils (*courir*)!

---

[2] There is a change of accent – see " espérer" in the verb tables (page 130).

[3] *s'entraîner*: to train.

Help Yourself to Essential French Grammar

En voyage

A You are going away. As the departure date approaches, you make a list of things to do before going away. Combine the two parts of each sentence by using **à la, à l', au** or **aux**.

e.g. Vérifier les horaires de train … *gare*.

→   Vérifier les horaires de train à la gare.

Avant de partir

1 Commander des chèques de voyage …   *banque*
2 Acheter des fruits pour le voyage …   *épicerie*
3 Prendre une crème anti-moustiques …   *pharmacie*
4 Donner à manger[2] …   *poisson rouge*
5 Dire « au revoir » …   *voisins*

B Renaud and his friends are discussing their holiday plans. Check the gender of the countries mentioned and then insert **en** or **au** as appropriate.

e.g. Je pars en Allemagne.   Je pars au Mexique.

Où vont-ils cet été ?

RENAUD   Je vais camper … Irlande avec des copains.

NICOLAS   Je travaille … Danemark pour un mois.

CATHIE   Je vais passer quelques jours … Belgique puis … Luxembourg.

MOUSSA   Je rends visite[1] à mes grands-parents … Algérie.

VIRGINIE   Moi, je reste … France cette année pour faire des économies. Mais l'année prochaine je pars … Canada.

C Moussa is being asked about his trip to Algeria. Change the underlined verb so that he says what he *is going to* do and what *is going to* happen.

e.g. Comment est-ce tu <u>pars</u> ?   →   Comment est-ce que tu vas partir ?

Départ pour l'Algérie

• Comment est-ce que tu <u>pars</u> ?

  MOUSSA   Je <u>pars</u> demain soir, en avion.

• À quelle heure est-ce que tu <u>arrives</u> ?

  MOUSSA   Vers 23 heures.

• Tes grands-parents <u>viennent</u> te chercher à l'aéroport ?

  MOUSSA   Non, ils n'ont pas de voiture ! Je <u>prends</u> le car jusqu'à Alger.

---

[1] *rendre visite à quelqu'un*: to visit someone.

[2] *donner à manger*: to feed.

Help Yourself to Essential French Grammar

Saying *to* and *at*: **au, à la, aux**

1 **Le, la, les** combine with the PREPOSITION **à** (*to, in, at*) as follows:

	SINGULAR	PLURAL
MASCULINE	à + le = **au**: **au** cinéma *to the cinema*	à + les = **aux**: **aux** parents *to the parents*
FEMININE	à + la = **à la**: **à la** gare *to the station*	à + les = **aux**: **aux** toilettes *to the toilet*

Au and **à la** become **à l'** before **h** or a vowel (**a, e, i, o, u**):

à l'hôpital *to, in, at (the) hospital*   à l'école *to, in, at (the) school*

More examples:

Elle est **à la** piscine	*She is **at** the swimming pool*
Il est **au restaurant**	*He is **in** the restaurant*
Ils sont **au** collège	*They are **in** college*
J'ai écrit **aux** enfants	*I have written **to** the children*

Note that **à** is used to mean *in* with places people often go to: **à l'école,
au collège, au restaurant.**

2 The preposition **à** is used with towns to mean *to* or *in*:

Viens avec moi **à Paris**	*Come with me **to Paris***
Mon copain Jules habite **à Strasbourg**	*My friend Jules lives **in Strasbourg***

But if the name of the town includes **le** (e.g. **Le Havre**), use **au** to mean *to* or *in*:

Je travaille **au** Havre   *I am working in Le Havre*

Being *in* or travelling *to* countries

3 Use **le, la,** and **les** before the names of COUNTRIES and REGIONS, for example:

MASCULINE COUNTRIES		FEMININE COUNTRIES	
Le Canada	*Canada*	**L'**Afrique	*Africa*
Les États-Unis	*The United States*	**L'**Angleterre	*England*
Le Japon	*Japan*	**Les** Antilles	*The West Indies*
Le Maroc	*Morocco*	**L'**Écosse	*Scotland*
Les Pays-Bas	*The Netherlands*	**La** France	*France*
Le pays de Galles	*Wales*	**La** Tunisie	*Tunisia*

Help Yourself to Essential French Grammar

Je connais **le** Maroc	*I know Morocco*
On va traverser **la** France	*We are going to drive across France*
J'aime **les** États-Unis	*I like the United States*
L'Angleterre est située en Europe	*England is in Europe*

For a list of countries, see page 147

a   Use **au** for being *in* or travelling *to* MASCULINE COUNTRIES:

Les étudiants sont **au Japon**	*The students are in Japan*
Je vais a**u Portugal**	*I am going to Portugal*

b   Use **en** for being *in* or travelling *to* FEMININE COUNTRIES:

Ils sont allés **en Suède**	*They went to Sweden*
Elle travaille **en Italie**	*She is working in Italy*

c   Use **aux** for being *in* or travelling *to* PLURAL COUNTRIES:

Ils sont **aux États-Unis**	*They are in the United States*
Nous sommes allés **aux Antilles**	*We went to the West Indies*

Saying what you are *going to do*

4   To say what you are *going* to do, use the verb **aller** (*to go*) and the infinitive. This is
called the IMMEDIATE FUTURE.
Here is an example with **partir** (*to leave*):

ALLER + INFINITIVE	TRANSLATION
je **vais** partir	*I am going to leave*
tu **vas** partir	*you are going to leave*
il/elle **va** partir	*he/she is going to leave*
nous **allons** partir	*we are going to leave*
vous **allez** partir	*you are going to leave*
ils/elles **vont** partir	*they are going to leave*

Examples:

Je **vais** finir mes devoirs	*I'm going to finish my homework*
Tu **vas** lire sa lettre ?	*Are you going to read his letter?*
Elle **va** appeler un taxi	*She is going to call a taxi*
Nous **allons** bientôt manger	*We are going to eat soon*
Vous n'**allez** pas **vous** baigner ?	*Aren't you going for a swim?*
Ils **vont** se reposer ce matin	*They are going to rest this morning*

CHAPTER 4   WHAT HAVE YOU LEARNT?

A In the following tour description, insert **à la**, **à l'**, **au** or **aux** as appropriate.

Trois jours en Normandie

1er jour : Cherbourg

Arrivée … port de Cherbourg à 19 h 30. Transfert … l'hôtel. Dîner … restaurant
« L'Ancre dorée ».

2e jour : Coutances et Granville

Matinée … cathédrale gothique de Coutances. Excursion … îles de Chausey,
l'après-midi. Nuit … auberge « Les Embruns » à Granville.

3e jour : Granville et ses environs

Le matin : excursion … remparts de la vieille ville. L'après-midi : détente … plage
de Granville. Soirée … Mont-Saint-Michel.

B One of the young people on the tour has lost his programme. He asks an elderly lady
what they *are going to do*. Write the verbs in the immediate future.

Qu'est-ce qu'on[1] va faire ?

- Où est-ce qu'on (*aller*) aujourd'hui ?
- Ce matin, nous (*visiter*) la cathédrale gothique de Coutances. Et cet après-midi,
  nous (*partir*) en excursion en mer.
- Et demain matin ?
- Moi, je (*essayer*) de me reposer parce que la journée (*être*) longue. Toi et les
  autres, vous (*faire*) le tour des remparts de Granville.
- Et le reste de la journée ?
- L'après-midi, si tu aimes la mer, tu (*pouvoir*) te baigner. Et le soir, on (*voir*) un
  spectacle au Mont-Saint-Michel.

C Here is a geography quiz. Select the appropriate country from the list below and
introduce it by **en**, **au** or **aux**.

e.g. Le lac Léman est … *Suisse.*   →   Le lac Léman est en Suisse.

Un peu de géographie

1 Copenhague est …
2 La Nouvelle-Orléans se trouve …
3 Le désert du Sahara est situé …
4 La Seine coule …
5 L'île de la Martinique se trouve …

                                   Afrique   Antilles   Danemark   États-Unis   France

---

[1] *on* often means "we" in French; *on* takes the same part of the verb as *il* and *elle*.

CHAPTER 5   WHAT DO YOU KNOW?

A Baptiste and Clément are getting ready for a day's hike in the Pyrénées mountains. Insert **du**, **de l'**, **de la** or **des** as appropriate.

Derniers préparatifs

BAPTISTE   Alors, qu'est-ce que je mets dans le sac à dos ?

CLÉMENT   … pain, … eau minérale, … jus d'orange, … bananes.

BAPTISTE   Je prends aussi … fromage ?

CLÉMENT   Oui, … gruyère et … yaourts. Et puis … saucisson !

BAPTISTE   C'est tout ?

CLÉMENT   Non, il faut aussi emporter[1] … mouchoirs en papier, … sparadrap, … aspirine et … crème solaire.

B On return from their hike (*une randonnée*), Baptiste and Clément write home. Choose the appropriate verbs from the lists below and write them in the perfect tense (passé composé).

e.g. Je … une randonnée.   →   J'ai fait une randonnée.

Une randonnée inoubliable

Cher papa,

Quelle journée ! Je … une randonnée interminable dans la montagne avec Clément. Nous … pendant toute la journée et je … un coup de soleil. Nous … des Espagnols très gentils – mais je n'ai pas parlé avec eux parce que j'étais trop fatigué.

Bon, j'arrête, je vais me coucher. Bises. À bientôt.

Baptiste

faire   marcher   prendre   rencontrer

Chers parents,

Nous … une journée formidable et nous … des choses extraordinaires (animaux sauvages, fleurs rares, etc.). Nous … en compagnie d'étudiants espagnols à midi. Et puis, en redescendant, nous … une vieille église en ruines.

Je vous embrasse très fort. Baptiste vous envoie le bonjour.

Clément

passer   voir   pique-niquer   visiter

---

[1] *emporter quelque chose*: to take something.

Using le, la, les with de

1 **Le, la, les** combine with the preposition **de** (*from, of*) as follows:

	SINGULAR	PLURAL
MASCULINE	de + le = **du**: **du** cinéma *from the cinema*	de + les = **des**: **des** parents *from the parents*
FEMININE	de + la = **de la**: **de la** gare *from the station*	de + les = **des**: **des** toilettes *from the toilet*

Saying *some* or *any*: du, de la, des

2 **Du**, **de la** and **des** are used to say *some* before a noun:

	SINGULAR	PLURAL
MASCULINE	**du** pain *some bread*	**des** biscuits *some biscuits*
FEMININE	**de la** confiture *some jam*	**des** pommes *some apples*

Du and **de la** become **de l'** before **h** or a vowel (**a, e, i, o, u**):

de **l'**argent   *some money*
de **l'**huile   *some oil*

3 **Du**, **de la** and **des** can also mean *any*:

Tu as **des** tickets de métro ?   *Do you have any metro tickets?*
Est-ce qu'il y a **du** miel ?   *Is there any honey?*
Vous avez **de la** monnaie ?   *Do you have any change?*

4 *Some* and *any* are sometimes omitted in English. Don't leave out **du, de la, des**!

J'ai acheté **du** pain et **de la** viande   *I bought (some) bread and (some) meat*
Tu as **des** copains à Bruxelles ?   *Do you have (any) friends in Brussels?*

*For explanations of where **de** replaces **du, de la, des**: see Chapters 9 (p. 38) and 10 (p. 44).*

Saying what happened in the past: the perfect tense

5 The PERFECT TENSE, or PASSÉ COMPOSÉ, describes an action in the past:

J'**ai acheté** le journal   *I bought the newspaper*
Nous **avons invité** des amis   *We have invited some friends*
Ils n'**ont** pas **téléphoné**   *They didn't call*

6 For most verbs, the PERFECT TENSE consists of:

| PRESENT TENSE OF **AVOIR** **+** PAST PARTICIPLE OF THE VERB |

Here is the perfect tense of **parler**:

j'ai **parlé**	*I spoke/have spoken*
tu **as parlé**	*you spoke/have spoken*
il/elle **a parlé**	*he/she spoke/has spoken*
nous **avons parlé**	*we spoke/have spoken*
vous **avez parlé**	*you spoke/have spoken*
ils/elles **ont parlé**	*they spoke/have spoken*

Note that each form means both *spoke* and *has/have spoken*.

To form a NEGATIVE sentence (for an explanation of NEGATIVES, see Chapter 8), put **ne** and **pas** before and after **avoir**:

Je **n'ai pas** parlé   *I didn't speak*
Nous **n'avons pas** parlé   *We have not spoken*

7 This is how the PAST PARTICIPLE of regular verbs is formed:

verbs ending **-er** e.g. **parler**	remove **er** and add **é**:	parl**é**
verbs ending **-ir** e.g. **finir**	remove **ir** and add **i**:	fin**i**
verbs ending **-re** e.g. **vendre**	remove **re** and add **u**:	vend**u**

8 The PAST PARTICIPLES of some verbs are irregular (see page 126). Here are some of the most common:

apprendre *to learn*	j'ai **appris**
devoir *to have to, must*	j'ai **dû**
dire *to say*	j'ai **dit**
écrire *to write*	j'ai **écrit**
être *to be*	j'ai **été**
faire *to do or make*	j'ai **fait**
lire *to read*	j'ai **lu**
mettre *to put*	j'ai **mis**
permettre *to allow or permit*	j'ai **permis**
pouvoir *to be able to, can*	j'ai **pu**
prendre *to take*	j'ai **pris**
recevoir *to receive*	j'ai **reçu**
voir *to see*	j'ai **vu**

Some examples:

Tu as vu ta sœur ?   *Have you seen your sister?*
Elle n'a pas **fait** ses valises   *She hasn't packed*

CHAPTER 5   WHAT HAVE YOU LEARNT?

A Here is a test on how good you are as a traveller. Write the verbs in brackets in the
  perfect tense.

  Jeu-test – Êtes-vous bon voyageur ?

  1 Vous allez en France. Quand vous arrivez, vous réalisez que :
  a vous (*apporter*) tout ce dont vous avez besoin[1].
  b vous (*laisser*) votre brosse à dents à la maison.
  c vous (*perdre*) une de vos valises en route[2].

  2 À la fin de votre première journée de vacances :
  a vous êtes un peu fatigué(e) parce que vous (*visiter*) toute la ville.
  b vous êtes mouillé(e) parce que vous (*oublier*) votre imperméable.
  c vous êtes déprimé(e) parce que vous (*passer*) toute la journée dans votre chambre.

  3 À la fin de la semaine :
  a vous (*faire*) beaucoup de progrès en français.
  b vous (*apprendre*) quelques expressions nouvelles.
  c vous (*ne pas progresser*) parce que vous parlez toujours anglais.

  Now do the test to find out what kind of traveller you are. Tick the sentences which
  best describe your attitude and check your results∗.

B Sylvia has never been to the South of France before and does not know what to
  expect. She calls Nicole, her penfriend, to find out what it's going to be like. Write
  the French equivalent of the words in brackets.
  e.g. On mange … [chips].   →   On mange des frites.

  Chez toi, ça va être comment ?
  SYLVIA   Chez toi, on mange des hamburgers et des frites ?
  NICOLE   Non, on mange … [fish], … [meat] et … [vegetables] du jardin.
  SYLVIA   Et qu'est-ce qu'on boit ?
  NICOLE   On boit … [mineral water], … [fruit juice] ou … [wine].
  SYLVIA   Il va faire chaud ?
  NICOLE   Oui. Apporte … [sun cream] et … [sun-glasses].
  SYLVIA   Il y a un cinéma dans la ville ?
  NICOLE   Non, mais il y a … [videos] à la maison.
  SYLVIA   Et c'est facile de trouver des magazines en anglais ?
  NICOLE   Non. Mais, chez nous, il y a … [comics] faciles à comprendre.

---

[1] *tout ce dont vous avez besoin*: all that you need.

[2] *en route*: on the way.

∗Un maximum de a : vous êtes un excellent voyageur ; un maximum de b : vous devriez mieux préparer
vos voyages ; un maximum de c : vous feriez mieux de rester chez vous.

UNIT

2

A Here is a list of the presents Christine has brought back from her various trips abroad.
Check the gender of the countries given in the column on the right hand side. Select
the appropriate country for each sentence and add it using **de**, **d'** or **du** as appropriate.
e.g. Du saumon de Norvège   Du porto du Portugal

Cadeaux rapportés de voyage
1 Du chocolat   a Brésil
2 De la poterie   b Écosse
3 Une bouteille de whisky   c Suisse
4 Du café   d Maroc

B Christine is booking a room in Strasbourg for her holidays. Write the French
equivalent of the words in brackets.
e.g. Je pars [on 1st August].   →   Je pars le 1er août.

Lettre de réservation
Madame, Monsieur,
    Je souhaite réserver une chambre seule avec douche pour [next summer].
J'aimerais arriver [on 2nd August] et repartir [on 15th August]. Je préférerais une
chambre fraîche pour pouvoir bien dormir [at night].
    Veuillez agréer, Madame, Monsieur, mes salutations distinguées.

C Christine travels a lot. Using the notes from her diary, she tells a French friend about
a recent trip to Belgium. Replace the underlined words by the appropriate verbs from
the list below to produce complete sentences.
e.g. Départ de Londres en train le 31 mars à 7 h.
  →   Je suis partie de Londres en train le 31 mars à 7 h.

Notes de voyage
1 Départ de Londres en train le 31 mars à 7 h.
2 Descente du train à 11 h 30.
3 Arrivée à l'hôtel vers midi.
4 Séjour[1] en Belgique jusqu'au 11 avril.
5 Retour en Angleterre en voiture avec Chantal.

                    partir   descendre   arriver   rester   revenir

---
[1] *un séjour*: a stay.

Being *from* or travelling *from* countries

1 Being *from* or travelling *from* countries and regions is expressed as:

a **du** before MASCULINE COUNTRIES:

    du Maroc   *from Morocco*   **du** Canada   *from Canada*

b **de** alone before FEMININE COUNTRIES:

    d'Espagne   *from Spain*   **de** Grèce   *from Greece*

c **des** before PLURAL COUNTRIES:

    des États-Unis *from the United States*   **des** Antilles *from the West Indies*

*For being **in** or travelling **to** countries see Chapter 4. For a list of countries see page 147.*

Expressions of time with **le** and **la**

2 Use **le** to mean *on* with days of the week, when it's what you do every week:

    Le samedi je reste au lit   *On Saturdays (every Saturday) I stay in bed*

But just use the day of the week to say what you did on one particular day:

    Samedi je suis resté au lit   *On Saturday (last Saturday) I stayed in bed*

3 Use **le**, **la** with **matin**, **soir**, etc. to mean *in the morning, in the evening*, etc.:

le matin	*in the morning*	**l'**après-midi	*in the afternoon*
le soir	*in the evening*	**la** nuit	*in the night/at night*

Le and **la** are left out when the day of the week is included:

    Je suis resté au lit **samedi matin**   *I stayed in bed on Saturday morning*

4 Use **le** in dates. The English words *on* and *of* are not translated:

    Le 2 avril   *The 2nd of April*   **Le** 10 août   *10th August*

Ordinary numbers are used <u>except for</u> the first of the month:

    Le premier janvier/le **1er** janvier   *The first of January/1st January*

5 Use **le** and **la** to refer to last week/month/year, etc. or next week/month/year, etc.:

la semaine dernière/**la** semaine prochaine	*last week/next week*
le mois dernier/**le** mois prochain	*last month/next month*
l'an dernier/**l'**an prochain	*last year/next year*

The perfect tense: verbs taking **être**

6 For some verbs, the PERFECT TENSE is formed with **être**, not **avoir**:

> PRESENT TENSE OF **ÊTRE**   +   PAST PARTICIPLE OF THE VERB

Here is the perfect tense of **arriver**, a verb that takes **être**:

je **suis arrivé(e)**	nous **sommes arrivé(e)s**
tu **es arrivé(e)**	vous **êtes arrivé(e)s**
il **est arrivé**	ils **sont arrivés**
elle **est arrivée**	elles **sont arrivées**

7 With **être** verbs, the past participle AGREES WITH the person doing the action. Add **-e** for feminine, **-es** for feminine plural and **-s** for masculine plural:

« **Je** suis sorti**e** tôt, » a dit Sophie   *"I went out early," said Sophie*
Vous êtes allé**s** au cinéma ensemble ?   *Did you go to the cinema together?*
Les filles ne sont pas arrivé**es**   *The girls haven't arrived*

8 The following verbs take **être** – you will see that many are opposites:

arriver	*to arrive*	**entrer**	*to go/come in*
partir	*to leave*	**sortir**	*to go/come out*
descendre	*to go/come down*	**naître**	*to be born*
monter	*to go/come up*	**mourir**	*to die*
aller	*to go*	**tomber**	*to fall*
venir	*to come*	**rester**	*to stay*
retourner	*to return*	**passer**	*to pass/go*

Verbs formed from these also take **être**: **devenir** (*to become*), **revenir** (*to come back*), **rentrer** (*to go home*), etc.

Some verbs taking **être** have irregular past participles:

mourir	*to die*	je suis **mort(e)**	**devenir**	*to become*	je suis **devenu(e)**
naître	*to be born*	je suis **né(e)**	**revenir**	*to return*	je suis **revenu(e)**
			venir	*to come*	je suis **venu(e)**

CHAPTER 6 WHAT HAVE YOU LEARNT?

A Opening hours and customs vary from one country to the other. Finish the sentences as suggested.

e.g. En général, les gens travaillent le 26 décembre.

Quelques habitudes de vie françaises

1	Les gens ne travaillent pas …	*14 juillet*
2	On dîne entre 19 heures et 21 heures …	*soir*
3	Les boulangeries sont ouvertes …	*dimanche matin*
4	Certains magasins ferment …	*lundi*
5	Il n'y a pas d'école pour les enfants …	*mercredi*

B You have just arrived in Montpellier with Marc, who joined you in Paris. Using the journey details below, answer the questions. If you are female, remember to make the right agreements.

e.g. Tu es parti(e) de Londres à quelle heure ? Je …

→ Je suis parti de Londres à 8 h 23./Je suis partie de Londres à 8 h 23.

Vous avez fait bon voyage ?

Londres-Paris par Eurostar	départ à 8 h 23	arrivée à 12 h 23
Paris-Montpellier en car	départ à 14 h 20	arrivée à 21 h 30

1 Comment est-ce que tu es venu(e) de Londres ? Je …
2 À quelle heure est-ce que tu es descendu(e) du train ? Je …
3 Marc et toi, vous avez pris le car ensemble ? Oui, nous …
4 À quelle heure est-ce que le car est parti ? Le car …
5 Quand est-ce que vous êtes arrivés à Montpellier ? Nous …

C People have travelled from all over the world to attend your sister's wedding. You introduce them to your friends and say which countries they come from, using **de, d'**, **du** or **des** as appropriate.

e.g. Eva est polonaise. → Voici Eva, elle vient de Pologne.

D'où viennent-ils ?

1 Omar travaille en Australie.
2 Jocelyne vit au Japon.
3 Jan et Dirk sont néerlandais.
4 Sian et Ros habitent au pays de Galles[1].
5 Et enfin Nana est grecque.

---

[1] *Le pays de Galles*: Wales.

Help Yourself to Essential French Grammar

Revision test 4–6

A Some people travel in a most unusual way. Choose the appropriate verbs from the list given after each journey description and write them in the perfect tense.

Ils ont fait le tour du monde[1]

1 À l'âge de 27 ans, Djamel Balhi ... le premier tour du monde à pied, seul et sans assistance. Son voyage ... deux ans : il ... en 1987 et il ... en 1989.

> *durer   faire   partir   revenir*

2 Ticjk Hansen ... son tour du monde en fauteuil roulant[2] en 1986. Il ... plus de 40 000 kilomètres et il ... 34 pays. Pendant son voyage, il ... de l'argent pour la recherche médicale.

> *ramasser   rouler   terminer   traverser*

3 Françoise et Claude Hervé ont parcouru[3] le monde à bicyclette pendant 14 ans. Ils ... 89 pneus, ils ... 66 pays et ils ... des aventures formidables. Leur fille, Manon, ... pendant le voyage.

> *avoir   découvrir   naître   user*

B Françoise et Claude Hervé are being asked what they are going to do next. Use the immediate future (*aller* + infinitive) to fill in the gaps.

Interview d'une famille de globe-trotters

- Françoise et Claude Hervé, vous venez de rentrer en France après un voyage qui a duré 14 ans. Quels sont vos projets ?
- Nous (*prendre*) du repos pour commencer. Et puis nous (*essayer*) de mener une vie « normale ». Cela (*être*) assez dur, je pense.
- Vous allez repartir ?
- Pour le moment, nous ne savons pas. D'abord, nous (*écrire*) un livre pour raconter nos aventures.
- Et toi, Manon, qu'est-ce que tu (*faire*) ?
- Je (*aller*) à l'école pour la première fois de ma vie.

C One of your friends comes from a very international background. Use the information given in the sentences below to tell in which country each person was born.
e.g. Sa cousine est d'origine française.   →   Elle est née en France.

Une famille très internationale

1 Ses parents sont d'origine portugaise.
2 Son frère a la nationalité américaine.
3 Sa tante est néerlandaise.
4 Ses cousines sont de nationalité indienne.
5 Son perroquet[4] vient d'Afrique !

---

[1] *faire le tour du monde*: to go round the world.

[2] *un fauteuil roulant*: a wheelchair.

[3] *parcourir*: to travel all over.

[4] *perroquet*: parrot.

Help Yourself to Essential French Grammar

D Malika, your sister, always says she will do things for people. But when they telephone, she is nowhere to be seen! Here are some of the excuses you've had to make for her. Give the French equivalent for the words in brackets, using **à, à la, à l', au** or **aux**.

Allô, est-ce que je peux parler à Malika ?

1 Non, c'est impossible ! Elle est allée chercher ma mère [at the airport].
2 Elle est [in college] ce matin. Je peux prendre un message ?
3 Vous n'avez pas de chance ! Elle est [in London] pour le week-end.
4 Elle est allée [to the supermarket]. Vous pouvez rappeler plus tard ?
5 Non, elle n'est pas là, elle a emmené ma petite sœur [to the cinema].
6 Elle est [at the bank]. Essayez d'appeler ce soir.
7 Non, je regrette. Elle a porté quelque chose [to the neighbours].
8 Elle est [in the toilet]. Elle vous rappelle dans un moment ?

E In the following statements friends are telling you what they've had for breakfast during their holiday. Insert **du, de l', de la** or **des** as required.

Des petits déjeuners typiques

1 J'ai mangé … croissants, et aussi … pain avec … beurre et … confiture.
2 J'ai pris … céréales, … œufs au bacon ou … poisson, et j'ai bu … thé.
3 On m'a servi … saucisson, … gâteaux, … oranges de Séville et … café.
4 On m'a apporté … crêpes avec … myrtilles[5] et … crème.
5 J'ai dégusté … mangues, … ananas et … jus de goyave.

Now look at each of the sentences above and say where your friends have just come from. Start each sentence with *Tu arrives* and choose the country from the list below.
e.g. J'ai mangé des croissants …   →   Tu arrives de France.

France   Antilles   Royaume-Uni   Espagne   États-Unis

F You are making arrangements to meet a friend, but it is proving rather difficult. Give the French for the information in brackets.

Je te vois quand ?

LUI On fait quelque chose ensemble [next week] ?
TOI Oui, pourquoi pas ! On se voit [next Tuesday], après les cours ?
LUI Non, désolé. [On Tuesday afternoons] je fais du judo.
TOI Alors mercredi. Je suis libre [in the afternoon].
LUI Pas moi ! J'ai promis d'aller voir ma tante.
TOI Et puis moi, [in the evening], je sors. Et bien alors [on Saturday morning].
LUI Samedi, on est le combien[6] ? [The 1st or the 2nd of] février ?
TOI [The first], je crois. Parce que [on Friday], j'ai rendez-vous chez le dentiste et c'est [the 31st].
LUI Bon, et bien d'accord pour samedi. À 11 h devant la poste ?
TOI D'accord. Mais arrive à l'heure ! Je n'aime pas attendre.

---

[5] *des myrtilles*: blueberries.

[6] *on est le combien ?*: what date is it?

Help Yourself to Essential French Grammar

Le monde autour de nous

A Romane is visiting Nantes, and sometimes has to ask her way. Give the French for the words in brackets.

Où se trouve … ?
- Excusez-moi, pour aller à la gare, s'il vous plaît ?
– Vous passez [under] le pont, et la gare est à droite.
- Vous pouvez m'indiquer où se trouve la cathédrale, s'il vous plaît ?
– Elle est juste [behind] vous.
- Vous pouvez me dire où est le musée, s'il vous plaît ?
– Vous prenez la rue située [between] ces deux bâtiments, et le musée est juste [in front of] vous.

B This is how Romane describes her visit to Nantes in her diary. Select the appropriate verbs and fill the gaps as appropriate.

Une journée bien remplie
Mardi : je suis sortie de bonne heure[1] et ……… toute la matinée. À midi, ……… pour manger dans un café et ……… à la terrasse pour regarder les gens passer.

L'après-midi, j'ai encore marché pendant deux heures. Vers quatre heures, je me suis couchée sur un banc et ……… . Quand ………, je ne savais pas où j'étais. Bref, ……… aujourd'hui.

je ne me suis pas ennuyée *je me suis arrêtée*

je me suis endormie *je me suis réveillée*

je me suis promenée *je me suis assise*

C Where do you get things done? Match the following phrases correctly.

Commerces[2] et services

1 On achète du pain …	a à la gare routière.
2 On prend le journal …	b chez le mécanicien.
3 On prend le car …	c à la poste.
4 On achète des fleurs …	d à la maison de la presse.
5 On fait réparer sa voiture …	e chez le boulanger.
6 On porte le courrier …	f chez le fleuriste.

---

[1] *de bonne heure*: early.

[2] *un commerce*: a shop.

Saying where things are: useful one-word prepositions

1 **À** and **de** are PREPOSITIONS. Many PREPOSITIONS describe where things are or where people are going. These one-word prepositions are common:

chez	*to/at*	**entre**	*between*
dans	*in*	**sous**	*under*
derrière	*behind*	**sur**	*on*
devant	*in front of/outside*	**vers**	*towards*

Some examples:

Leur voiture est **devant** la maison   *Their car is in front of the house*
Ton livre est **sur** la table   *Your book is on the table*

2 The preposition **chez** means *to* or *at* someone's house, place of business, or just *home*:

Je rentre **chez moi**   *I'm going **home***
Nous passons la nuit **chez Farah**   *We're spending the night **at Farah's***
Elle mange **chez son cousin**   *She's eating **at her cousin's place***
Il va **chez le docteur**   *He's going **to the doctor's***

Chez and **à** have similar meanings and usually have only one English equivalent:

Je rentre **chez** moi   *I am going home*
Je rentre **à la** maison   *I am going home*
J'ai pris la viande **chez** le boucher   *I got the meat at the butcher's*
J'ai pris la viande **à la** boucherie   *I got the meat at the butcher's*

Note that **chez** refers to the person and **à** refers to the place:

chez moi, chez le boucher   **à la maison, à la boucherie**

Saying when things happen: **en, à, jusqu'à**

3 Use **en** to express *in* with months, years and seasons:

en mars	*in March*	**en** été	*in (the) summer*
en décembre	*in December*	**en** automne	*in (the) autumn*
en 1968	*in 1968*	**en** hiver	*in (the) winter*

Exception: **au** printemps – *in (the) spring*

4   Use **à** to express *at* when telling the time:

Elle est arrivée **à** midi	*She arrived at midday*
à dix heures et demie	*at half past ten*

At can be omitted in English, but **à** must be used in French:

À quelle heure est-elle arrivée ?	*What time did she arrive?*
À minuit	*Midnight*

Note that **vers** means *at about*:

Il sort **vers** dix heures	*He goes out at about ten o'clock*

5   *Until* a particular time is expressed by the preposition **jusqu'à**:

Je vais travailler **jusqu'à** minuit	*I'm going to work until midnight*
jusqu'à deux heures	*until two o'clock*

Jusqu'à combines with **le, la, les** to become **jusqu'au, jusqu'à la, jusqu'aux**:

Je vais travailler **jusqu'à** l'aube	*I'm going to work until dawn*
jusqu'au matin	*until the morning*

See pages 148–52 for more about numbers and how to tell the time

The perfect tense: reflexive verbs

6   All REFLEXIVE VERBS take **être** in the PERFECT TENSE. Some examples:

Elle **s'est habillée** rapidement	*She dressed quickly*
Ils **se sont perdus** en ville	*They got lost in town*
Les filles **se sont couchées**	*The girls have gone to bed*

7   Here is the perfect tense of the reflexive verb **se laver**. As with all verbs taking **être**, the past participle agrees with the person or people doing the action:

je **me suis** lavé(e)	nous **nous sommes** lavé(e)s
tu **t'es** lavé(e)	vous **vous êtes** lavé(e)s
il **s'est** lavé/elle **s'est** lavée	ils **se sont** lavés/elles **se sont** lavées

Note where to put **ne** and **pas** in a negative sentence (more in Chapter 8):

Les filles **ne** se sont **pas** couchées	*The girls have not gone to bed*
Je **ne** me suis **pas** lavé ce matin	*I did not wash this morning*

CHAPTER 7   WHAT HAVE YOU LEARNT?

A You are going to stay at a friend's house during his absence to look after his cat. Here are his instructions. Select the prepositions which are most appropriate, and fill the gaps.

Pendant mon absence

1 Tu peux laisser ta voiture … la maison.	*sur/devant*
2 La clé est … le paillasson[1].	*sous/derrière*
3 La nourriture pour le chat est … la table de la cuisine.	*sur/dans*
4 Les draps sont rangés … l'armoire de la chambre.	*entre/dans*
5 Les serviettes sont … la porte de la salle de bains.	*derrière/sous*
6 Arrose la plante qui est … les deux fenêtres du salon.	*entre/derrière*

B People have been looking for you, where have you been all morning? Use **à**, **au** or **chez** to introduce the various places.

Où étais-tu ?

1 J'ai retiré de l'argent …	*la banque*
2 Je suis passée boire le thé …	*mes grands-parents*
3 J'ai pris des médicaments …	*le pharmacien*
4 J'ai pris rendez-vous …	*le dentiste*
5 J'ai acheté des timbres …	*le bureau de tabac*
6 J'ai commandé un rôti de bœuf …	*la charcuterie*

C Several people have been asked to find their way to the railway station in a town they don't know. They report back afterwards. Check the meaning of the verbs in brackets in the glossary and write them in the pecfect tense.

Vous avez trouvé votre chemin ?

PASCAL   Je (*se servir*) d'une carte de la ville et j'ai pris le bus.

JEANINE   Je (*s'arrêter*) dix fois pour demander mon chemin et j'ai mis deux heures pour arriver.

MYLÈNE   Je (*se tromper*) une fois, mais quelqu'un m'a aidé.

ABDEL   Je (*se perdre*) assez vite et j'ai appelé un taxi.

SAFIA   Je (*se débrouiller*) toute seule en suivant les panneaux indicateurs.

FLORENT   Je (*s'informer*) à l'office du tourisme et j'ai vite trouvé.

Now decide who were the worst at finding their way and check your answer*.

---

[1] *le paillasson*: the doormat.

*Jeanine et Abdel.

UNIT

3

CHAPTER 8   WHAT DO YOU KNOW?

A When you are out shopping you see all sorts of signs. Check the meaning and the
gender of the first words in the glossary and make the second words agree.

e.g. Produits *laitier* → Produits laitiers

1 Au supermarché

a	Produits	*laitier*	d	Boissons	*gazeux*
b	Fruits	*exotique*	e	Eaux	*minéral*
c	Viande	*surgelé*	f	Bières	*étranger*

2 Dans la vitrine des magasins

a	Librairie	*anglais*	d	Offre	*spécial*
b	Pâtisserie	*tunisien*	e	Soldes	*exceptionnel*
c	Spécialités	*italien*	f	Prix	*réduit*

3 Dans la rue

a	Parking[1]	*privé*	d	Vitesse	*limité*
b	Stationnement[1]	*interdit*	e	Sens	*unique*
c	Rue	*piétonnier*	f	Route	*barré*

B You are absent-minded (*distrait*) – you never notice or see anything around you.
Your friends find your answers infuriating. Write the verbs in brackets in French.

Distrait

- Tu sais si le prof de maths est au collège aujourd'hui ?
- [I don't know.]
- Tu as vu les résultats du match de football ?
- [No, I didn't see.]
- Tu as remarqué si la cantine est ouverte ?
- [No, I haven't noticed.]
- Tu as regardé si la machine à café marche[2] ?
- [I didn't look.]
- Tu te souviens s'il y a un film au ciné-club ce soir ?
- [I don't remember.]
- Mais enfin ! Tu dors ou quoi ?

---

[1] Note that *un parking* is "a car park" and that *le stationnement* means "parking"

[2] *marcher*: to work.

Describing nouns: regular adjectives

1 An ADJECTIVE describes a noun. For example, the ADJECTIVE *beautiful* describes the noun *beach* in this sentence:

*There is a **beautiful** beach at Deauville*

2 In French ADJECTIVES must agree with the nouns they describe. With most adjectives, this means adding **-e** for FEMININE and **-s** for PLURAL NOUNS:

	SINGULAR	PLURAL
MASCULINE	gratuit	gratuit**s**
FEMININE	gratuit**e**	gratuit**es**

Most adjectives in French go after the noun, unlike English:

un déjeuner **gratuit**   *a free lunch*   des déjeuners **gratuits**   *free lunches*
une boisson **gratuite**   *a free drink*   des boissons **gratuites**   *free drinks*

3 Some groups of adjectives are different.

a Adjectives ending in **-e** (with no accent) don't need another **-e** when FEMININE:

un verre **sale**   *a dirty glass*   une assiette **sale**   *a dirty plate*

b Adjectives already ending in **-s** or **-x** don't need an **-s** when PLURAL:

un vin **français**   *a French wine*   des vins **français**   *French wines*
un film **merveilleux**   *a wonderful film*   des films **merveilleux**   *wonderful films*

c Adjectives with certain endings have different feminine forms:

ENDINGS	EXAMPLES: MASCULINE	FEMININE	TRANSLATION
-al → **ale**	nation**al**	nation**ale**	*national*
-el → **elle**	exceptionn**el**	exceptionn**elle**	*exceptional*
-en → **enne**	canadi**en**	canadi**enne**	*Canadian*
-er → **ère**	étrang**er**	étrang**ère**	*foreign*
-eux → **euse**	danger**eux**	danger**euse**	*dangerous*
-f → **ve**	acti**f**	acti**ve**	*active*

Note that for adjectives ending in **-al** the masculine plural is **-aux**:

les vols internation**aux**   *international flights*

4 Adjectives describing someone's nationality are used on their own as nouns:

> Deux **Anglaises** et un **Italien**   *Two English women and an Italian*

Note that nationality adjectives only have a capital letter when used alone.

For more about adjectives see Chapters 10 and 11

Negatives: use of **ne ... pas**°

5 We use a NEGATIVE SENTENCE to say that we are *not* doing something, or that something did *not* happen.

Here are two NEGATIVE SENTENCES in English:

> *I **don't like** classical music*
> *We **haven't visited** Belgium*

6 You make a French sentence NEGATIVE by putting **ne** and **pas** round the verb. **Ne** is shortened to **n'** before vowels (**a, e, i, o, u**):

> Je **n'**aime **pas** la musique classique   *I dont like classical music*
> Ma sœur **ne** fait **pas** la vaisselle   *My sister doesn't do the washing up*

Note that, with REFLEXIVE VERBS, **ne** goes before the reflexive pronoun:

> Nous **ne** nous levons **pas** avant 8 h   *We don't get up before 8 o'clock*

7 In the PERFECT TENSE, **ne** and **pas** go round **avoir** or **être**:

> Je **n'**ai **pas** écrit à ma mère   *I haven't written to my mother*
> Elles **ne** sont **pas** revenues   *They did not come back*

Again, with REFLEXIVE VERBS **ne** goes before the reflexive pronoun:

> Tu **ne** t'es **pas** baigné dans la mer ? *Didn't you swim in the sea?*
> Elle **ne** s'est **pas** amusée   *She didn't enjoy herself*

*For use of other negatives, e.g. **jamais, rien**, see Chapter 16*

8 **De** (and not **du, de la, des**) is used before a noun after **pas** and other negatives:

> Nous n'avons pas **de** lait   *We don't have any milk*
> Il n'y a pas **de** chambres ici   *There are no bedrooms here*

CHAPTER 8   WHAT HAVE YOU LEARNT?

A Here is some advice on how to look after and enjoy your town. Make the adjectives in brackets agree.

Protégez et aimez votre ville

1 Mettez vos papiers (*sale*) et vos bouteilles (*vide*) dans une poubelle.

2 Ne prenez pas toujours les rues (*principal*) pour aller au collège, essayez de prendre des chemins (*différent*).

3 Regardez autour de vous : dans tous les quartiers, on trouve des maisons (*ancien*), des petites rues (*merveilleux*), des boutiques pas (*cher*).

4 Profitez au maximum des espaces (*vert*) et des installations (*sportif*) : jardins (*municipal*), piscines (*couvert*), etc.

B A group of students are asked if they like living in town, or if they would prefer the country. Write the underlined verbs in the negative.

Aimez-vous vivre en ville ?

ROMAIN   J'aime la ville, je préfère habiter à la campagne.

MARION   Pour le moment, ça va. Mais je veux habiter à Paris toute ma vie.

RACHID   Je trouve que c'est agréable de vivre en ville. Mais je peux imaginer comment c'est ailleurs[1].

CAMILLE   Moi, j'ai essayé de vivre à la campagne et j'ai réussi.

LUCIE   Et bien moi, j'ai passé tout l'été dans une ferme, et je me suis ennuyée.

Now that you have answers that make sense, work out who likes living in town, who does not, and who prefers the country. Check your answers*.

C Martine and Jacques live on a farm in the middle of the country. Select the appropriate word and finish the sentences.

e.g. On fait notre pain parce qu'il n'y a pas … *boulangerie.*

→   On fait notre pain parce qu'il n'y a pas de boulangerie.

Retour à la nature

1 On cuisine beaucoup parce qu'il n'y a pas …

2 On lit beaucoup parce qu'il n'y a pas …

3 On dort bien parce qu'il n'y a pas …

4 L'air n'est pas pollué parce qu'il n'y a pas …

bruit   distractions   industries   restaurant

---

[1] *comment c'est ailleurs*: what it's like elsewhere.

*Marion et Camille sont assez heureux en ville ; Rachid n'aime pas la ville ; Romain et Lucie aiment la campagne.

Help Yourself to Essential French Grammar

UNIT

3

A You are staying in Tain. Here is a plan of the town centre. Select the appropriate prepositions to describe it. Write them in and make any changes necessary.

e.g. Le supermarché n'est pas très … *la banque*
→   Le supermarché n'est pas très loin de la banque.

Poste	Boulangerie	Supermarché	Poissonnerie	Arrêt d'autobus
Rue nationale				
Mairie	Banque	Boucherie	Bureau de tabac	Hôtel du Commerce	Café

1 L'arrêt d'autobus n'est pas très …   *le supermarché*
2 La poissonnerie se trouve …   *la boulangerie*
3 La poste est presque …   *la mairie*
4 La boucherie est située …   *le bureau de tabac*
5 Le café est …   *la rue*

            en face de   à côté de   au bout de   près de   loin de

B While out shopping, you meet your penfriend's uncle who tells you how things used to be. Underline the verbs which describe the past.

Quand j'étais jeune (1)
Quand j'étais jeune, avec mes copains on se baignait dans la rivière. Aujourd'hui il n'est pas permis de s'y[1] baigner et tout le monde va à la piscine. Je me souviens aussi qu'il y avait un petit cinéma dans la rue nationale, où on montrait des films de cow-boys le samedi soir. Maintenant, il y a un supermarché à la place[2] du cinéma.

C In the following sentences (which are based on the text above), the word **on** means either *we* or *they*. Indicate the meaning of **on** after each sentence.
e.g. Mes copains et moi, on se baignait dans la rivière.   → *we*

Quand j'étais jeune (2)
1 Mes copains et moi, on se baignait dans la rivière.
2 On allait au cinéma le samedi soir.
3 Au cinéma, on montrait des films de cow-boys.
4 On a mis un supermarché à la place du cinéma.

---

[1] *y*: there.

[2] *à la place de*: instead of.

Saying where things are (continued)

1 Many PREPOSITIONS take **de** before a noun. The following are common:

à côté de	*next to*	**au coin de**	at *the corner of*
à l'extérieur de	*outside*	**au milieu de**	*in the middle of*
à l'intérieur de	*inside*	**en face de**	*opposite*
au bord de	*at the side of*	**loin de**	*far from*
au bout de	*at the end of*	**près de**	*near*

Some examples:

La librairie est **au bout de** la rue   *The bookshop is at the end of the street*
Le lac se trouve **au milieu d'**une forêt   *The lake is in the middle of a forest*

Remember how **de** combines with **le, la, les**:

à côté du marché	*next to the market*	**à côté des** magasins	*next to the shops*
à côté de la banque	*next to the bank*	**à côté des** maisons	*next to the houses*

2 Be careful! Sometimes the English equivalents consist of only one word:

La mairie est **en face de** mon bureau *The town hall is **opposite** my office*
J'habite **près du** stade   *I live **near** the stadium*

3 Leave out **de** when there is no NOUN after the preposition:

La mairie est **en face**   *The town hall is **opposite***
La boîte aux lettres est **à l'extérieur**   *The letterbox is **outside***

*For a useful list of all common prepositions taking **de**, see page 145*

Saying how things were in the past: the imperfect tense

4 The IMPERFECT tense is used to describe how things were in the past:

J'**habitais** en France   *I used to live in France*
Elle **finissait** son travail   *She was finishing her work*
Il n'y **avait** pas beaucoup de circulation *There wasn't a lot of traffic*

For more information about when to use the imperfect, see Chapter 10

5 The IMPERFECT tense is easy to form. You take the **nous** form of the present tense, remove the ending **-ons** and add the IMPERFECT ENDINGS:

e.g. parler:	nous parlons	→	**parl-** +	-ais	je parl**ais**

-ais	je parl**ais**
-ais	tu parl**ais**
-ait	il/elle parl**ait**
-ions	nous parl**ions**
-iez	vous parl**iez**
-aient	ils/elles parl**aient**

More examples:

INFINITIVE	PRESENT TENSE	IMPERFECT TENSE
finir, *to finish*	nous **finiss**ons	je **finissais**, tu **finissais**, etc.
vendre, *to sell*	nous **vend**ons	je **vendais**, tu **vendais**, etc.
conduire, *to drive*	nous **conduis**ons	je **conduisais**, tu **conduisais**, etc.

Note that only the verb **être** (*to be*) is irregular in the IMPERFECT tense:

j'**étais**   tu **étais**   il/elle **était**   nous **étions**   vous **étiez**   ils/elles **étaient**

How to use **on**

6 **On** is common in French. It takes the same part of the verb as **il** and **elle**:

On mange beaucoup de légumes   *We eat lots of vegetables*

7 **On** is used in three ways:

a in spoken French, to mean *we*:

Est-ce qu'**on** va au cinéma ?   *Are **we** going to the cinema?*
On va d'abord chercher Christine   *First **we**'re going to fetch Christine*

Note that when **on** means *we* the PAST PARTICIPLE with verbs taking **être** must be plural:

On est rentré**s** tôt   *We got home early*

b referring to what people do in general, like the English *you* or *one*:

On a besoin de six heures de sommeil   ***One** needs/**You** need six hours of sleep*

c to mean *they* when you don't specify who:

On nous a demandé nos passeports   ***They** asked for our passports*

CHAPTER 9   WHAT HAVE YOU LEARNT?

A On your arrival at the *château de Villeneuve* for a residential language course, you are welcomed by the director. Give the French for the words in brackets and make any changes necessary.

Arrivée au château de Villeneuve

Bienvenue à Villeneuve ! Je vous souhaite un excellent séjour.

Pour commencer, je vais vous donner quelques renseignements utiles. La réception se trouve [at the end of] le couloir, [next to] le réfectoire. Les salles de cours[1] sont au premier étage, [opposite] la bibliothèque. Vous trouverez une boîte à lettres [outside] le château et deux cabines téléphoniques [in the middle of] la cour. Il y a de belles promenades à faire [near] la rivière et le village n'est pas très [far].

Maintenant, je vais vous montrer vos chambres. Suivez-moi.

B In the following description of your first day at the centre replace **nous** by **on** and change the underlined verbs accordingly.

e.g. Nous sommes arrivés au château …   →   On est arrivés au château …

Premier jour

Nous sommes arrivés au château de Villeneuve en fin d'après-midi. Le directeur nous attendait. Nous avons déposé nos bagages dans nos chambres. Puis nous avons visité le centre avant d'aller dîner. Nous avons très bien mangé. Le soir, nous sommes allés faire une promenade le long de la rivière, et nous avons bu le café au village.

C In the course of the evening, you ask your tutor a few questions. Put the verbs in brackets in the imperfect tense.

Avant …

• Depuis quand est-ce que vous travaillez ici ?

– Depuis cet été. Avant, je (*travailler*) dans un lycée.

• Vous habitez au château ?

– Oui. Avant, je (*habiter*) au village mais ce (*ne pas être*) pratique.

• Vous croyez qu'il va faire beau cette semaine ?

– J'espère que oui. La semaine dernière, il (*faire*) froid et il (*y avoir*) du brouillard. Je n'aime pas ça.

• Avant de travailler ici, vous (*connaître*) le château ?

– Oui, parce que je (*venir*) en vacances à Villeneuve.

---

[1] *une salle de cours*: a classroom.

Help Yourself to Essential French Grammar

Revision test 7–9

A You are all late for your morning rehearsal at the town hall, but you have good excuses. Write the verbs in brackets in the perfect tense.

Pourquoi êtes-vous en retard ?

LUCAS Je (*se souvenir*) au dernier moment que j'avais oublié mon argent. Je suis retourné chez moi et, après, je (*se tromper*) de train.

CÉDRIC et CYRIL Maman (*ne pas se rappeler*) de faire sonner le réveil, et nous (*se réveiller*) à 9 heures.

PIERRE Je (*s'arrêter*) dans un magasin pour acheter quelque chose et j'ai fait la queue pendant une demi-heure.

CÉLINE Je (*se lever*) en retard. Je (*se dépêcher*) mais j'ai raté[1] le bus.

KARIMA Je (*venir*) à pied et je (*se perdre*) plusieurs fois.

B Richard is very keen for you to join his club, but you are not interested. Give the French for the expressions in brackets.

Pourquoi tu n'es pas venu ?

1 • Tu n'es pas venu dimanche après-midi. Pourquoi ?
  – [I didn't go out.]
2 • Mais tu avais promis de venir !
  – [I don't remember.]
3 • Bon, d'accord. Mais tu viens demain ?
  – [I don't know. I'm not sure.]
4 • Pourquoi ? Tu ne veux pas venir ?
  – Demain, [I am not going to have the time.]
5 • Et bien, viens un autre jour.
  – Bon, je vais essayer. [But I am not promising.]

C A group of young people are asked what their favourite animals are. Make the adjectives agree. (Note that Muriel and Marina are girls.)

Quels sont vos animaux préférés ?

BENOÎT J'adore les chiens parce qu'ils sont (*drôle*) et (*affectueux*). Ma chienne, Irma, est très (*actif*). Elle est toujours (*prêt*) à s'amuser.

MURIEL Moi, je suis passionnée par les bêtes[2] (*sauvage*) même si elles sont (*dangereux*).

MARINA Moi, j'ai deux poissons (*rouge*) qui sont très (*amusant*) et une grenouille (*vert*) qui est (*sensationnel*). Je suis (*content*).

GUILLAUME Moi, j'aime bien les chats (*siamois*). À la maison, j'ai une chatte (*adorable*) : elle est (*joli*), (*fier*) et (*indépendant*).

---

[1] *rater*: colloquial for *manquer* (to miss).

[2] *une bête*: colloquial for *un animal*.

D Sara remembers her childhood fondly. Put the verbs in the imperfect tense.

Quand j'étais petite
1 Quand je (*être*) petite, je (*passer*) l'été chez mes grands-parents.
2 Mes cousins (*venir*) parfois et nous (*s'amuser*) beaucoup.
3 Quand il (*pleuvoir*), on (*ne pas sortir*).
4 Mais lorsqu'il (*faire*) beau, on (*aller*) à la plage.
5 Mes parents me (*téléphoner*) souvent et je leur (*raconter*) tout.

E When you don't do things, it's because you've got a good reason.
   Finish the sentences making the necessary changes.
   e.g. Je ne joue pas au tennis parce que je n'ai pas … *une raquette.*
   → Je ne joue pas au tennis parce que je n'ai pas de raquette.

C'est parce que …
1 Je ne sors pas parce que je n'ai pas …   *des copains*
2 Je n'ai rien acheté parce que je n'avais pas … *de l'argent*
3 Je ne me baigne jamais parce qu'il n'y a pas … *une piscine*
4 Je ne lis pas parce qu'on ne m'achète pas …   *des livres intéressants*

F How good a neighbour are you? Write the words in brackets in French and make all
   necessary changes. Then do the test and check your results*.

Jeu-test – Êtes-vous un(e) bon(ne) voisin(e) ?
1 Vous trouvez le portefeuille de votre voisin dans le couloir :
   a vous mettez son portefeuille [inside] sa boîte aux lettres.
   b vous le posez [near] sa porte.
   c vous le laissez [in the middle of] le couloir.

2 Vous voyez votre voisine dans la rue. Son sac est lourd :
   a vous l'aidez et vous déposez son sac [next to] sa porte.
   b vous l'aidez et vous laissez son sac [in front of] l'ascenseur.
   c vous vous cachez [behind] un arbre pour l'éviter.

3 Vous rencontrez vos nouveaux voisins dans l'escalier :
   a vous les invitez à prendre un verre [at your place].
   b vous les saluez timidement [at the top of] l'escalier.
   c vous vous précipitez[3] [outside] sans rien dire.

4 Votre voisin est très malade :
   a vous lui envoyez une petite carte : « Courage, on est bientôt [in spring] ! »
   b vous allez au lit [at] 22 h 30 pour ne pas faire de bruit.
   c vous écoutez de la musique très fort [until morning].

---

[3] *se précipiter*: to rush.

*Un maximum de a : excellent ! ; un maximum de b : vous êtes plutôt bon (ne) voisin (e) ; un maximum de c : quel sauvage !

Help Yourself to Essential French Grammar

Parents, copains, amis

A Mrs Robin's children are discussing what they are going to buy for Mothers' Day.
Select the appropriate form of the adjective.

La fête des Mères

ALINE Je suggère qu'on lui achète une (*joli/jolie*) robe.

ROLAND Oui, mais ça va être difficile de trouver la (*bon/bonne*) taille. Pourquoi pas
un (*beau/belle*) bouquet de fleurs ?

CÉCILE Mais non, les fleurs ça ne dure pas. Prenons une (*gros/grosse*) plante pour le
jardin !

ROLAND Il y a des choses plus utiles. Par exemple, on peut lui offrir des serviettes
(*blancs/blanches*) avec une (*grand/grande*) nappe pour la table de la salle à
manger.

JULIEN Ou bien une (*nouveau/nouvelle*) valise. (*Tous/Toutes*) ses valises sont
(*vieux/vieilles*) !

CÉCILE Et bien, voilà ce que je propose. (*Ce/Cet*) après-midi, Julien et moi on fait
les magasins et on voit si on trouve quelque chose.

B Read the account of Julien and Cécile's shopping trip. Answer the questions using the
appropriate tense.

e.g. Où est-ce qu'ils sont allés d'abord ?

→   D'abord, ils sont allés aux Galeries Lafayette.

On n'a rien acheté

CÉCILE D'abord, on est allés aux Galeries Lafayette. Mais, comme il y avait beaucoup
de monde, on n'est pas restés.

JULIEN Ensuite, on est passés chez le fleuriste. Mais les fleurs étaient trop chères.

CÉCILE Après, on est entrés dans une boutique de vêtements, mais les robes étaient
affreuses.

JULIEN Et puis comme il pleuvait, on est vite rentrés.

1 Pourquoi est-ce qu'ils ne sont pas restés aux Galeries Lafayette ?
2 Où est-ce qu'ils sont passés ensuite ?
3 Pourquoi est-ce qu'ils n'ont pas acheté de fleurs ?
4 Est-ce que les robes étaient jolies dans la boutique ?
5 Pourquoi est-ce qu'ils sont vite rentrés ?

More about adjectives

1 Some ADJECTIVES are irregular:

| MASCULINE | | FEMININE | | |
SINGULAR	PLURAL	SINGULAR	PLURAL	TRANSLATION
beau	beaux	belle	belles	*beautiful*
blanc	blancs	blanche	blanches	*white*
bon	bons	bonne	bonnes	*good*
ce	ces	cette	ces	*this, that, these, those*
complet	complets	complète	complètes	*full*
frais	frais	fraîche	fraîches	*fresh*
faux	faux	fausse	fausses	*false, untrue*
gentil	gentils	gentille	gentilles	*nice, kind*
gros	gros	grosse	grosses	*fat*
long	longs	longue	longues	*long*
nouveau	nouveaux	nouvelle	nouvelles	*new*
tout	tous	toute	toutes	*all, every*
vieux	vieux	vieille	vieilles	*old*

2 The following common adjectives go <u>before the noun:</u>

beau	*beautiful*	long	*long*
bon	*good*	mauvais	*bad*
ce	*this, that*	nouveau	*new*
gentil	*nice, kind*	petit	*small*
grand	*big, tall*	premier	*first*
gros	*fat*	tout	*all, every*
jeune	*young*	vieux	*old*
joli	*pretty*		

Examples:

un **bon** repas   *a good meal*   une **petite** plage   *a small beach*

3 **Beau**, **ce**, **nouveau** and **vieux** are replaced by **bel**, **cet**, **nouvel** and **vieil** before a vowel or **h**, for example:

un **bel** hôtel   *a beautiful hotel*   le **Nouvel** an   *the New Year*

cet été   *this summer*   un **vieil** ami   *an old friend*

4 In formal French, **des** becomes **de** with a PLURAL ADJECTIVE before the noun:

de bons amis   *good friends*   **de** petites plages   *small beaches*

5 The adjective **ce** means both *this/these* and *that/those*. To make the distinction add **-ci** to mean *this* and *these*:

cette fois-**ci**	*this time*	**ces** jours-**ci**	*these days*

and **-là** to mean *that* and *those*:

cette année-**là**	*that year*	**ces** gens-**là**	*those people*

6 The adjective **tout** means *all, the whole, every*. It goes before **le, la, les**:

tout le monde	*everybody*	**tous** les enfants	*all the children*
toute la semaine	*all week/the whole week*	**toutes** les semaines	*every week*

When to use the imperfect and when to use the perfect

7 The IMPERFECT TENSE is used for:

a descriptions of how things were in the past:

C'**était** en janvier	*It was in January*
Il **faisait** très froid	*It was very cold*

b what you were doing, wanting or thinking at the time:

J'**écoutais** la radio	*I was listening to the radio*
Je ne **voulais** pas rentrer tard	*I didn't want to get home late*

c what you used to do in the past:

Je **partais** à six heures	*I used to leave at six o'clock*
Il **allait** à l'école tous les jours	*He went to school every day*

8 The PERFECT TENSE describes past actions that are completed:

Elle **est partie** en voiture	*She went by car*
Le voyage **a duré** deux heures	*The journey lasted for two hours*

The imperfect and perfect tenses are often used together to describe past events:

Comme il **faisait** froid, elle **est partie** en voiture   *As it was cold, she went by car*

When they are used together, the imperfect tense describes the general situation, while the perfect tense describes actions or events.

CHAPTER 10   WHAT HAVE YOU LEARNT?

A Roland, Cécile and Julien are organising a party for Aline. They are explaining their plans to their mother. Insert the adjectives in the gaps and make them agree.

Bon anniversaire !

ROLAND	… année, on va faire une surprise à Aline pour son anniversaire.	*ce*
MME ROBIN	Ah bon ? C'est la … fois que vous m'en parlez !	*premier*
JULIEN	On vient juste de décider ! On a eu une … discussion.	*long*
CÉCILE	On va préparer en secret une … boum¹ dans le garage.	*gros*
JULIEN	Et on va inviter … ses copains.	*tout*
MME ROBIN	Le garage est un peu triste, non ?	
ROLAND	On va le décorer avec de … posters.	*joli*
MME ROBIN	Et pour la musique ?	
CÉCILE	On a emprunté une … chaîne hi-fi.	*vieux*
ROLAND	Et donc, le soir de son anniversaire, j'appelle Aline.	
JULIEN	Et quand elle ouvre la porte du garage, elle trouve tous ses copains. Ça va être une … surprise !	*beau*
MME ROBIN	C'est une très … idée !	*bon*

B Aline is writing to a friend to tell him about the party. Put the verbs in brackets in the perfect or the imperfect tense as appropriate.

Merci de ta carte d'anniversaire

Romorantin, le 15 mai

Cher Antonio,

Merci de ta carte. C'est gentil d'avoir pensé à mon anniversaire. Mais tu (*se tromper*) de date ! Ce (*être*) le 14, pas le 15.

Hier, quand je (*se lever*), je (*penser*) que toute la famille (*aller*) me souhaiter un bon anniversaire. Mais rien. Je (*attendre*) toute la journée. Toujours rien. Je (*être*) désespérée.

Le soir, je (*regarder*) la télévision toute seule, quand mon frère Roland me (*appeler*) pour me montrer quelque chose dans le garage : « Viens voir ! ». Je (*descendre*) et quelle surprise ! Il (*y avoir*) de la musique et des posters partout. Et tous mes copains (*se trouver*) là. Ce (*être*) formidable !

Voilà les nouvelles. Je t'embrasse. Et merci encore !

Aline

---

¹ *une boum*: a party for teenagers.

Help Yourself to Essential French Grammar

UNIT

4

A   Amélie and Tristan are quarrelling in front of their parents. Insert the French words which correspond to *my, her, his, your* or *their*.
e.g. Elle adore ... frère. [*her*] → Elle adore son frère.

Une dispute

1   TRISTAN   Elle n'est pas gentille avec ... copine. [*my*]
    AMÉLIE   Mais non, maman ! Ce n'est pas vrai. J'adore ... copine. [*his*]
2   AMÉLIE   Si ... copain téléphone, il répond que je suis sortie. [*my*]
    TRISTAN   Mais non, papa ! Je n'ai jamais dit ça à ... copain. [*her*]
3   AMÉLIE   Il emprunte toujours ... affaires[1] mais il ne les rend jamais. [*my*]
    TRISTAN   C'est faux ! Je n'ai pas besoin de ... affaires. [*her*]
4   TRISTAN   Elle m'accuse toujours. Mais c'est elle qui a perdu ... clés et ... carnet d'adresses. [*your*]
    AMÉLIE   Qu'est-ce que tu racontes ? Je n'ai pas touché ... clés et ... carnet d'adresses ! [*their*]

B   How should good friends behave? Here are some suggestions. Match the two parts of the sentences.

Des amis attentionnés

1   Ils t'offrent un sandwich ...
2   Ils t'aident ...
3   Ils te prêtent un pull ...
4   Ils t'emmènent au théâtre ou à la patinoire ...
5   Ils te donnent de l'aspirine ...
6   Ils te disent ce qu'ils pensent de toi ...

a   ... lorsque tu as froid.
b   ... si tu as mal à la tête.
c   ... quand tu as envie de sortir.
d   ... si tu as faim.
e   ... sans avoir peur de te fâcher.
f   ... quand tu as besoin d'assistance.

---

[1] *les affaires* (fem. pl.): things, belongings.

Possessive adjectives: *my, your, his,* etc.

1 Possessive ADJECTIVES must agree with the noun they refer to:

	MASC. SINGULAR	FEM. SINGULAR	MASC./FEM. PLURAL
my	**mon** manteau *my coat*	**ma** veste *my jacket*	**mes** chaussures *my shoes*
your	**ton** manteau *your coat*	**ta** veste *your jacket*	**tes** chaussures *your shoes*
his/her	**son** manteau *his or her coat*	**sa** veste *his or her jacket*	**ses** chaussures *his or her shoes*
our	**notre** voiture *our car*		**nos** vacances *our holidays*
your	**votre** voiture *your car*		**vos** vacances *your holidays*
their	**leur** voiture *their car*		**leurs** vacances *their holidays*

Note that POSSESSIVE ADJECTIVES are <u>not</u> used with parts of the body after a verb. Use **le, la, les**:

J'ai mal à la tête   *My head hurts/I've got a headache*
Il s'est brossé les dents *He brushed his teeth*

2 The forms **son, sa, ses** mean both *his* and *her* and agree with the noun:

Elsa a pris **son** pull et **sa** veste   *Elsa took **her** sweater and **her** jacket*
Marc a pris **son** pull et **sa** veste *Marc took **his** sweater and **his** jacket*

3 **Ma, ta, sa** normally go with feminine singular nouns. However, if a feminine singular noun begins with a vowel or **h**, use **mon, ton, son**:

une écharpe	*a scarf*	→	**mon** écharpe	*my scarf*
une école	*a school*	→	**ton** école	*your school*
une histoire	*a story*	→	**son** histoire	*his/her story*

4 **De** is also used to indicate possession where we use *'s* in English:

la voiture **de** mon frère   *my brother's car*
l'amie **d'**Anne   *Anne's friend*

Some expressions with **avoir**

5 **Avoir** is used in many expressions (for a full list see page 140). It is used:

a to describe what exists or what is taking place:

y avoir (il y a/avait)	*there is/are; there was/were, etc.*
avoir lieu	*to take place*

Il n'**y avait** pas beaucoup de touristes   *There weren't many tourists*
Le concert **a eu lieu** dimanche soir   *The concert took place on Sunday evening*

b to describe people (*their age, being right and wrong, what they look like*):

avoir ... ans	*to be ... years old*
avoir l'air ...	*to look ...*
avoir raison	*to be right*
avoir tort	*to be wrong*

Ma grand-mère **a** 80 **ans**   *My grandmother is 80 (years old)*
Tu **as l'air** très content !   *You look very happy!*

c to describe physical feelings (*heat, cold, hunger, pain, need, etc.*):

avoir chaud/froid	*to be hot/cold*
avoir faim/soif	*to be hungry/thirsty*
avoir besoin de	*to need*
avoir mal (à ...)	*to have a pain, to hurt (somewhere)*

Ouvre la fenêtre – j'**ai chaud** !   *Open the window – I'm hot!*
J'**ai besoin d'**assistance   *I need some help*

Note how to use the expression **avoir mal à**:

J'**ai mal aux** dents   *My teeth are hurting/I have toothache*
Tu **as mal à la** gorge ?   *Is your throat hurting?/Do you have a
                                sore throat?*

d to describe feelings (*want, hate, fear, etc.*):

avoir envie de	*to want (to)*
avoir honte de	*to be ashamed of*
avoir horreur de	*to hate*
avoir peur de	*to be afraid of*

Tu **as envie de** sortir ce soir ?   *Do you want to go out tonight?*
J'**ai peur des** chiens   *I'm afraid of dogs*

CHAPTER 11   WHAT HAVE YOU LEARNT?

A Here is a test on how sociable you are. Give the French for the words in brackets.

Jeu-test – Es-tu sociable ?

1 Prêtes-tu facilement [your] affaires ?
   a « Seulement aux copains qui me prêtent [their] affaires. »
   b « Oui, en général, je prête assez facilement [my] affaires. »
   c « Tout le temps ! [my] mère n'est pas contente. »

2 Une amie te confie un secret.
   a Tu ne répètes [her] secret à personne.
   b Tu en parles seulement aux gens qui ne sont pas dans [her] classe.
   c Tu racontes [her] histoire à tout le monde.

3 Tu as une interro[1] de physique.
   a Tu fais [your] interro tout(e) seul(e).
   b Tu regardes la feuille de [your] voisin ou de [your] voisine.
   c Tu passes [your] feuille à [your] ami ou à [your] amie.

4 Tes parents annoncent une grande réunion familiale, tu réponds :
   a « Nous passons presque tous [our] week-ends en famille. C'est trop ! »
   b « Super ! On va revoir [your] cousins. »
   c « Les copains vont être furieux. C'est le jour de [our] match. »

Now do the test to find out if you are sociable. Tick the sentences which best describe your attitude and check your results*.

B Let's be honest! In the dialogue below, write the French equivalent of the words in brackets, using the vocabulary given below.

Soyons francs !

1 Tu sors avec nous demain ? [No, there's a film] à la télévision.
2 Tu viens au restaurant ce soir ? [No, I am not hungry.]
3 Tu m'écris pendant les vacances ? [No, I hate writing.]
4 Pourquoi tu n'es pas d'accord avec nous ? [Because you are wrong.]
5 Pourquoi tu n'as pas été gentil avec moi ? [I had a headache.]
6 Pourquoi tu t'es moquée de nous ? [Because you looked stupid.]

   avoir faim   avoir horreur de   avoir l'air   avoir mal à   avoir tort   y avoir

---

[1] *une interro*: a test.

*Un maximum de a : tu es plutôt solitaire ; un maximum de b : tu es plutôt sociable ; un maximum de c : tu es très sociable – peut-être un peu trop.

Help Yourself to Essential French Grammar

UNIT

4

CHAPTER 12   WHAT DO YOU KNOW?

A Read the following discussion carefully. Select the expressions which are most appropriate and fill in the gaps.

Discussion – Les garçons m'intimident

LOLA   Tout le monde se moque … parce que je ne suis jamais sortie avec un garçon.

PATRICE   Si tes amis se moquent …, c'est qu'ils sont bêtes.

MAMADOU   Tu n'es pas obligée de sortir avec un garçon en particulier. Essaie de faire … ! J'ai beaucoup de copines, elles m'adorent et je m'amuse bien … .

ÉLODIE   Si aucun garçon ne t'a demandé de sortir …, c'est peut-être parce que tu es trop jeune. Tu as le temps.

GABRIEL   Si vraiment c'est très important … d'avoir un copain, demande … à un garçon s'il veut sortir … .

avec elles   avec lui   avec toi   comme moi   de moi   de toi   pour toi   toi-même

B An old classmate sends you her family news:

« On a déménagé il y a trois ans, maintenant on habite en banlieue. Ma mère a changé d'emploi il y a deux ans, et mon père a pris sa retraite[1] voilà un an. Ça fait six mois que mon frère a commencé à travailler dans une usine. Ma sœur Violaine est partie en Australie le mois dernier. Et enfin, ma sœur Olga est entrée au collège la semaine dernière. »

Now tell the others in your class, using the appropriate tense for the verbs in brackets.

e.g. Ils [habiter] en banlieue depuis trois ans.

→   Ils habitent en banlieue depuis trois ans.

Quoi de nouveau ?

1 Sa mère (*avoir*) un nouvel emploi depuis deux ans.
2 Mon père (*être*) à la retraite[2] depuis un an.
3 Son frère (*travailler*) dans une usine depuis six mois.
4 Violaine (*vivre*) en Australie depuis le mois dernier.
5 Olga (*aller*) au collège depuis la semaine dernière.

---

[1] *prendre sa retraite*: to retire.

[2] *être à la retraite*: to be retired.

How to use **moi**, **toi**, etc.

1 EMPHATIC PRONOUNS **moi**, **toi**, etc. are used after PREPOSITIONS. The answers to the
following question show the EMPHATIC PRONOUNS **moi**, **toi**, etc.:

Alain part avec qui ?   *Who is Alain going away with?*

Alain part avec **moi**	*with me*
Alain part avec **toi**	*with you*
Alain part avec **lui**	*with him*
Alain part avec **elle**	*with her*
Alain part avec **nous**	*with us*
Alain part avec **vous**	*with you*
Alain part avec **eux**	*with them (masculine)*
Alain part avec **elles**	*with them (feminine)*

2 Use **moi**, **toi**, etc. after all prepositions. More examples:

C'est **pour moi** ? Merci !   *Is it **for me**? Thank you!*
J'ai perdu mon billet **à cause d'elle**   *I've lost my ticket **because of her***

3 EMPHATIC PRONOUNS combine with **-même** to mean *myself, yourself,* etc.:

Tu as fait ça **toi-même** ?   *Did you do that yourself?*
Il a réparé la voiture **lui-même**   *He repaired the car himself*
Je prendrai les billets **moi-même**   *I'll get the tickets myself*

But note that **même** can also be used as an ADJECTIVE to mean *same*:

J'ai les **mêmes** chaussures que toi !   *I've got the same shoes as you!*

4 The preposition **à** + EMPHATIC PRONOUN describes possession:

C'est **à moi**	*It's **mine***
C'est **à toi**	*It's **yours***
C'est **à lui**	*It's **his***
C'est **à elle**	*It's **hers***
C'est **à nous**	*It's **ours***
C'est **à vous**	*It's **yours***
C'est **à eux**	*It's **theirs***
C'est **à elles**	*It's **theirs***

*For possessive pronouns **le mien** (mine), etc. see Chapter 25*

Expressions of time: **venir de**, **depuis**, etc.

5 **Venir de** + INFINITIVE means *to have just done something.*
The PRESENT TENSE of **venir** is used to describe something you *have* just done:

Je **viens** de trouver du travail   *I have just found a job*
Vous **venez** de rentrer ?   *Have you just got home?*

and the IMPERFECT TENSE of **venir** describes something you *had* just done:

Je **venais** d'arriver   *I had just arrived*
Ils **venaient** de déménager   *They had just moved house*

6 **Depuis** is used to describe *how long* or *since when* you *have* been doing something.
The PRESENT TENSE is used if the action is still going on.

Depuis combien de temps ... ? *How long ...?*

Tu **es** ici **depuis** combien de temps ? *How long have you been here?*
Je **suis** ici depuis six mois   *I've been here for six months*

Depuis quand... ? *Since when ... ?*

Tu **es** ici **depuis** quand ?   *Since when have you been here?*
Je **suis** ici **depuis** janvier   *I've been here since January*

7 The IMPERFECT TENSE is used to describe how long you *had been* doing something:

J'**habitais** à Paris depuis un an   *I had been living in Paris for one year*

8 **Ça fait ... que** and **il y a ... que** also describes *how long* you have been doing
something.
Again, the present tense describes what is still going on.
Example with **ça fait ... que**:

Ça fait combien de temps **que** tu travailles ici ? **Ça fait** deux mois
How long have you been working here? For two months

and with **il y a ... que**:

Il y a combien de temps **que** tu travailles ici ? **Il y a** deux mois
How long have you been working here? For two months

CHAPTER 12   WHAT HAVE YOU LEARNT?

A   Using the information below, answer the questions with a complete sentence using **depuis**.

Depuis quand ?

	1 Jules & Maud	2 Malik & Lydie	3 Claude & Dominique
Première rencontre	*l'an dernier*	*deux ans*	*la semaine dernière*
Première sortie	*le 14 juillet*	*un mois*	*hier soir*

1   a   Ça fait combien de temps que Jules et Maud se connaissent ?
    b   Depuis quand est-ce qu'ils sortent ensemble ?

2   a   Malik et Lydie se connaissent depuis longtemps ?
    b   Il y a combien de temps qu'ils sortent ensemble ?

3   a   Claude et Dominique se connaissent depuis quand ?
    b   Il y a longtemps que Claude et Dominique sortent ensemble ?

B   As Christmas is approaching, Luc and his friends are discussing their families over a cup of coffee. Put the words in brackets in French.

Discussion – Le divorce

LUC   Depuis le divorce de mes parents, j'habite chez mes tantes. J'ai décidé [myself] d'aller vivre chez [them], parce que je m'entends bien avec [them].

PAULA   Mes parents viennent de se séparer. J'ai deux frères et c'est dur pour [us], surtout au moment de Noël.

SANDRINE   Comme [you *plural*], je suis très triste à Noël. Ma mère a quitté mon père il y a trois ans. Pour [him] et pour [me], c'est dur de vivre sans [her].

AUBAIN   Fais un effort. Sois positive ! C'est bien d'avoir deux familles différentes.

MALIKA   Je suis d'accord avec [you]. Mes parents sont divorcés depuis longtemps. Je vais chez [them] à tour de rôle[1], et c'est très bien.

C   You tend to leave things for later, and your mother nags you. But for once you have done it all. Write the French equivalent of the words in brackets.

Je viens de tout faire !

1   Tu n'as pas rangé ta chambre !   Mais si, [I've just tidied my room] !
2   Et ton pull, tu l'as lavé ?   Oui, [I've just washed my jumper] !
3   Et ton pantalon, tu l'as repassé ? Oui, [I've just ironed my trousers] !
4   Et tu as fait tes devoirs ?   Oui, [I've just done my homework] !

---

[1] *à tour de rôle*: in turn.

Revision test 10–12

A In the following film review, insert the adjectives before or after the underlined nouns and make them agree.

e.g. C'est une … *histoire* …   *passionnante*
→ C'est une histoire passionnante.

Les quatre filles du docteur March

1 C'est l'histoire de quatre … <u>sœurs</u> …   *inséparable*
2 Il y a Meg, l'aînée, une … <u>fille</u> … qui a … <u>caractère</u> …   *joli, mauvais*
3 Jo, une … <u>fille</u> …   *impulsif*
4 Beth, une … <u>musicienne</u> … qui a la … <u>santé</u> …   *jeune, fragile*
5 Et enfin Amy, qui est un … <u>diable</u> …   *petit*
6 Une … <u>histoire</u> … pleine de … <u>sentiments</u> …   *simple, bon*
7 Quatre … <u>comédiennes</u>[1] … au … <u>talent</u> …   *nouveau, exceptionnel*
8 Un … <u>film</u> …   *beau*

B Everything is ready for the party tonight. Everybody *has just done* what they were supposed to do.

e.g. Bruno : acheter les boissons.
→ Bruno vient d'acheter les boissons.

Tout est prêt !

1 Habib : laver les verres.
2 Carmen et Marie-José : nettoyer le salon.
3 Moi : prévenir les voisins.
4 Estelle : faire une salade de fruits.
5 Et toi : amener des disques.

C The party is over and you are clearing up. Use **à** followed by the right pronoun to say what belongs to whom.

e.g. Ce pull est [yours] ? → Ce pull est à toi ?

C'est à qui ?

• Cet anorak est à Ahmed ou [yours] ?
– Il n'est pas [mine]. Mais il est peut-être [his].
• Et ces affaires ? Elles sont à Jocelyne ?
– Oui, je pense qu'elles sont [hers].
• Les CD qui restent, ils sont aux jumeaux ? Ou à leurs cousines ?
– Il y en a deux qui sont [their *masc.*]. Les autres sont [theirs *fem.*].
• Qu'est-ce qu'on fait des bouteilles de Coca qui restent ?
– On les garde. Elles sont [ours].

---

[1] *une comédienne*: an actress.

D Clio is a famous young model. Read the following interview carefully, and put the verbs in brackets in the perfect or the imperfect tense as appropriate.

Interview – Mannequin à 11 ans

• Comment est-ce que tu (*devenir*) mannequin ?

   CLIO Quand je (*être*) petite – je (avoir) environ trois ans – je (*aller*) avec ma mère dans une agence de mannequins pour enfants.

• Qu'est-ce que tu (*faire*) au début ?

   CLIO Je (*commencer*) à poser pour des affiches publicitaires. Et je (*avoir*) beaucoup de succès. Vers l'âge de cinq ans, je (*décider*) que je (*vouloir*) continuer.

E You have been asked to write a short notice about a new band for the school magazine. Using the notes below, put the verbs in brackets in the appropriate tense.

À ne pas manquer[2] !

   Un nouveau groupe « afro » au rythme d'enfer. Il y a Youssef, un Français qui (*jouer*) de la guitare depuis l'âge de cinq ans. Manu, le batteur[3], qui (*habiter*) à Paris depuis dix ans. Et Héma, la chanteuse, une Marocaine qui (*vivre*) en France depuis 1997.

   Ils (*travailler*) ensemble depuis un an et leur premier enregistrement[4] (être) dans tous les magasins depuis le mois de juin. À ne pas manquer !

F Mariane is always doing things. Make **ce** and **tout** agree, and then translate the underlined phrases.

Mariane, une fille très active

1 (*Ce*) jours-ci, je ne passe jamais une soirée (*tout*) seule.

2 (*Ce*) soir, par exemple, je sors avec (*tout*) mes copines.

3 (*Ce*) semaine, je suis en vacances. Je vais à la piscine (*tout*) les jours.

4 Et (*ce*) été, je vais visiter (*tout*) le Portugal.

G We all tend to take our parents for granted, but sometimes they need our understanding. Put the words in brackets in French.

Conseils – Essayez de comprendre vos parents

1 [Your] parents vous agacent parfois. C'est normal. Mais personne n'est parfait. Acceptez [their] qualités et [their] défauts.

2 Ils ont parfois besoin de parler de [their] problèmes. Si [your] père ou [your] mère ont l'air préoccupé, discutez avec eux.

3 Si votre mère travaille, elle sera fatiguée à la fin de [her] journée. Aidez-la.

4 Les petites choses sont importantes. N'oubliez pas, par exemple, [their] anniversaire de mariage.

---

[2] *à ne pas manquer*: not to be missed.

[3] *un batteur*: a drummer.

[4] *un enregistrement*: a recording.

Help Yourself to Essential French Grammar

Courses, achats, repas

A You go to the local grocer's with the following shopping list. Fill in the gaps in the dialogue with the quantities written out in full.

e.g. Je vais prendre … jambon.

→   Je vais prendre deux cents grammes de jambon.

Jambon : 200 g	Fromage : 1 petit morceau	Sucre : 1 paquet
Lait demi-écrémé : 1 litre	Eau minérale : 3 bouteilles	Farine : 500 g
Œufs : 1 demi-douzaine	Pommes de terre : 2 kg	

À l'épicerie

TOI   Excusez-moi, Monsieur, vous pouvez me dire où se trouve le lait ?

M. TRI   À votre droite.

TOI   Il n'y a pas de lait demi-écrémé !

M. TRI   Je regrette, il n'y en a plus.

TOI   Bon, je vais prendre … lait écrémé. Il me faut aussi … œufs et … fromage.

M. TRI   Au fond du magasin à gauche.

TOI   Maintenant, je voudrais … pommes de terre.

M. TRI   Voilà. C'est tout ?

TOI   Oui, je crois. Ah non ! Attendez, je reviens ! J'ai oublié plusieurs choses : il me faut aussi … eau minérale, un … sucre et … farine !

M. TRI   Vous n'avez rien oublié cette fois ? Et bien passez à la caisse, s'il vous plaît.

B When you get back with the shopping, you ask where things go. Insert **le**, **la**, **l'**, or **les** to replace the underlined words.

e.g. Où est-ce que je pose <u>le pain</u> ? Tu … poses sur la table.

→   Tu **le** poses sur la table.

Où est-ce que je mets les provisions ?

1 Où est-ce que je mets <u>les œufs</u> ? Tu … mets dans le frigo.

2 Où est-ce que je range <u>le lait</u> ? Tu … ranges dans le frigo aussi.

3 Où est-ce que je place <u>la farine</u> ? Tu … places dans le placard.

4 Qu'est-ce que je fais avec <u>l'eau minérale</u> ? Tu … portes à la cave[1].

5 Et <u>les pommes de terre</u> ? Tu … laisses par terre[2] !

---

[1] *la cave*: the cellar.

[2] *par terre*: on the floor.

Expressions of quantity

1 **De** and **d'** are used after EXPRESSIONS OF QUANTITY:

Tu as du travail ?	*Do you have any work?*
Oui, j'ai **beaucoup de** travail	*Yes I have a lot of work*

including weights and measures:

On prend des oranges ou des poires ?	*Shall we have oranges or pears?*
On prend **un kilo d'**oranges	*We will have a kilo of oranges*

2 Here are some common expressions of quantity:

beaucoup de problèmes	*many/a lot of problems*
peu de temps	*little time*
un peu de travail	*some work*
assez d'argent	*enough money*
trop de bruit	*too much noise*
combien de livres ?	*how many books?*
moins de lait	*less milk*
plus de café	*more coffee*

Note that measurements are also expressions of quantity:

une **douzaine d'**œufs	*a dozen eggs*
un **kilo de** tomates	*a kilo of tomatoes*
500 **grammes de** farine	*500 grammes of flour*
un **morceau de** fromage	*a piece of cheese*
deux **tranches de** jambon	*two slices of ham*
un **litre de** vin	*a litre of wine*
un **verre d'**eau	*a glass of water*
une **bouteille de** bière	*a bottle of beer*

Direct objects and the pronouns **me**, **te**, **le**, etc.

3 DIRECT OBJECTS are nouns which follow the verb directly. Below, **ton frère, la télévision** and **les escargots** are all DIRECT OBJECTS:

SUBJECT	VERB	DIRECT OBJECT	SUBJECT	VERB	DIRECT OBJECT
Je	connais	**ton frère**	*I*	*know*	*your brother*
On	regarde	**la télévision**	*We*	*are watching*	*television*
Il	aime	**les escargots**	*He*	*likes*	*snails*

4 Direct objects can be replaced by DIRECT OBJECT PRONOUNS before the verb:

Je connais **ton frère**	→	Je **le** connais	*I know **him***
On regarde **la télévision**	→	On **la** regarde	*We are watching **it***
Il aime **les escargots**	→	Il **les** aime	*He likes **them***

5 Here are all the DIRECT OBJECT PRONOUNS:

Il **le** voit	*He sees **him/it***	Il **me** voit	*He sees **me***
Il **la** voit	*He sees **her/it***	Il **te** voit	*He sees **you***
Il **les** voit	*He sees **them***	Il **nous** voit	*He sees **us***
		Il **vous** voit	*He sees **you***

Me, te, nous, vous are the same as the REFLEXIVE PRONOUNS used with reflexive verbs.
Note that **le, la, me** and **te** are shortened before vowels and **h**:

Je **l'**ouvre   *I am opening it*   Tu **m'**aimes?   *Do you love me?*

6 Look at the position of direct object pronouns.

a In a negative sentence, the object pronoun goes after the **ne**:

Je ne **les** aime pas	*I don't like them*
La télévision ? Je ne **la** regarde jamais !	*Television? I never watch it!*

b In the perfect tense, the direct object pronoun goes before **avoir**:

L'addition ? Nous **l'**avons payée	*The bill? We've paid it*
Ses lettres ? Oui, je **les** ai reçues	*His letters? Yes, I received them*

Note that the past participle agrees with direct objects used <u>before</u> the verb:

Nous **l'**avons payé**e**   Je **les** ai reçu**es**

7 Some verbs take a direct object in French while their English equivalents take a preposition (*for, to, at*):

attendre	*to wait **for***	J'attends le bus	*I'm waiting **for** the bus*
chercher	*to look **for***	Elle cherche son sac	*She's looking **for** her bag*
demander	*to ask **for***	J'ai demandé l'heure	*I asked **for** the time*
écouter	*to listen **to***	J'écoute la radio	*I'm listening **to** the radio*
regarder	*to look **at***	Regarde ces chaussures	*Look **at** these shoes*

CHAPTER 13   WHAT HAVE YOU LEARNT?

A Some people are invited to give their opinion on a new restaurant. Finish the sentences using the words provided.

e.g. Il y avait … plats que dans les autres restaurants. *moins*
→ Il y avait moins de plats que dans les autres restaurants.

Une question de goût

ZITA	J'ai trouvé qu'il n'y avait pas … sel dans la soupe.	*assez*
THIERRY	Mais il y avait … poivre dans le pâté !	*trop*
GAËLLE	Le poisson avait besoin de … sauce.	*un peu*
MATTHIAS	La viande n'avait pas … goût.	*beaucoup*
NINA	Pour les légumes, il y avait … choix.	*peu*
CARLOS	Moi, j'ai encore faim. J'aurais aimé[1] … gâteau.	*plus*

B Do you enjoy good food, are you greedy or are you indifferent to food ? Insert **me, te, le, la** or **les**.

Jeu-test – Es-tu gourmand(e) ?

1 On t'a donné une boîte de chocolats fins :
   a tu manges un chocolat par jour et tu … savoures longtemps.
   b tu ouvres tout de suite la boîte et tu … termines le même jour.
   c tu n'ouvres pas la boîte. Tu … offres à des copains.

2 Des amis russes t'invitent à manger :
   a tu demandes le nom des plats et tu … essaies tous.
   b tu remplis plusieurs fois ton assiette et tu … finis.
   c tu ne connais pas les plats et donc tu ne … goûtes pas.

3 Tu es tout seul un soir pour manger :
   a tu vas acheter une truite et tu … prépares amoureusement.
   b tu demandes à ta tante de … inviter en disant que tu as très faim.
   c tu ouvres une boîte de sardines et tu … manges avec les doigts.

4 On t'emmène dans un grand restaurant :
   a tu dis au serveur « vous … aidez à choisir ? » et tu écoutes ses conseils.
   b tu commandes n'importe quel plat et tu … dévores.
   c tu demandes des frites et tu … laisses dans ton assiette.

Now do the test to find out what your attitude to food is. Tick the sentences which best describe you and check your results*.

---

[1] *j'aurais aimé*: I would have liked.

*Un maximum de a : tu apprécies les bonnes choses ; un maximum de b : tu as très bon appétit ; un maximum de c : tu n'as pas l'air de prendre plaisir à manger.

Help Yourself to Essential French Grammar

UNIT

5

A Before the end of their holiday, Fatima and Jérôme go shopping. Complete each
sentence by choosing the right phrase (a, b, c or d). Then translate this phrase.

Que choisir ?

1 Je prends ce T-shirt à 70 francs. C'est …	a la plus jolie.
2 Donnez-moi ces sandales. Ce sont …	b le moins cher.
3 Essaie la jupe verte. C'est …	c les meilleurs.
4 Achète ces deux CD. Ce sont …	d les plus confortables.

B Later on that day, Fatima et Jérôme examine what they have bought. Give the French
for the expressions in brackets.

Qu'est-ce qu'on a acheté ?

1 Cette jupe est jolie mais elle coûte cher. Elle est [more expensive] que ton
pantalon.

2 Les T-shirts que tu as achetés ne sont pas très longs. Ils sont [less long] que les
miens.

3 Mes sandales sont vraiment confortables. Elles sont [as comfortable] que mes
baskets[1].

4 Ce CD est excellent. Il est [better] que l'autre.

C Fatima and Jérôme are discussing what they are going to give to whom when they
return home. Insert **lui** or **le/la/l'** to replace the underlined words.

C'est pour qui ?

FATIMA <u>Cette bouteille de parfum</u> n'est pas pour moi. Je vais … donner à ma mère.

JÉRÔME Moi, <u>ma mère</u> adore la musique, je vais … donner un des CD.

FATIMA Qu'est-ce que tu penses ? <u>Ce T-shirt</u>, je … offre à ma sœur ?

JÉRÔME Pas à <u>ta sœur</u> ! Tu … offres toujours des T-shirts. Trouve quelque chose
d'autre !

FATIMA <u>Ce poster</u>, pour qui tu … as acheté ?

JÉRÔME Pour <u>mon correspondant</u>[2]. Quand je pars en vacances, je … envoie toujours
quelque chose.

---

[1] *des baskets* (masc.): trainers (shoes).

[2] *un correspondant*: a penfriend.

Comparatives and superlatives of adjectives

1   COMPARATIVE forms of adjectives compare one thing or person to another:

La France est **plus grande que** la Suisse   *France is **bigger than** Switzerland*
Louise est **moins timide que** toi   *Louise is **less shy than** you*

To make comparisons, use **plus ... que, moins ... que** and **aussi ... que**:

plus	grand, timide, beau, etc. **que**	*bigger, more shy, more beautiful, etc.* ***than***
moins	grand, timide, beau, etc. **que**	*less big, less shy, less beautiful, etc.* ***than***
aussi	grand, timide, beau, etc. **que**	*as big, as shy, as beautiful, etc.* ***as***

2   SUPERLATIVE forms of adjectives describe someone or something as: *the tallest, the most intelligent, the best,* etc.
In French, the superlative forms are **le plus, la plus, les plus** + ADJECTIVE:

le plus beau pull   *the most beautiful sweater*
les plus beaux pulls   *the most beautiful sweaters*

la plus jolie jupe   *the prettiest skirt*
les plus jolies jupes   *the prettiest skirts*

With adjectives that go after the noun, repeat **le, la, les**:

le film **le plus ennuyeux**   *the most boring film*
les films **les plus ennuyeux**   *the most boring films*

la pièce **la plus courte**   *the shortest play*
les pièces **les plus courtes**   *the shortest plays*

3   Use **le moins, la moins, les moins** after the noun to mean the least.

J'ai choisi les chaussures **les moins chères**   *I chose the least expensive shoes*

4   Adjective **bon** (*good*) has irregular comparative and superlative forms:

	SINGULAR		PLURAL	
	MASCULINE	FEMININE	MASCULINE	FEMININE
better	meilleur	meilleure	meilleurs	meilleures
best	le meilleur	la meilleure	les meilleurs	les meilleures

Ce livre est **meilleur** que l'autre   *This book is better than the other one*
La meilleure bière du monde   *The best beer in the world*

Indirect object pronouns **me**, **te**, **lui**, etc.

5 INDIRECT OBJECTS are nouns linked to the verb by a preposition like **à**. **Médecin** and **parents** are indirect objects here:

SUBJECT	VERB	INDIRECT OBJECT	SUBJECT	VERB	INDIRECT OBJECT
Elle	parle	**au médecin**	*She*	*is talking*	*to the doctor*
Le prof	écrit	**aux parents**	*The teacher*	*is writing*	*to the parents*

Indirect objects can be replaced by INDIRECT OBJECT PRONOUNS which go before the verb:

Elle parle **au** médecin	→ Elle **lui** parle	*She is talking to him*
Le prof écrit **aux** parents	→ Le prof **leur** écrit	*The teacher is writing to them*

6 Here are the INDIRECT OBJECT PRONOUNS:

Elle **lui** parle	*She speaks to **him/her***		Elle **me** parle	*She speaks **to me***
Elle **leur** parle	*She speaks to **them***		Elle **te** parle	*She speaks **to you***
			Elle **nous** parle	*She speaks **to us***
			Elle **vous** parle	*She speaks **to you***

Me, **te**, **nous**, **vous** are the same as DIRECT OBJECT and REFLEXIVE PRONOUNS.

7 In negative sentences the indirect object pronoun goes after **ne**, and with the perfect tense, the indirect object pronoun goes before **avoir**:

Elle ne **lui** a pas parlé   *She didn't talk to him*

8 Some verbs must take **à** before a person, but the English equivalents take a direct object:

téléphoner **à** quelqu'un   *to call someone*
dire **à** quelqu'un que ...   *to tell someone that ...*

Sometimes English give us a choice. For example, we can say:

EITHER   *We bought **Jean** a CD*   OR   *We bought a CD **for Jean***
EITHER   *We told **Jean** the joke*   OR   *We told the joke **to Jean***

To say the same in French, you <u>have to</u> use a preposition before the person. Therefore, the indirect object pronoun is used: **Jean**:

Nous avons acheté un CD **à** Jean   Nous **lui** avons acheté un CD
Nous avons raconté la blague **à** Jean   Nous **lui** avons raconté la blague

For a list of other verbs like these see page 144

CHAPTER 14   ·WHAT HAVE YOU LEARNT?

A Is there any point in buying designer clothes (*des vêtements de marque*)? Insert the French equivalent of the expressions in brackets and make the agreement.

Discussion – Faut-il acheter des vêtements de marque ?

RENZO   Non, parce qu'ils sont … les vêtements
          ordinaires.   [more expensive than]

AURÉLIE   Et souvent, les vêtements normaux sont … les autres. [as nice[1] as]

ARMAND   Pas toujours ! Mes … pantalons sont tous de marque.   [best]

JUDITH   Par principe, j'achète les choses … .   [least expensive]

YVON   Moi, j'attends les soldes. Là, les prix sont …   [lower than]
          d'habitude.

AURÉLIE   Je vais au marché aux puces et j'ai un … look   [better]
          que mes copines.

HASSAN   Moi, j'emprunte les affaires de mes frères. C'est   [easier]
          encore … .

B How polite are you? Check the list of verb constructions on pages 126–137, and then insert **lui**, **leur**, **le**, **la**, or **les**.

Jeu-test – Êtes-vous poli(e) ?

1 Vous allez acheter du pain. La boulangère vous dit un grand bonjour.
   a Vous … dites : « Bonjour, madame ».
   b Vous … souriez timidement.
   c Vous ne … répondez pas.

2 Au restaurant, la serveuse vous apporte un plat que vous n'avez pas commandé.
   a Vous … remerciez et vous … mangez. Il est excellent.
   b Vous … montrez discrètement son erreur.
   c Vous criez : « Appelez le directeur, je veux … parler ».

3 Vous faites la queue à une caisse, les gens devant vous sont lents.
   a Vous … offrez de … aider à vider leur chariot.
   b Vous … demandez gentiment de se dépêcher.
   c Vous … poussez pour qu'ils avancent plus vite.

Now do the test to find out if you are polite. Tick the sentences which best describe you and check your results *.

---

[1] use *chouette*.

* Un maximum de a : quelle politesse ! vous êtes étonnant(e) ; un maximum de b : vous êtes poli(e), mais un maximum de c : quel(le) sauvage ! sans excès.

UNIT

5

CHAPTER 15   WHAT DO YOU KNOW?

A Brigitte is ill in bed and you are doing the shopping for her. Insert **y** or **en** in the gaps to replace the underlined words.

J'y vais et j'en achète
1 Tu vas <u>au supermarché</u> aujourd'hui ? – Oui, j' … vais.
2 Tu m'achètes <u>des oranges</u>, s'il te plaît ? – D'accord, j' … achète.
3 Et puis <u>du jus de fruit</u> ! – Pas besoin, il y … a dans le frigo.
4 Il y a aussi <u>du lait</u> ? – Oui, on … a acheté un litre hier.
5 Il faut prendre mes médicaments <u>à la pharmacie</u>. – Bien, j'… passe.

B As Brigitte is not getting any better, she has to keep ordering you about. Put the verb in brackets in the correct form.
e.g. (*Aller*) au village et (*acheter*) du pain. → Va au village et achète du pain.

Fais vite !
1 (*Aller*) au village et (*acheter*) du pain. Il est tard, (*se dépêcher*) !
2 (*Prendre*) la mobylette[1] et ne (*oublier*) pas de mettre de l'essence.
3 (*Acheter*[2]) des timbres et (*poster*) cette lettre.
4 (*Passer*) chez ma mère, mais ne lui (*dire*) pas que je suis malade.
5 (*Téléphoner*) au docteur et (*demander*) un rendez-vous.
6 C'est bien, merci. Maintenant (*se reposer*).

C By now Brigitte has become an absolute tyrant! Insert either **moi** or **me/m'**.
e.g. Raconte-… ta journée, et ne … raconte pas de mensonges.
→   Raconte-moi ta journée, et ne me raconte pas de mensonges.

Fais comme je te dis !
1 Apporte-… le journal, mais ne … apporte pas de magazines illustrés.
2 Achète-… du pain, et ne … achète pas de croissants.
3 Ne … donne pas de café, mais prépare-… du thé.
4 Réponds-… quand je te pose une question[3] et parle-… gentiment.
5 Et surtout ne … dis pas que tu es fatigué(e) !

---

[1] *une mobylette*: a moped.

[2] an accent is needed – see verb tables (page 126)

[3] *poser une question*: to ask a question.

Object pronouns **y** and **en**

1 **Y** is the OBJECT PRONOUN that replaces **à, au, à la, aux** + noun. It usually refers to a place and means *there*:

Tu passes **au supermarché** aujourd'hui ?   Oui, j'**y** passe à midi
Are you going to the supermarket today?   *Yes, I'm going (there) at midday*

Quand est-ce qu'on peut aller **au cinéma** ?   On peut **y** aller ce soir
When can we go to the cinema?   *We can go tonight*

Note that in English *there* can be left out. But in French, **aller** is not used on its own. Use **y** if you are not specifying where you are going:

On **y** va ?   *Shall we go?*   J'**y** vais !   *I'm going!*

2 **En** is the OBJECT PRONOUN that replaces **de, du, de la, des** + noun. It means *some, of it, of them, any*, which are often omitted in English:

Tu as **des timbres** ?   Oui, j'**en** ai
Do you have any stamps?   *Yes, I have (some)*

Tu as combien **de timbres** ?   J'**en** ai six
How many stamps have you got?   *I have six (of them)*

For the use of object pronouns together see Chapter 26

Telling someone to do something

3 Use the IMPERATIVE to tell someone to do something, or to suggest that *we* do something:

sois prudent !   *be careful!*
partons tout de suite !   *let's leave immediately!*

4 To form the IMPERATIVE use the **tu, nous** and **vous** form of the PRESENT TENSE:

e.g. partir	tu pars	**pars**	*leave*
	nous partons	**partons**	*let's leave*
	vous partez	**partez**	*leave*

With **-er** verbs, remove the final **-s** from the **tu** form, for example:

parler	tu parles	**parle** plus fort	*speak louder*
écouter	tu écoutes	**écoute** le prof	*listen to the teacher*
rester	tu restes	ne **reste** pas ici	*don't stay here*

Help Yourself to Essential French Grammar

5 Three verbs have irregular IMPERATIVE forms:

a **aller** (*to go*) has an irregular **tu** form:

(tu form):	**va**	ne **va** pas loin	*don't go far*
(nous form):	**allons**	**allons-y**	*let's go*
(vous form):	**allez**	**allez voir**	*go and see*

Note that **va** becomes **vas** before **y**:

vas-y !   *go (there)! / go ahead!*

The **tu** form of **s'en aller**, *to go away*, is followed by **-t-**:

va-**t**-en !   *go away!*

b **avoir** (*to have*) and **être** (*to be*) are both irregular:

avoir:	**aie**	**être:**	**sois**
	ayons		**soyons**
	ayez		**soyez**

n'**aie** pas peur   *don't be afraid*   **soyez** gentil avec lui   *be nice to him*

6 With the IMPERATIVE, pronouns come after the verb, attached with a hyphen:

asseyez-**vous**	*sit down*
mange-**le**	*eat it*
reposons-**nous**	*let's rest*
donnez-**lui** la lettre	*give the letter to her*

Note that **moi** and **toi** (and not **me** and **te**) are used after the verb:

passe-**moi** le sel	*pass me the salt*
sers-**toi**	*help yourself*

7 When you tell someone *not* to do something, the object pronouns and reflexive pronouns go before the verb:

ne **vous** asseyez pas	*don't sit down*
ne **lui** donnez pas la lettre	*don't give the letter to her*

Note that **me** and **te** (and not **moi** and **toi**) are used before the verb:

ne **me** passe pas le sel	*don't pass me the salt*
ne **te** sers pas	*don't help yourself*

CHAPTER 15   WHAT HAVE YOU LEARNT?

A Would you be tempted by this advertisement? Write the verbs in brackets in the imperative, using the **vous** form.

Un week-end de shopping

1 (*Ne pas attendre*) les vacances ! (*Offrir*)-vous vite un week-end de shopping à Londres ou à Bruxelles.

2 Pour tous renseignements, (*contacter*) notre agence de voyages.

3 (*Se dépêcher*) ! (*Profiter*) de notre réduction exceptionnelle de 25 %.

4 Et (*être*) assurés d'un voyage confortable et reposant.

5 (*Choisir*) vos dates et (*faire*) votre réservation par téléphone.

B How good are you with money? Insert one of the following pronouns as required: **en, le, me, moi, y** or **toi**.

Jeu-test – L'argent et toi

1 On t'invite à un concert. Les billets sont très chers, tu réponds :
   a « Allez-… sans moi. Je suis fauché[1] ! »
   b « OK ! Je n'ai pas d'argent mais je vais … emprunter à ma sœur ! »
   c « Excellente idée. Réservez-… un billet. »

2 L'anniversaire de ta mère approche.
   a Tu vois des roses dans un jardin public. Tu … voles[2] une pour elle.
   b Tu revends quelques CD et, avec l'argent, tu … invites au restaurant.
   c Tu vas dans un magasin de luxe pour … acheter du parfum.

3 Ton meilleur ami te demande de lui prêter de l'argent. Tu réponds :
   a « Ne … demande pas d'argent ! Je n'en ai pas ! Débrouille-… ! »
   b « Donne-… une semaine, et je vais … trouver. »
   c « Voici 200 F. Tu … veux plus ? »

4 Ta grand-mère te donne un chèque pour Noël.
   a Tu … perds.
   b Tu as besoin de vêtements. Mais tu attends les soldes pour … acheter.
   c Il y a longtemps que tu n'es pas allé en France. Tu utilises cet argent pour … aller.

Now do the test to see how good you are with money. Tick the sentences which best describe you and check your results*.

---

[1] *être fauché(e)*: to be broke, to have no money.

[2] *voler*: to steal.

*Un maximum de a : ça doit être dur de toujours être fauché ; un maximum de b : tu as l'air de bien te débrouiller ; un maximum de c : où trouves-tu tout cet argent ?

Revision test 13–15

A It's your party! You are going round serving people and making polite conversation. Fill the gaps using the information given in brackets.

   e.g. Vous voulez ... vin ? [more]   →   Vous voulez plus de vin ?

       Non, j'... ai ... .   [enough *of it*] →   Non, j'en ai assez.

Encore un peu ?

1 Vous prenez ... champagne ?   [a little]

2 Vous voulez ... jus de fruit ?   [a glass of]

3 Vous avez ... café ?   [enough]

4 Je trouve qu'il y a ... bruit ici !   [a lot of]

5 Vous connaissez ... personnes ici, ce soir ? [how many]

    a Oui, j'... veux bien ... .   [a glass *of it*]

    b Oui, j'... prends ... .   [a little *of it*]

    c J' ... connais ... .   [one or two *of them*]

    d Vous avez raison, il y ... a ... !   [too much *of it*]

    e Non, je n' ... ai pas ... .   [not enough *of it*]

Now match the questions and the answers.

B How good are you at saying no? Fill the gaps with the right pronoun.

Jeu-test – Savez-vous dire non ?

1 Un de vos amis veut vous donner un petit chat.

    a Vous ... avez déjà un, mais vous acceptez pour ... faire plaisir[1].

    b Vous ... répondez : « D'accord, mais à condition que tu ... gardes pendant les vacances ».

    c Vous refusez : « Inutile d'insister. Je n'... veux pas. »

2 Des amis vous invitent à dîner.

    a Vous ... dites « oui » pour ... faire plaisir[1].

    b Vous refusez mais vous ... invitez à prendre le café chez vous.

    c Vous ... répondez : « Impossible. Je mange déjà chez ma sœur. »

3 Votre sœur vous demande de l'accompagner chez le médecin.

    a Vous ... accompagnez pour la rassurer.

    b Vous ne pouvez pas. Mais vous ... téléphonez le soir.

    c Vous ... dites : « Impossible ! Je ne peux pas ... aller. »

Now do the test and check your results*.

---

[1] *faire plaisir à quelqu'un*: to please someone.

*Un maximum de a : vous ne savez pas dire non ; un maximum de b : vous savez protéger vos intérêts ; un maximum de c : vous êtes très dur(e) !

C   Here is some advice on how to get what you want from people. Write the verbs in brackets in the imperative, using the **tu** form.

Sois diplomate !
1   Avant de demander quelque chose, (*réfléchir*) bien à tes arguments.
2   (*Avoir*) la patience d'attendre un moment favorable.
3   Au bon moment[2], (*présenter*) tes arguments clairement.
4   (*Être*) persuasif, mais (*ne pas insister*) trop.
5   Et si la discussion n'avance pas, (*se contrôler*) !
6   (*Aller*) faire une petite promenade et (*essayer*) plus tard.

D   You are about to leave for an important interview and you are panicking. Your brother is trying to help you, but you keep changing your mind. Give the negative of the positive verbs underlined or the positive of the negative verbs underlined.
e.g.   Ce livre, mets-le dans ma valise. Non, … ! → Non, ne le mets pas !

Pas de panique !
1   Où sont mes clés ? Cherche-les. Non ça va, … ! Je les ai trouvées.
2   Surtout ne me téléphone pas ce soir. Et puis si, … ! Ce sera sympa.
3   Vite, prête-moi 300 F. Non, … d'argent ! J'en ai.
4   Dis-moi bonne chance. Oh non ! … ça. Ça porte malheur[3].
5   Ne m'embrasse pas, je n'ai pas le temps. Et puis si, … . À bientôt !

E   You are looking for a place to rent (*une location*) for your next holiday in France.

Locations

Description	Surface en m²	Vue	Nombre de personnes	Prix par mois
Villa	140 m²	pas de vue	6/7 adultes	18 000 francs
Appartement	90 m²	sur la mer	4 adultes/1 enfant	12 000 francs
Studio	42 m²	sur la rue	2 adultes/2 enfants	7 500 francs

1   First compare what is on offer using the adjective in brackets.
e.g.   Le studio est plus petit que l'appartement.
a   La villa est … … … l'appartement et le studio.   (*cher*)
b   L'appartement est … … … le studio.   (*économique*)
c   Le studio n'est pas … … … l'appartement.   (*spacieux*)
d   L'appartement a une … vue … les autres.   (*bon*)

2   Now work out which is the cheapest, the most expensive, etc.
e.g.   C'est le studio qui est le plus petit.
a   Ce sont la villa et l'appartement qui sont … … … .   (*cher*)
b   C'est le studio qui est … … … .   (*économique*)
c   C'est le studio qui est … … … .   (*spacieux*)
d   Mais c'est l'appartement qui a … … vue.   (*bon*)

---
[2] *au bon moment*: at the right time.
[3] *porter malheur*: to bring bad luck.

Help Yourself to Essential French Grammar

Sports et loisirs

A Naïma lives in Brussels, Élise in the suburbs. Their experiences are quite different.
   Fill the gaps by inserting **rien**, **personne** or **jamais**.

Des loisirs différents

NAÏMA	ÉLISE
1 Il y a beaucoup de choses à faire.	– Il n'y a … à faire.
2 Je sors tout le temps.	– Je ne sors … .
3 Je connais beaucoup de gens.	– Je ne connais … .
4 Mes copains m'invitent à des soirées.	– … ne m'invite à des soirées.

B Serge and his friends are discussing what they do at week-ends. Make the underlined
   verbs negative, using one of the expressions in brackets.
   e.g. Si <u>je suis</u> fatigué, je sors.   [*ne … pas/ne … jamais*]
   →   Si je ne suis pas fatigué, je sors.

Que font-ils pendant le week-end ?

SERGE   Comme <u>il y a</u> beaucoup de distractions ici, j'organise souvent des soirées
        chez moi.   [*ne … pas/ne … rien*]

MYRIAM Moi, <u>je sors</u> le soir ! Mes parents disent que je suis trop jeune.
                                                       [*ne … personne/ne … jamais*]

AICHA   Je sers dans un magasin le samedi et le dimanche. Alors <u>j'ai</u> le dimanche
        après-midi libre. Ce n'est pas beaucoup.   [*ne … que/ne … plus*]

DIDIER Comme je fais de l'athlétisme, je m'entraîne tous les week-ends. <u>J'ai</u> le
        temps de voir mes copains !   [*ne … plus/ne … que*]

C What do they do when it's raining and they can't go out? Use the appropriate form of
   the verbs underlined to finish the sentences.
   e.g. Je <u>regarde</u> des vidéos. J'aime ça.   →   J'aime …
   →   J'aime regarder des vidéos.

Que font-ils quand ils ne peuvent pas sortir ?

1 Je <u>regarde</u> des vidéos. J'aime ça.   →   J'aime …
2 En général, je <u>fais</u> de la peinture. C'est ma passion.   →   J'adore …
3 Je <u>joue</u> aux échecs. C'est mieux que les cartes.   →   Je préfère …
4 Moi, je <u>lis</u> des romans d'aventure. C'est bien.   →   J'aime bien …
5 Et bien moi, <u>je m'ennuie</u> ! Et je déteste ça.   →   Je déteste …

More about negative sentences

1 There are many other NEGATIVE WORDS as well as **ne ... pas** (see Chapter 8):

ne ... jamais	*never/not ever*
ne ... rien	*nothing/not anything*
ne ... personne	*no one/nobody/not anybody*
ne ... plus (de)	*no more/not any more*
ne ... que	*only*
ne ... ni ... ni ...	*neither ... nor/not either ... or*
ne ... aucun(e)	*no/not one/not any*

Je **ne** pars **jamais**	*I never go away*
Je **ne** fais **rien**	*I don't do anything*
Je **ne** parle à **personne**	*I don't talk to anyone*
Je **ne** travaille **plus**	*I don't work any more*
Je **n'**ai **qu'**un franc	*I have only one franc*
Je **n'**ai **plus** d'argent	*I have no more money*
Je **n'**ai **aucune** idée	*I've got no idea*
Je **ne** vois **ni** lui **ni** elle	*I see neither him nor her*

Remember to use **de** (and not **du, de la, des**) after negatives (see Chapter 8):

Je n'ai plus **de** café	*I have no more coffee*
Tu n'as jamais **d'**idées	*You never have any ideas*

Note that, when talking fast, French speakers sometimes omit **ne**.

2 Negative words **jamais, rien** and **plus** go before the PAST PARTICIPLE:

Vous **n'êtes** jamais allé en France ?	*Have you never been to France?*
Je **ne** l'ai **plus** vu	*I didn't see him any more*
Elle **ne** leur a **rien** dit	*She told them nothing*

But the other negative words go after the PAST PARTICIPLE :

Tu **n'**as vu **personne** ?	*Didn't you see anybody?*
Je **n'**ai reçu **aucune** lettre	*I did not receive one letter*

3 Negative words can be used alone or at the beginning of a sentence:

Tu la vois souvent ? **Jamais** !	*Do you see her often? Never!*
Personne n'est venu	*Nobody came*

Two-verb expressions

4 When two verbs go together, the second one is always in the INFINITIVE:

Elles adorent **danser**   *They love dancing*
Je dois **rentrer** maintenant   *I must go home now*

5 Verbs meaning *liking, hating* and *preferring to do things* take a direct INFINITIVE. This means that the infinitive follows directly after the verb:

adorer ...	*to love ...ing*	**aimer mieux ...**	*to prefer to ...*
aimer ...	*to love ...ing*	**détester ...**	*to hate ...ing*
aimer bien ...	*to like ...ing*	**préférer ...**	*to prefer to ...*

J'aime bien voyager   *I like travelling*
Tout le monde **déteste faire** la vaisselle   *Everybody hates washing up*

6 Use **devoir + infinitive** to say what you *must* or *have to do*:

Tu **dois partir** tout de suite   *You must leave immediately*
Hier j'**ai dû sortir**   *Yesterday I had to go out*

*For the use of **falloir** meaning <u>must</u>, see Chapter 23*

7 Use **pouvoir + infinitive** to say what *someone can* or *is able to*:

Tu **peux venir** ce soir ?   *Can you come tonight?*
Je n'**ai** pas **pu finir** le dessert !   *I wasn't able to finish the dessert!*

Note that you use **savoir + infinitive** to say *can* when it means *know how to*:

Je ne **sais** pas **conduire**   *I can't drive (I don't know how to drive)*

8 Use **vouloir + infinitive** to say what you *want to do*:

Je **veux partir** tout de suite   *I want to leave immediately*
Vous ne **voulez** pas **rester** ?   *Don't you want to stay?*

Use the conditional, **je voudrais**, to say what you *would like to do*:

Je **voudrais réserver** une table   *I would like to reserve a table*

For a list of two-verb constructions see page 143

CHAPTER 16   WHAT HAVE YOU LEARNT?

A Carole and her friends are talking about their hobbies. Select the appropriate negative expressions and insert them as required. (Remember to shorten **ne** to **n'** where necessary.)

Leurs passe-temps favoris

CAROLE   Je prends des photos. Je … sors … sans mon appareil-photo.

FARID   Je fais du saxophone mais en ce moment je … joue avec … . Je vais essayer de créer un groupe.

GONTRAN   Moi, je collectionne les cartes téléphoniques depuis deux ans. Malheureusement, je … ai … vingt cartes étrangères.

LYDIA   Je n'aime pas rester chez moi. Je … trouve … à faire. Alors j'ai acheté un VTT[1]. C'est formidable !

NELLY   Je passe tout mon temps libre devant mon ordinateur. Je … regarde … la télévision !

ne … jamais   ne … personne   ne … plus   ne … que   ne … rien

B What do you know about Carole and her friends ? Give the French equivalent of the words in brackets.

Que savez-vous d'eux ?
1 Carole [likes taking] des photos.
2 Farid [would like to create] un groupe.
3 Gontran [loves collecting] les cartes téléphoniques.
4 Lydia [hates to stay] chez elle.
5 Nelly [prefers to play] avec son ordinateur.

C Émile and his friends are talking about the big match on Saturday. Will they get there? Use the correct form in the present tense of **devoir**, **pouvoir**, **savoir** or **vouloir** to fill the gaps.

Tu vas au match ?

ÉMILE   Moi, je ne … pas y aller. Je … finir deux devoirs de maths.

LOÏC   Si tu …, on peut le voir ensemble à la télé.

MARIETTE   J'aimerais y aller, mais je ne … pas comment. C'est loin !

SARAH   Moi non plus ! C'est difficile quand on ne … pas conduire.

KAMAL   Vous … venir avec nous ? Mon père m'a dit qu'il … emmener plusieurs personnes. Mais on … partir tôt pour pouvoir trouver une place de parking.

---

[1] *un VTT*: a mountain bike.

UNIT

6

CHAPTER 17   WHAT DO YOU KNOW?

A Different activities suit different kinds of people. Select the appropriate words and insert them as required.

Choisissez bien vos loisirs

1 Si vous êtes timide, essayez … de faire un peu de théâtre. Mais oui ! Les meilleurs acteurs sont … de grands timides.   *généralement   vite*

2 … , les impulsifs adorent les sports d'équipe[1]. Mais les arts martiaux sont … bons pour les gens comme vous. Essayez pour voir !   *également   normalement*

3 Vous avez beaucoup d'imagination ? Et bien inscrivez-vous … à un atelier[2] d'écriture ou de dessin. Vous serez … content.   *immédiatement   sûrement*

B Who's winning ? The sentences on the left describe how well people do things, the sentences on the right give their results. Match these sentences.

Qui est-ce qui gagne ?

1 Elle joue le mieux.   a Il arrive toujours premier.

2 Il court le plus vite.   b Ils gagnent tous les matchs.

3 Personne ne joue aussi bien qu'eux.   c Elle perd souvent.

4 Elle joue mal.   d Elle est championne.

C Barbara and her friends are on a camping holiday. She calls a French friend to tell him about it. Help her find the right words. Replace the phrases underlined by one of the expressions with **faire** listed below.

En camping

1 On <u>campe</u> près d'un lac.

2 <u>Le soleil brille</u> depuis notre arrivée.

3 On <u>se promène</u> et on <u>joue au tennis</u> presque tous les jours.

4 Le soir, je <u>prépare le repas</u> pour tout le monde.

5 Et les autres <u>lavent les assiettes</u>.

6 Hier, Raoul <u>s'est blessé</u> à la jambe. Mais ce n'est pas très grave.

> *faire la vaisselle   faire une promenade   faire du camping   faire du tennis*
> *faire beau   faire la cuisine   se faire mal*

---

[1] *les sports d'équipe*: team sports; *les sports individuels*: individual sports.

[2] *un atelier d'écriture*: a creative writing class.

Adverbs

1   ADVERBS are often used to describe *how* you do something:

Ne va pas si **vite**. Conduis **lentement**   *Don't go so **fast**. Drive **slowly***
J'avais **vraiment** peur   *I was **really** afraid*

Note that ADVERBS usually go straight after the verb, or after **avoir/être** in the PERFECT TENSE:

Je me suis **vite** habillé   *I dressed quickly*

2   The most common ADVERBS are **bien** (*well*), **mal** (*badly*) and **vite** (*fast, quickly*). Remember that **bien** also means *good* in English:

J'ai aimé ce film – il est très **bien**   *I liked that film – it's very **good***

3   Other ADVERBS are formed from the ADJECTIVE as follows.

a   Many adverbs are formed by adding **-ment** to the FEMININE FORM of the adjective:

MASCULINE	FEMININE		ADVERB	
général	générale	*general*	**généralement**	*generally*
naturel	naturelle	*natural*	**naturellement**	*naturally*
doux	douce	*gentle*	**doucement**	*gently*

b   If the adjective ends in **-ant** or **-ent**, replace the endings by **-amment** or **-emment**:

courant		*fluent*	**couramment**	*fluently*
récent		*recent*	**récemment**	*recently*

Exception: the adverb **lentement** (*slowly*):

lent	lente	*slow*	**lentement**	*slowly*

c   If the adjective ends in a vowel (**a, e, i, o, u**), just add **-ment** to the masculine adjective:

vrai		*true, real*	**vraiment**	*truly, really*
facile		*easy*	**facilement**	*easily*

4   **Heureusement que** is often used at the beginning of a sentence and means *luckily, thank goodness, it's a good thing that*:

Heureusement que tu es arrivé tôt   *It's a good thing that you arrived early*

Comparative and superlative of adverbs

5 As with adjectives, use **plus**, **aussi** and **moins** to make the COMPARATIVE FORMS:

Elsa conduit **plus vite que** toi   *Elsa drives faster than you*
Luc conduit **moins vite** qu'elle   *Luc drives less fast than her*
Olga conduit **aussi vite que** lui   *Olga drives as fast as him*

6 Use the SUPERLATIVE FORMS to say something is done *the fastest, least well,* etc:

Qui conduit **le plus vite** ?   *Who drives the fastest?*
Et qui conduit **le moins bien** ?   *And who drives the least well?*

7 The COMPARATIVE and SUPERLATIVE forms of **bien** (*well*) are **mieux**, **le mieux**:

Elle conduit **mieux** que moi   *She drives better than me*
C'est elle qui conduit **le mieux**   *She drives the best/She is the best driver*

Expressions with **faire**

8 The verb **faire** is used in many everyday expressions (see list on page 141). It is used:

a to describe household chores, for example:

faire **la cuisine**	*to cook, do the cooking*	faire **le ménage**	*to do the housework*
faire **la lessive**	*to do the washing*	faire **la vaisselle**	*to wash up*

b to describe sports and hobbies, for example:

faire **de la photo**	*to do photography*	faire **du piano**	*to play the piano*
faire **du camping**	*to go camping*	faire **du tennis**	*to play tennis*

c to describe the weather, for example:

il fait **chaud**	*it is warm*	il fait **du soleil**	*it is sunny*
il fait **froid**	*it is cold*	il fait **du vent**	*it is windy*

d hurting someone (**faire mal à quelqu'un**) or yourself (**se faire mal**):

Tu m'as fait mal   *You hurt me*   Je me suis fait mal   *I hurt myself*

With these expressions, don't use **mon**, **ton**, etc. (*my*, *your*, etc.) with parts of the body:

Tu m'as fait mal **au** bras   *You hurt **my** arm*
Sandrine s'est fait mal **à la** jambe   *Sandrine hurt **her** leg*

CHAPTER 17   WHAT HAVE YOU LEARNT?

A Do you like competition but accept defeat with a smile ? Make up the adverbs from the adjectives in brackets and insert them where indicated.

Jeu-test – Avez-vous l'esprit sportif ?

1 On vous propose de faire un saut en parachute[1] :
   a Vous acceptez … .   (*immédiat*)
   b Vous avez … peur mais vous acceptez quand même.   (*vrai*)
   c Vous refusez … .   (*catégorique*)

2 C'est l'été. On vous invite à faire une partie de volley sur la plage :
   a Vous jouez … pour faire gagner votre équipe.   (*sérieux*)
   b Vous participez … pour faire plaisir aux copains.   (*seul*)
   c Vous refusez en disant : « Je me suis … cassé le bras ». (*récent*)

Now do the test to see if you are a good sport. Tick the sentences that best describe your attitude and check your results*.

B Having spent the day playing tennis with Félix, you're discussing how you played. Give the French for the expressions in brackets.

On a bien joué !

VOUS   J'ai [badly] joué ce matin. J'ai [better] joué cet après-midi.

FÉLIX   Moi, c'est le contraire ! C'est ce matin que j'ai [the best] joué.

VOUS   Oui, c'est vrai, tu étais [particularly] en forme. Tu renvoyais la balle [faster than] d'habitude.

C You don't want to go wind-surfing but Séverine insists. Give the French for the sentences in brackets, using expressions with **faire**.

Tu viens ?

TOI   Je n'ai pas envie de faire de la planche à voile aujourd'hui.

SÉVERINE   Mais tu adores [windsurfing] !

TOI   La météo annonce de la pluie.

SÉVERINE   Mais [it's not cold] !

TOI   J'ai mal au bras.

SÉVERINE   Ah bon ? Comment est-ce que [you hurt yourself] ?

TOI   Ma mère m'a demandé de [wash up] hier et je n'ai pas l'habitude !

SÉVERINE   Tu plaisantes ou quoi ?

---

[1] *un saut en parachute*: a parachute jump.

*Un maximum de a : quel esprit sportif ! ; un maximum de b : quelle bonne volonté ! ; un maximum de c : vous supportez très mal la compétition !

CHAPTER 18   WHAT DO YOU KNOW?

A In the paper, there is a questionnaire about a new television drama series. Check that you understand the questions below by matching them with the answers.

Qu'en pensez-vous ?

QUESTIONS

1 Avez-vous vu la première partie de *Pierre et Paul*?
2 Où l'histoire se passe-t-elle ?
3 Que raconte-t-elle ?
4 Lequel des deux frères préférez-vous ?
5 Que pensez-vous de ce téléfilm ?

RÉPONSES

a L'histoire de deux frères.
b Pierre.
c au Havre.
d Il est passionnant.
e Oui.

B Emmanuelle joins Jean-Philippe, who is watching *Pierre et Paul.* Having missed the beginning, she keeps asking questions to try to understand what's going on. Look carefully at the answers. Then insert **qui** or **que/qu'** in the gaps as required.

Qu'est-ce qui se passe ?

EMMANUELLE

1 ... c'est ?
2 ... est-ce qu'elle fait ?
3 ... lui a envoyé cette lettre ?
4 ... est-ce qu'il a dit ?
5 ... est-ce qu'il cherche ?
6 ... a appelé la police ?

JEAN-PHILIPPE

– C'est la copine de Paul.
– Elle cache l'argent.
– Son copain.
– Il a dit : « Trop tard ! ».
– Son revolver.
– Un client.

C Fadia has trouble convincing her parents to let her go on a climbing trip. She rehearses her arguments. Choose the correct form of the future tense.

Comment les convaincre ?

1 Ce ... une bonne expérience pour moi.   (*seras/sera*)
2 « Je ... de l'assurance. »   (*prendra/prendrai*)
3 Il n'y ... pas de danger.   (*aurai/aura*)
4 Nous ... très attention.   (*feront/ferons*)
5 Je vous ... souvent.   (*téléphonerai/téléphonerez*)
6 Vous ... venir me voir si vous voulez.   (*pourrez/pourront*)

More about questions

1 To ask a question in formal language, turn round (INVERT) the SUBJECT and the VERB:

Voulez-vous manger avec nous ?   *Do you want to eat with us?*
Où **habitez-vous** ?   *Where do you live?*

a There is always a hyphen (-) between the VERB and the SUBJECT PRONOUN:

Où habitent-**ils** ?   *Where do they live?*
Ont-**ils** faim ?   *Are they hungry?*

Add **-t-** between the verb and **il** or **elle** if the verb does not end in **t** :

Où habite-**t-elle** ?   *Where does she live?*
Y a-**t-il** quelque chose à manger ?   *Is there anything to eat?*

b In the PERFECT TENSE, invert **avoir** or **être** (not the PAST PARTICIPLE) with the subject:

A-t-elle refusé ?   *Has she refused?*
Êtes-vous allés en France ?   *Did you go to France?*

2 To ask *who ...?* use **qui ... ?**:

Qui c'est? / **Qui** est-ce ?   *Who is it?*
Qui veut aller à la plage ?   *Who wants to go to the beach?*

3 To ask *what ...?* use:

a **qu'est-ce que ... ?**:

Qu'est-ce que vous cherchez ?   *What are you looking for?*
Qu'est-ce que tu veux faire ?   *What do you want to do?*

b or **que** on its own and INVERT subject and verb:

Que **cherchez-vous** ?   *What are you looking for?*
Que **veux-tu** faire ?   *What do you want to do?*

For more about who ...? and what ....? questions see Chapter 22

4 Use the ADJECTIVE **quel ... ?** to ask *which ...?* or *what ...?* with a noun. Make it agree:

	SINGULAR	PLURAL
MASCULINE	**quel** film ? *which film?*	**quels** films ? *which films?*
FEMININE	**quelle** photo ? *which photo?*	**quelles** photos ? *which photos?*

Examples:

Quelle heure est-il ?   *What time is it?*
Tu achètes **quels** livres ?   *Which books are you buying?*

5 Use the PRONOUN **lequel ?** to ask *which one?* It also agrees with the noun:

	SINGULAR	PLURAL
MASCULINE	**lequel ?**	**lesquels ?**
FEMININE	**laquelle ?**	**lesquelles ?**

On va voir un film. **Lequel** ?   *We're going to see a film. Which one?*
Où sont mes photos ? **Lesquelles** ?   *Where are my photos? Which ones?*

The future tense

6 The FUTURE TENSE describes what you *will* or *shall* do:

Je demanderai des renseignements   *I shall ask for information*
L'année prochaine, **elle ira** au Canada   *Next year she will go to Canada*

7 To form the FUTURE TENSE, add the FUTURE ENDINGS to the infinitive of the verb.
Remember to take off the final **-e** of **-re** verbs:

PARLER	FINIR	VENDRE
je parler**ai**	je finir**ai**	je vendr**ai**
tu parler**as**	tu finir**as**	tu vendr**as**
il/elle parler**a**	il/elle finir**a**	il/elle vendr**a**
nous parler**ons**	nous finir**ons**	nous vendr**ons**
vous parler**ez**	vous finir**ez**	vous vendr**ez**
ils/elles parler**ont**	ils/elles finir**ont**	ils/elles vendr**ont**

8 Some common verbs are irregular (see page 126 for full list):

aller	*to go*	j'**irai**, tu **iras**, etc.	*I will go, you will go, etc.*
avoir	*to have*	j'**aurai**, tu **auras**, etc.	*I will have, you will have, etc.*
devoir	*to have to*	je **devrai**, tu **devras**, etc.	*I will have to, you will have to, etc.*
être	*to be*	je **serai**, tu **seras**, etc.	*I will be, you will be, etc.*
faire	*to make, do*	je **ferai**, tu **feras**, etc.	*I will make, you will make, etc.*
pouvoir	*to be able, can*	je **pourrai**, tu **pourras**, etc.	*I will be able, you will be able, etc.*
venir	*to come*	je **viendrai**, tu **viendras**, etc.	*I will come, you will come, etc.*
voir	*to see*	je **verrai**, tu **verras**, etc.	*I will see, you will see, etc.*

CHAPTER 18   WHAT HAVE YOU LEARNT?

A   You are doing a survey on the cinema and writing a questionnaire. Invert the subject and the verb in the questions below in order to make them look more formal.

Questionnaire sur le cinéma
1   Vous aimez le cinéma ?
2   Vous allez souvent au cinéma ?
3   Il y a un cinéma près de chez vous ?
4   Il a plusieurs salles ?
5   Quel genre de film vous préférez ?
6   Quels films vous avez vus cette année ?
7   Vous allez voir les films sous-titrés ?

B   Adrien is buying some CDs for his party tomorrow, but can't make up his mind. His sister is trying to help him. Fill in the gaps with the right question word. (If you need to use **quel** or **lequel**, remember that they agree!)

Quels CD j'achète ?
LUCIE   … est-ce que tu as invité ?
ADRIEN   Mes copains et ceux de Clothilde.
LUCIE   … musique est-ce que tes copains préfèrent ?
ADRIEN   Ils aiment tout.
LUCIE   Et les copains de Clothilde, … est-ce qu'ils aiment ?
ADRIEN   Aucune idée ! Alors, à ton avis, … est-ce que je prends ?
LUCIE   Achète des classiques[1] ! Regarde, il y a plusieurs CD en promotion.
ADRIEN   Oui, mais … je prends ?
LUCIE   Mais je n'en sais rien ! C'est toi qui invites, ce n'est pas moi !

C   Adrien checks the weather forecast to see if he can have his party outside. Write the verbs in brackets in the future tense.

Quel temps fera-t-il demain ?

Le matin, le soleil (*briller*) dans le nord de la France. Au Sud, les nuages (*être*) nombreux avec quelques orages.

L'après-midi, les nuages (*devenir*) plus nombreux dans le Nord, mais le temps (*rester*) sec. Le Sud (*avoir*) de belles éclaircies[2]. Il (*faire*) généralement doux.

En fin de journée, le vent (*souffler*) partout.

---

[1] *des classiques*: classics, things that everybody knows and likes.
[2] *une éclaircie*: sunny spell.

Revision test 16–18

A You have rented a chalet for your winter holidays. It's not what you expected and the agency is closed! You draft a letter of complaint. Insert **ne ... pas**, **ne ... jamais**, **ne ... personne**, **ne ... plus**, **ne ... que**, **ne ... rien** and **ni ... ni** as required.

Déçus et furieux !

Courchevel, le 15 février

Madame,

Nous sommes très déçus par le chalet meublé que votre agence nous a loué.

Je ... ai ... vu un chalet si mal équipé :

– il ... y a ... de réfrigérateur dans la cuisine ;
– il ... y a ... une chaise dans la salle à manger ;
– je n'ai trouvé ... draps ... couvertures dans les chambres ;
– et, en plus, le chauffage ... marche ... .

La voisine, qui nous a donné les clés, ... sait ... . J'ai appelé votre agence, mais il ... y avait ... pour répondre.

Je voudrais une explication et un remboursement immédiats.

Veuillez agréer, Madame, mes salutations distinguées.

Diana Wild

B You have just arrived in Guadeloupe[1] to stay with a friend. She asks you what you would like to do. Give the answers in French.

En Guadeloupe

BERNADETTE	Qu'est-ce que tu veux faire demain matin ?	
TOI	Je ... à ma famille.	[must write]
BERNADETTE	Et l'après-midi ?	
TOI	Je ... la Soufrière[2].	[want to see]
BERNADETTE	Le soir, on va manger chez ma sœur. Tu es d'accord ?	
TOI	Oui, bien sûr. Je ... ta sœur.	[would like to meet]
BERNADETTE	Et après-demain, tu viens jouer au volley avec nous ?	
TOI	Le problème c'est que je ... au volley.	[can't play]
BERNADETTE	Tu ... . Ce n'est pas difficile !	[can try]
TOI	Bon, je	[am going to try]
BERNADETTE	Et maintenant, tu veux prendre une douche ?	
TOI	Oui, parce que ... dans la voiture.	[it was hot]
BERNADETTE	Pendant ce temps, je prépare à manger.	
TOI	D'accord. Et après, je t'... la vaisselle.	[will help (you) to do]

---

[1] *La Guadeloupe* is a French island situated in the West Indies.

[2] *La Soufrière* is a volcano on the island.

Help Yourself to Essential French Grammar

C To find out what will happen to you next year, select the appropriate verbs from the various lists and write them in the future tense.

Un horoscope de rêve !

Succès Ta vie … cette année. À l'école, tu … brillamment et tes parents … très
contents.   *être   changer   réussir*

Vie sociale Tu … de nouveaux amis et, ensemble, vous … des choses formidables.
Tu … plus fort(e) que l'an dernier.   *faire   se sentir   avoir*

Amours Tu … le garçon ou la fille de tes rêves, et tu … l'amour. Vous … des
moments de bonheur très intense.   *découvrir   partager   rencontrer*

D While in Switzerland, you've been invited to visit the local factory. You are
preparing in advance the questions you would like to ask.

Visite d'usine

1 Rewrite the following questions, removing **est-ce que** and inverting subject and
verb.

    a Combien d'employés est-ce que vous avez ?
    b Combien d'heures est-ce qu'ils font par semaine ?
    c Est-ce qu'ils travaillent pendant le week-end ?
    d Est-ce qu'il y a beaucoup de jeunes dans votre usine ?

2 Insert **qui, que/qu', quel** or **lequel** as required. And don't forget the agreements!

    a … est-ce que vous fabriquez ?
    b … sont vos clients ?
    c … sont vos meilleurs produits ?
    d … se vendent[3] le mieux ?

E Here are some comments on sports results. Give the French for the expressions in
brackets and insert them as required.

Résultats sportifs

Athlétisme « Bénabou se distingue, Pérec se blesse. »
Cyclisme « Gonzalez arrive premier, devant Berger. »
Tennis « Redon battu par Lambert. »
Football « Lyon-Marseille : 6–0. »

1 a Bénabou a … couru.   [well]
    b … Pérec s'est blessée.   [unfortunately]

2 a Gonzalez a roulé … … … Berger.   [faster than]
    b C'est Gonzalez qui a roulé … … … .   [the fastest]

3 a Redon a joué … … … Lambert.   [worse than]
    b C'est Redon qui a joué … …. … .   [the worst]

4 a Lyon a joué … … Marseille.   [better than]
    b C'est Marseille qui a joué … … .   [the best]

---

[3] *se vendre*: to sell (when talking about the way a product sells).

Help Yourself to Essential French Grammar

L'école et le travail

A You and your friends have been invited to say whether you like school or not. Some of the answers are provided here. Insert **qui** or **que** as required.

e.g. J'ai des copains … adorent le collège.

→   J'ai des copains **qui** adorent le collège.

C'est le prof de maths … j'aime le plus.

→   C'est le prof de maths **que** j'aime le plus.

Aimez-vous l'école ?

1 J'ai des copains … adorent le collège. Mais moi je déteste ça !

2 C'est dur parfois. Mais je m'entends bien avec les filles et les garçons … sont dans ma classe.

3 Ça dépend des jours et des matières ! La matière … je préfère, c'est l'histoire.

4 Moi, ça dépend des profs ! C'est le prof de maths … j'aime le plus.

5 Je pense qu'on a de la chance d'aller à l'école. Dans certains pays du monde, il y a des enfants de notre âge … sont obligés de travailler.

6 Moi, j'aime bien le collège mais je plains[1] les professeurs. C'est un métier … je ne voudrais pas faire.

B Here are some of the reasons why some people won't or can't do certain jobs. Before selecting the appropriate job title from the list below, make sure that you know whether the speaker is a man or a woman.

Je ne serai jamais …

MARIANE   Comme je chante faux[2], je ne serai jamais … .

HUBERT   Je n'ose pas parler en public. Je ne pourrai donc pas être … .

BERTRAND Je ne deviendrai pas … parce que je ne supporte pas les enfants.

SYLVIE   … ? Jamais ! Je n'aime pas manger.

IBRAHIM   Je ne voudrais pas être … . Je déteste la mécanique.

LAURA   Impossible de devenir … ! Je suis trop mauvaise en chimie.

acteur/actrice   *chanteur/chanteuse*

cuisinier/cuisinière   *instituteur/institutrice*

mécanicien/mécanicienne   *pharmacien/pharmacienne*

---

[1] *plaindre quelqu'un*: to feel sorry for someone.

[2] *chanter faux*: to sing out of tune.

Using **qui** and **que**

1 **Qui** and **que** can be used in the middle of a sentence.

a **Qui** can mean *who, that, which*:

J'ai des copains **qui** adorent le collège   *I have friends who love school*
Donne-moi le paquet **qui** est sur la table   *Give me the parcel that is on the table*

b **Que** can also mean *who, that, which*:

C'est le prof de maths **que** nous aimons   *It's the maths teacher (that) we like*
Donne-moi le paquet **qu'**on a reçu   *Give me the parcel (which) we received*

Note that **que** shortens to **qu'** before vowels.

2 How do you know whether to use **qui** or **que**? An easy way is to remember to use **qui** when the next word is a verb:

J'ai des copains **qui adorent** le collège
Donne-moi le paquet **qui est** sur la table

But for further studies in French, it is useful to know that **qui** is the SUBJECT of the next verb and **que** is the DIRECT OBJECT.

a **Qui** is used to replace the SUBJECT of the verb. The SUBJECT is the person or thing coming <u>before</u> the verb, for example **mon copain**:

SUBJECT	VERB	DIRECT OBJECT
mon copain	déteste	le collège

See how **qui** is used to combine these two sentences into one:

J'ai un copain +   J'ai un copain **qui déteste le collège**
Mon copain déteste le collège

b **Que** is used to replace the DIRECT OBJECT of the verb. The DIRECT OBJECT is the person or thing coming <u>after</u> the verb, for example **le prof**:

SUBJECT	VERB	DIRECT OBJECT
nous	aimons	**le prof**

See how **que** is used to combine these two sentences into one:

C'est le prof +   C'est le prof **que** nous aimons
Nous aimons **le prof**

Feminine forms of nouns

3 Some nouns keep the same gender whether they refer to a male or a female:

un bébé *a baby*   **une** personne   *a person*

Gérard est une personne sympathique   *Gérard is a nice person*

4 Names for jobs are often the same whether the person is male or female. This is the case where the word ends in **-e**, for example:

un/une artiste   *an artist*   un/une journaliste   *a journalist*
un/une dentiste   *a dentist*   un/une secrétaire   *a secretary*

Lucie est la meilleure dentiste   *Lucie is the best dentist*

In some cases, the noun is <u>always</u> masculine:

un chauffeur   *a driver*   un médecin   *a doctor*
un ingénieur   *an engineer*   un professeur   *a teacher*

Le professeur d'allemand est une femme   *The German teacher is a woman*
Le médecin est enceinte   *The doctor is pregnant*

But note that the shortened form **prof** can be masculine (**un prof**) or feminine (**une prof**).

5 Some job titles have different feminine forms.

a   Those job titles ending in **-er** and **-ien**:

-er changes to **-ère**   e.g. un infirmier/une infirmière, *nurse*
-ien changes to **-ienne**   e.g. un musicien/une musicienne, *musician*

b   Job titles formed from verbs (e.g. **servir**) + **-eur** have feminine forms ending in **-euse**, for example:

un chanteur/une chant**euse**   *singer*
un danseur/une dans**euse**   *dancer*
un serveur/une serv**euse**   *waiter/waitress*
un vendeur/une vend**euse**   *sales assistant*

c   Some job titles ending in **-teur** have feminine forms ending in **-trice**, for example:

un directeur/une direc**trice**   *headteacher/manager*
un instituteur/une institu**trice**   *primary school teacher*

CHAPTER 19   WHAT HAVE YOU LEARNT?

A In the following film summary, insert **qui** or **que/qu'** as required.

Esprits rebelles
1 *Esprits rebelles* est un film … raconte l'histoire de LouAnne Johnson.
2 LouAnne est une jeune prof américaine … se retrouve avec une « classe difficile ».
3 Les élèves … elle a dans sa classe sont âgés de 16–17 ans.
4 L'attitude … ils ont avec leurs profs est assez négative.
5 Mais LouAnne, … a travaillé dans l'armée, n'est pas un professeur comme les autres.
6 Elle enseigne avec des méthodes … on utilise rarement dans les collèges.

B How about a career in tourism or health care? Select the appropriate job titles from the list below and make them agree if necessary.

Les métiers du tourisme
1 Étienne est … dans un hôtel. Il accueille les clients et répond au téléphone.
2 Adèle est … dans un café. Elle sert les clients.
3 Jean-Paul est … à Strasbourg. Il fait visiter[1] la ville aux étrangers.
4 Djemila est … de ski. Elle donne des cours de ski.

guide   réceptionniste   moniteur   serveur

Les métiers de la santé
1 Émilie est … . Elle diagnostique les maladies.
2 Coline est … dans une maison de retraite[2]. Elle soigne des personnes âgées.
3 Audrey est … dans un hôpital. Elle opère les malades.
4 Madji est … . Il soigne les dents de ses patients.

chirurgien   dentiste   infirmier   médecin

C You have just started a new job. During your lunch break your colleagues tell you about the company. Choose the correct word.

Patron et collègues
1 Le directeur, monsieur Angevin, est (*un/une*) personne très gentille.
2 La secrétaire est en congé maternité. Elle a eu une fille, la semaine dernière. La maman et (*le/la*) bébé vont bien.
3 Mademoiselle Martin travaille ici depuis le mois dernier. C'est (*le/la*) nouvel ingénieur.
4 On va tous prendre des cours d'allemand une fois par semaine. (*Le/La*) professeur est madame Marchand.

---

[1] *faire visiter*: to show around.

[2] *une maison de retraite*: a retirement home.

UNIT

7

CHAPTER 20   WHAT DO YOU KNOW?

A You are writing a note to say that you will be late tomorrow morning. Fill the gaps with the appropriate words from the list below.

Excuses

Je serai en retard demain matin … j'ai rendez-vous chez le dentiste. Je vous demande … de m'excuser.

… mon rendez-vous est à 10 heures, je vais arriver vers midi. … je vous promets de rattraper le temps perdu[1].

Merci de votre compréhension.

comme   donc   mais   parce que

B At school and at work, we need elected representatives to speak on our behalf. What makes a good representative? Insert **à** or **de** as required.

Discussion – Qu'est-ce qu'un(e) bon(ne) délégué(e) ?

ELVIRE   Je pense que c'est quelqu'un qui a envie … prendre des responsabilités.

VINCENT   C'est aussi quelqu'un qui ne refuse jamais … écouter.

ARNAUD   Quelqu'un qui arrive … comprendre le point de vue des autres.

SAID   Et qui essaie … défendre les intérêts de tous, pas seulement de ses copains.

ELVIRE   En plus, les délégués doivent être diplomates et toujours chercher … dialoguer.

LAURETTE   Dis-moi, Elvire, tu as pensé … devenir déléguée ?

C You are in front of a new computer and someone is helping you understand how it works. Read the dialogue carefully and work out which words mean *this one*, *that one*, *these ones* or *those ones*.

Devant l'ordinateur

1 Pour allumer l'ordinateur, j'appuie sur quel bouton ? – Sur celui-là.
2 Maintenant, je clique sur quelle icône ? – Sur celle-ci.
3 J'ouvre quels fichiers ? – Ceux-ci.
4 Pour couper et coller, j'utilise quelles touches ? – Celles-là.
5 Et pour sortir de l'application, sur quelle touche j'appuie ? – Sur celle-là.

---

[1] *rattraper le temps perdu*: to make up for lost time.

Linking words

1 Linking words (CONJUNCTIONS) are used in the middle or at the beginning of a sentence. Look at these examples with **mais** and **comme**:

C'est difficile **mais** j'essaie !   *It's difficult **but** I'm trying!*
Comme il pleuvait, je suis revenu   *As it was raining, I came back*

Use linking words to explain why or when something happens:

	parce que (*because*)	
Je ne fais pas la cuisine	**puisque** (*since, as*)	je suis en vacances
I don't do the cooking	**quand** (*when*)	*I'm on holiday*
	pendant que (*while*)	

2 Here are some more useful linking words:

aussitôt que	*as soon as*
depuis que	*since*
lorsque	*when*
une fois que	*once*

See also list of useful conjunctions (linking words) on page 146

Saying *this one, that one,* etc.

3 **Celui-ci, ceux-ci**, etc. (DEMONSTRATIVE PRONOUNS) express *this one, these ones,* etc.:

Quel CD est-ce que tu préfères ? **Celui-ci**   *Which CD do you prefer? This one*

4 DEMONSTRATIVE PRONOUNS agree with the nouns they refer to. The forms are:

	SINGULAR		PLURAL	
MASCULINE	**celui-ci**	*this one*	**ceux-ci**	*these ones*
	celui-là	*that one*	**ceux-là**	*these ones*
FEMININE	**celle-ci**	*this one*	**celles-ci**	*these ones*
	celle-là	*that one*	**celles-là**	*those ones*

Cette place est occupée ? Oui, mais **celle-là** est libre
    Is this seat taken? Yes, but that one is free
Prends les livres. Lesquels ? **Ceux-ci**
    Take the books. Which ones? These (ones)

Help Yourself to Essential French Grammar

5 **Cela** (shortened to **ça**) refers to something in general, not a specific noun, and means both *this* and *that*:

Ne fais pas **cela** ! *Don't do that!*   Prends **ça** ! *Take this!*

When used as the subject of the verb, it often means *it*:

Ça ne fait rien   *It doesn't matter*
Ça m'est égal   *I don't mind/It's the same to me*

Two-verb expressions linked with a preposition

6 Some two-verb expressions are linked with a PREPOSITION, e.g. **à**, **de**, **par**. See page 143 for a full list of two-verb constructions.

a Many verbs are linked to an infinitive by **à**, for example:

aider quelqu'un **à** (faire)	*to help to (do)*
apprendre **à** (faire)	*to learn to (do)*
arriver **à** (faire)	*to manage to (do)*
commencer **à** (faire)	*to start (doing)*
continuer **à** (faire)	*to continue to (do), keep on (doing)*
penser **à** (faire)	*to think of (doing)*

Elle a continué à travailler   *She continued to/kept on working*
Aide-moi à porter la valise   *Help me carry the suitcase*
On n'a pas pensé à vous téléphoner *We didn't think of calling you*

b Many verbs are linked to an infinitive by **de**, for example:

s'arrêter **de** (faire)	*to stop (doing)*
décider **de** (faire)	*to decide to (do)*
essayer **de** (faire)	*to try to (do)*
finir **de** (faire)	*to finish (doing)*
oublier **de** (faire)	*to forget to (do)*
promettre **de** (faire)	*to promise to (do)*

Elle a décidé de partir   *She decided to leave*
N'oublie pas de prendre un billet   *Don't forget to buy a ticket*
Essayez de comprendre   *Try to understand*

c **Par** (*by*) is used after **commencer** (*to start*) and **finir** (*to finish*) to describe what you *start by doing*, or *end up doing*:

J'ai commencé par vider la poubelle   *I started by emptying the waste bin*
J'ai fini par ranger tous mes livres   *I ended up putting all my books away*

CHAPTER 20   WHAT HAVE YOU LEARNT?

A Fabrice has difficulty coping with school. His friends are giving him advice. Choose the appropriate linking words.

Discussion – J'ai des difficultés à l'école

FABRICE   Les leçons sont trop difficiles à apprendre !

CONSTANCE   (*Comme/Quand*) tu trouves des mots difficiles, tu as essayé de les remplacer par des mots simples ?

FABRICE   Oui. Mais (*comme/après que*) je ne comprends rien, c'est impossible !

THOMAS   Demande à quelqu'un de t'aider (*en même temps que/lorsque*) tu n'y arrives pas.

FABRICE   Tout ça est inutile ! J'oublie tout (*dès que/pendant que*) j'arrive en classe.

AZIZA   Tu oublies tout (*après que/parce que*) tu es anxieux. Détends-toi ! Reste calme !

B Here are some tips on how to prepare yourself for your next exam. Insert **à**, **de** or **par** as necessary.

Les révisions

Commencez … établir un planning de travail réaliste et suivez-le. Si vous n'arrivez pas … réviser tout(e) seul(e), organisez des soirées-révisions avec des copains. Suggérez … faire un quiz, par exemple.

Arrêtez-vous … réviser une journée au moins avant l'examen. Cela vous permettra … vous reposer. Si vous continuez … apprendre jusqu'au dernier moment, vous finirez … tout mélanger.

La veille du contrôle, essayez … vous détendre et pensez … vous coucher de bonne heure ! Vous aurez besoin … être en pleine forme le lendemain.

Et enfin, le matin du jour J[1], n'oubliez pas … prendre toutes vos affaires : stylos, papier, etc.

C It's your first day on work experience and you're trying to make sense of it all. Give the French for the expressions in brackets.

Premier jour de stage

1 Je m'assieds à ce bureau ? – Non, pas à [that one], à [this one] !

2 Je prends cette chaise ? – Non, pas [this one], [that one] !

3 Je commence à classer ces dossiers ? – Non, pas [these ones], [those ones] !

4 Je mets le courrier dans ces enveloppes ? – Non, pas dans [those ones], dans [these ones] !

---

[1] *le jour J*: D-day (i.e. the day that you are working towards).

UNIT

7

CHAPTER 21   WHAT DO YOU KNOW?

A Linette has just got herself a job as a waitress in a French restaurant. She tells her friends about it. Match the two parts of the sentences, to find out how well you understand expressions with numbers.

Serveuse
1 Je vais travailler par le train : le restaurant est …
2 Je commence le matin, à 11 heures …
3 Je termine vers 5 heures …
4 Je mange dans la cuisine avec le personnel. J'ai droit[1] au menu …
5 Je suis assez bien payée : je gagne 4 500 francs …
6 J'ai une journée libre …
7 Je porte un uniforme. Mais il est un peu trop grand – c'est …

    a … du 42.   e … et quart.
    b … par mois.   f … à 500 m de la gare.
    c … et demie de l'après-midi. g … à 60 francs.
    d … par semaine.

B Here are some of the instructions Linette is given on her first day. Insert **avant de** or **après** as required.

    e.g. Lave-toi les mains … commencer à travailler.
    →   Lave-toi les mains **avant de** commencer à travailler.
         Pose des fleurs sur les tables … avoir mis le couvert.
    →   Pose des fleurs sur les tables **après** avoir mis le couvert[2].

Service compris
1 Nettoie bien la table … mettre la nappe.
2 Vérifie que la nappe est propre … mettre le couvert[2].
3 Accompagne les clients jusqu'à leur table … avoir pris leurs manteaux.
4 … avoir servi le premier plat, dis « Bon appétit ! ».
5 Prends la commande des cafés … avoir enlevé les assiettes.
6 Demande aux clients s'ils sont satisfaits … apporter la note.

------

[1] *avoir droit à*: to be entitled to.

[2] *mettre le couvert*: to set the table.

Some expressions with numbers

1 Use **demi** (masculine) and **demie** (feminine) for *a half*, and **quart** for *a quarter*:

une bouteille et **demie** de vin	*a bottle and a half of wine*
un kilo et **demi** de pommes de terre	*a kilo and a half of potatoes*
il est onze heures et **quart**	*it is a quarter past eleven*

La moitié de also means *half* but is followed by **du**, **de la** or **des** before a noun:

la moitié du temps	*half the time*
la moitié des gens	*half the people*

2 Use **à** to describe:

a how far one thing is from another:

Ta maison est **à** quelle distance ?	*How far (at what distance) is your house?*
À deux kilomètres de la gare	*Two kilometres from the station*

b the price of something:

Je prends le menu **à** 100 francs	*I'll have the 100 franc menu*
Je voudrais un timbre **à** 5 francs	*I would like a 5 franc stamp*

3 Use *faire* and **de large**, **de long**, **de haut** to describe how *wide*, how *long* and how *high* something is:

Ma chambre fait 4 mètres **de long** et 3 mètres **de large**
My room is 4 metres long and 3 metres wide

4 Use **du** with clothes and shoe sizes:

Je fais **du 38**	*I'm a 5 (shoe)*
Tu fais **du 42** ?	*Are you a 14? (clothes size)*

See page 153 for French clothing sizes

5 Use **par** to express *a* or *per week, month, year*:

On va au cinéma une fois **par semaine**	*We go to the cinema once a week*
Je gagne 8 000 francs **par mois**	*I earn 8000 francs a / per month*
Je la vois trois fois **par an**	*I see her three times a year*

See pages 148–150 for numbers.

The past infinitive

6 The PAST INFINITIVE refers to the past:

Je me souviens d'**avoir vu** ce film   *I remember seeing/having seen this film*
Merci d'**être arrivée** si tôt, Marie   *Thanks for arriving so early, Marie*
Je suis parti après **avoir dit** au revoir   *I left after saying goodbye*

7 The PAST INFINITIVE is formed by using **avoir** or **être** + PAST PARTICIPLE:

	INFINITIVE	PAST INFINITIVE
verbs taking **avoir**:	manger, *to eat*	**avoir mangé**
	finir, *to finish*	**avoir fini**
	vendre, *to sell*	**avoir vendu**
verbs taking **être**:	rester, *to remain*	**être resté**
	se laver, *to wash*	**s'être lavé**
	se coucher, *to go to bed*	**s'être couché**

Note that with verbs taking **être**, the PAST PARTICIPLE agrees with the SUBJECT, that is the person doing the action:

Merci d'être arrivé**e** si tôt, **Lucie**   *Thanks for arriving so early, Lucie*

Using **avant de** and **après**

8 *Before* and *after doing something* have different constructions in French:

avant de + INFINITIVE   e.g. **avant de parler**   *before speaking*
après + PAST INFINITIVE   e.g. **après avoir parlé**   *after speaking*

9 To express *before doing something*, simply use **avant de** + INFINITIVE:

Avant de partir, j'ai téléphoné chez toi   *Before leaving I called your house*
Je lis **avant de m'endormir**   *I read before going to sleep*
Sonnez **avant d'entrer**   *Ring the bell before going in*

10 To express *after doing something*, use **après** + PAST INFINITIVE:

Il m'a écrit **après** t'**avoir parlé**   *He wrote to me after talking to you*
Elle a dîné **après s'être douchée**   *She had supper after having a shower*
Après avoir fini mes devoirs, je suis sorti   *After finishing my homework, I went out*

CHAPTER 21   WHAT HAVE YOU LEARNT?

A Louis has just started his summer job as an instructor at a children's holiday camp. This is his first letter to his girlfriend. Insert **à**, **par**, **de** or **du**.

Moniteur dans un camp de vacances

Villefauneix, le 3 août

Salut !

Le voyage a été long. Mais je ne me suis pas ennuyé parce que j'ai dormi la moitié … temps.

Seul problème : on m'a volé mon sac de sport pendant que je dormais ! Je suis allé tout de suite m'acheter un T-shirt … 50 F et un short … 80 F, mais il n'y avait pas ma pointure pour les chaussures – j'ai été obligé de prendre … 42.

Le camp est situé … 60 km de Limoges, dans une jolie vallée. La tente des moniteurs est immense : 5 m … long et 4 m … large !

On a un jour de repos … semaine. C'est bien, je vais pouvoir visiter la région. Je t'embrasse très fort.

Louis

B On his day off, Louis reads an article about a female astronaut and tells the children about it. Using the summary, insert the infinitive or the past infinitive of the underlined verbs as appropriate.

Une Française dans l'espace

Elle a quitté le lycée, puis elle a fait des études de médecine.

Elle a obtenu son diplôme, puis elle a commencé à travailler.

Elle a été médecin pendant un an, puis elle s'est présentée[1] pour devenir astronaute !

Elle a passé une visite médicale[2] et elle est devenue stagiaire au centre spatial.

Elle a passé des tests pendant six mois, puis elle est allée à Moscou.

Elle s'est entraînée pendant deux ans, puis elle a participé à sa première mission spatiale.

e.g. Après … le lycée, elle a fait des études de médecine.

→   **Après avoir quitté** le lycée, elle a fait des études de médecine.
     Avant de … à travailler, elle a obtenu son diplôme.

→   **Avant de commencer** à travailler, elle a obtenu son diplôme.

1 Avant de … pour devenir astronaute, elle a été médecin.
2 Après … une visite médicale, elle est devenue stagiaire.
3 Elle a passé des tests pendant six mois avant d'… à Moscou.
4 Elle a participé à sa première mission après … pendant deux ans.

---

[1] *se présenter*: to apply (for a job).
[2] *une visite médicale*: physical examination.

Help Yourself to Essential French Grammar

Revision test 19–21

A You are deciding what to wear for an interview and are asking a friend to lend you some clothes. Choose the right form to mean *this one, that one*, etc.

Qu'est-ce que je vais mettre ?
– Tu as un pantalon noir à me prêter ?
• Oui. Essaie (*celui-ci/celle-ci*), il est très chouette.
– J'ai aussi besoin de chaussures noires.
• Prends (*celles-là/celui-là*), je te les donne.
– La météo annonce du froid. Tu as des gants en cuir ?
• Oui. Prends (*celles-là/ceux-là*).

B Is your image important to you? Insert **qui** or **que** as required.

Jeu-test – Le look, c'est important pour toi ?
1 Le matin, pour t'habiller :
    a Tu mets les premiers vêtements … tu trouves.
    b Tu perds un quart d'heure à choisir le T-shirt … tu vas mettre.
    c Tu mets les habits … tu as soigneusement préparés la veille.

2 Quand tu achètes des vêtements :
    a C'est ta mère … choisit. Tu lui fais confiance.
    b Tu vas dans les magasins … tu connais déjà.
    c Tu cherches les boutiques … vendent les articles les plus originaux.

3 En général, quels sont tes vêtements préférés ?
    a Ceux[1] … sont les plus pratiques.
    b Ceux … te vont le mieux.
    c Ceux … tout le monde remarque.

Now do the test to see how important your look is to you. Tick the sentences that best describe your attitude and check your results*.

C You are enquiring about a holiday flat you want to rent. Insert **à**, **de** or **par**.

Appartement à louer
• Où est situé l'appartement ?   – Il se trouve … 2 km du centre.
• Et il est près de la mer ?   – Oui, il est … 300 m de la plage.
• La location est chère ?   – 9 000 F … mois.
• On peut louer pour deux semaines ?   – Oui, ça coûte 2 700 F … semaine.
• La salle de séjour est grande ?   – Oui, elle fait 6 m … long et 5 m … large.

---

[1] *Ceux*: the ones.

*Une majorité de a : le look n'est pas une priorité pour toi ; une majorité de b : le look, c'est important mais pas une obsession ; une majorité de c : tu aimes qu'on te remarque !

D Here is some advice on how to get the best results from your next class test. Write the French for the expressions in brackets.

Comment réussir votre prochain contrôle ?

1 [As soon as you are] dans la classe, respirez à fond[2].
2 Lisez les questions plusieurs fois [before answering].
3 Notez vos idées [as they come].
4 [After noting down your ideas], mettez-les en ordre.
5 [Now that everything is clear] dans votre esprit, commencez à écrire.
6 [Once you have finished], prenez le temps de relire.

E These four women have had different jobs during their lives. Insert the appropriate job title, making the changes to refer to women if necessary.

Elles ont fait plusieurs métiers dans leur vie

FRANÇOISE J'ai commencé par vendre des livres : j'ai été … pendant plusieurs années. Mais maintenant je suis … de taxi.

libraire   chauffeur

LAURENCE Moi, j'ai d'abord travaillé comme … dans une raffinerie. Ensuite, comme je connaissais plusieurs langues étrangères, je suis devenue … .

ingénieur   traducteur

ZUWEINA Aujourd'hui, je suis … d'un laboratoire à Paris. Mais avant, j'étais … dans une petite ville de province.

directeur   pharmacien

DORINE Je suis … . J'écris pour un grand magazine féminin. Mais quand j'étais plus jeune, j'étais … .

journaliste   danseur

F Here is some advice on how to start a magazine. Insert **à**, **de** or **par**.

Faites votre journal de collège

1 *L'équipe de rédaction*[3]

Commencez … créer une équipe de rédaction. Vous connaissez sûrement des filles et des garçons qui ont envie … faire un journal. Invitez aussi un professeur … participer; il ou elle vous aidera … prendre les décisions importantes.

2 *L'identité du journal*

Essayez … définir vos objectifs. Cela vous permettra … donner une « identité » à votre journal. Pensez ensuite … faire un budget. Vous aurez besoin … obtenir de l'argent de votre collège.

3 *Le premier numéro*

Amusez-vous … faire la liste de tous les sujets possibles : vie du collège, sport, films, disques, dessins d'humour, etc. Cherchez … présenter l'information de manière amusante. Et puis n'oubliez pas … utiliser des mots simples et … faire des phrases courtes.

---

[2] *respirer à fond*: to take a deep breath.

[3] *une équipe de rédaction*: an editorial team.

Le corps et la santé

A Dorian is going to spend the next three months in Germany. As the date of his departure approaches, his relatives are beginning to worry. Look at the questions and answer them to make sure that you have understood them.

Et surtout fais attention !

SA VIEILLE TANTE   On mange mal en Allemagne. Je t'enverrai de bonnes choses à manger.

SON ONCLE   Si un soir tu manques le train, ne rentre pas à pied, c'est dangereux. Prends un taxi.

SA COUSINE   L'hiver est très froid là-bas. N'oublie pas d'emporter des vêtements chauds.

SA MÈRE   Si tu es malade, va voir le docteur Schmidt à Berlin.

SON PÈRE   Et mets quelques médicaments dans ta valise.

SON GRAND-PÈRE   Et quand tu arrives, envoie de tes nouvelles à toute la famille !

1 Qu'est-ce qui est très froid là-bas ?
2 Dans quoi est-ce qu'il doit mettre des médicaments ?
3 Qui est-ce qui va envoyer de bonnes choses à Dorian ?
4 Qui est-ce que Dorian doit aller voir s'il est malade ?
5 À qui est-ce que Dorian doit envoyer de ses nouvelles ?
6 Qu'est-ce que Dorian doit prendre s'il rate son train le soir ?

B Dorian tries to reassure everyone by telling them what he would do if things were bad. Select the appropriate verbs from the list below.

Ne vous inquiétez pas !

1 Si j'avais faim, je me … à manger.
2 S'il n'y avait pas de train, il y … des taxis.
3 Si l'hiver était très froid, les gens … le chauffage.
4 Si j'étais malade, le docteur Schmidt me … .
5 Si nécessaire, vous … m'envoyer des médicaments.
6 Et puis je … si j'étais vraiment malheureux.

aurait   ferais   mettraient   rentrerais   pourriez   soignerait

More about asking *who ...?* and *what ...?*

1 Here are some *who ...?* and *what ...?* QUESTIONS:

Qui est-ce qui vient ?	*Who is coming?*
Qui est-ce que tu cherches ?	*Who are you looking for?*
Qu'est-ce qui se passe ?	*What is happening?*
Qu'est-ce que tu cherches ?	*What are you looking for?*

2 Look at the beginning of each expression:

qui est-ce qui ... ? **qui** est-ce que ... ?	*mean who ...? and always* <u>begin</u> *with* **qui**
qu'est-ce qui ... ? **qu'**est-ce que ... ?	*mean what ...? and always* <u>begin</u> *with* **qu'**

3 When *who ...?* or *what ...?* are the SUBJECT of the verb, the form ends with **qui**:

> qui est-ce **qui** ... ? *who ... ?*
> qu'est-ce **qui** ... ? *what ... ?*

Qui est-ce **qui** est en retard ?	**Josiane** est en retard
Who is late?	*Josiane is late*
Qu'est-ce **qui** fait ce bruit ?	**Le moteur** fait ce bruit
What is making that noise?	*The engine is making that noise*

4 When *who ...?* or *what ...?* is the DIRECT OBJECT of the verb, the form ends with **que**:

> qui est-ce **que** ... ? *who ...?*
> qu'est-ce **que** ... ? *what ...?*

Qui est-ce **que** tu connais ici ?	Je connais **Léon**
Who do you know here?	*I know **Léon***
Qu'est-ce **que** tu achètes ?	J'achète **un sandwich**
What are you buying?	*I'm buying **a sandwich***

For an explanation of SUBJECT and DIRECT OBJECT see Chapter 13, p. 58.

5 With PREPOSITIONS (**avec, pour, à**, etc.), use **qui** with people:

Avec qui vous venez ?	*Who are you coming with? (With whom are you coming?)*
Pour qui tu l'achètes ?	*Who are you buying it for? (For whom are you buying it?)*

Help Yourself to Essential French Grammar

and use **quoi** with things:

Avec quoi vous payez ?	*What are you paying with? (With what are you paying?)*
Sur quoi tu écris ?	*What are you writing on? (On what are you writing?)*

Unlike in English, the preposition (**à, pour, avec**, etc.) cannot be separated from the question word (**qui** or **quoi**):

Tu l'as acheté **pour qui** ?	*Who did you buy it **for?***
Avec quoi j'ouvre la boîte ?	***What** do I open the tin **with?***

The conditional

6 The CONDITIONAL describes what you *would* do:

Si j'étais riche, **je voyagerais**	*If I was rich, I would travel*
Ils **seraient** contents	*They would be pleased*

The CONDITIONAL is formed in the same way as the future tense (see Chapter 18) but the endings are different:

parler	finir	vendre
je parler**ais**	je finir**ais**	je vendr**ais**
tu parler**ais**	tu finir**ais**	tu vendr**ais**
il/elle parler**ait**	il/elle finir**ait**	il/elle vendr**ait**
nous parler**ions**	nous finir**ions**	nous vendr**ions**
vous parler**iez**	vous finir**iez**	vous vendr**iez**
ils/elles parler**aient**	ils/elles finir**aient**	ils/elles vendr**aient**

7 Verbs that are irregular in the future are also irregular in the conditional (see also verb tables page 126):

aller	j'**irais**, tu **irais**, etc.	*I would go, you would go, etc.*
avoir	j'**aurais**, tu **aurais**, etc.	*I would have, you would have, etc.*
être	je **serais**, tu **serais**, etc.	*I would be, you would be, etc.*
faire	je **ferais**, tu **ferais**, etc.	*I would make, you would make, etc.*
pouvoir	je **pourrais**, tu **pourrais**, etc.	*I would be able, you would be able, etc.*
venir	je **viendrais**, tu **viendrais**, etc.	*I would come, you would come, etc.*
voir	je **verrais**, tu **verrais**, etc.	*I would see, you would see, etc.*
vouloir	je **voudrais**, tu **voudrais**, etc.	*I would like, you would like, etc.*

The conditional form of **il faut** is **il faudrait** and is used to say what *should* be done:

Il **faudrait** partir	*We should leave*

*See also Chapter 23 for the use of **il faut***

CHAPTER 22   WHAT HAVE YOU LEARNT?

A Leïla and her friends are discussing the way young people feel about their appearance. Having looked at the answers, select the appropriate question words.

Discussion – Avez-vous des complexes ?

LEÏLA   Les filles sont toujours complexées[1] !

XIAO   Les garçons aussi ont des complexes[1] !

ALEXANDRE Moi, par exemple, j'ai des boutons sur le visage. C'est affreux !

LEÏLA   Et moi, j'ai les cheveux gras !

XIAO   Oui, mais quand on y réfléchit bien, tout ça n'est pas vraiment important !

QUESTIONS   RÉPONSES

1 … est toujours complexé ?
   (*Qui est-ce qui … ?/Qui est-ce que … ?*)   – Les filles.
2 … les garçons ont aussi ?
   (*Qu'est-ce qui … ?/Qu'est-ce que … ?*)   – Des complexes.
3 … Alexandre a sur le visage ?
   (*Qu'est-ce qui … ?/Qu'est-ce qu' … ?*)   – Des boutons.
4 … n'est pas vraiment important ?
   (*Qui est-ce que… ?/Qu'est-ce qui … ?*)   – Les problèmes comme ça.

B Leïla and her friends are now discussing what they would prefer to look like. Write the verbs in brackets in the conditional.

Tu voudrais être comment ?

LEÏLA   Je suis frisée. Je (*vouloir*) avoir les cheveux raides. Et toi ?

ALICE   Moi, si j'avais le choix, je (*aimer*) bien avoir les cheveux bruns.

XIAO   Moi, je suis trop petit. Si j'étais plus grand, je (*pouvoir*) faire du basket !

ALICE   Et vous les jumeaux, vous (*vouloir*) être comment ?

CYRIL et CÉDRIC Si on pouvait, on (*avoir*) l'air différent !

C Alice and Xiao exchange tips at a party. With so much noise, they have to ask each other to repeat. Put the questions in brackets into French.

Pardon ? Je n'ai pas compris

1 Je me lave les cheveux avec un shampooing doux.   – [*With what?*]
2 Je mets une crème moussante dans mon bain.   – [*In what?*]
3 Pour mes boutons, j'ai demandé conseil au pharmacien. – [*To whom?*]
4 J'ai trouvé une parfumerie pas chère avec ma copine. – [*With whom?*]

---

[1] *être complexé* and *avoir des complexes* have the same meaning: to be self-conscious, to feel embarrassed about oneself.

Help Yourself to Essential French Grammar

UNIT

8

A Here is some advice on how to avoid sunburn and insect bites. Fill in the gaps by
inserting the appropriate phrases.

Attention au soleil et aux insectes l'été !

1 … savoir que le soleil est très dangereux entre 11 et 14 heures.
2 Pour éviter les coups de soleil, … ne pas rester au soleil.
3 De toutes façons, … d'utiliser une crème solaire.

il est recommandé   il faut   il vaut mieux

4 … de ne pas marcher pieds nus dans la nature.
5 … porter des chaussures et des chaussettes.
6 Quand on part en randonnée, … oublier d'emporter une trousse à pharmacie[1].

il est conseillé   il ne faut pas   il vaut mieux

B Ignoring this advice, you go for a hike in the midday sun. On your return you look
terrible! Put the verb in brackets in the required form to say *by … ing* or *on … ing*.
e.g. En (*rentrer*), vous rencontrez Sami. → En rentrant, vous rencontrez Sami.

Qu'est-ce qui t'est arrivé ?

SAMI Qu'est-ce que tu as fait ? Tu es tout rouge !
TOI   J'ai pris un coup de soleil en (*rester*) trop longtemps au soleil.
SAMI Et tu t'es fait mal au pied ?
TOI   Oui, je me suis coupé le pied en (*marcher*) pieds nus.
SAMI Tu n'as pas de trousse à pharmacie normalement ?
TOI   Si, mais je l'ai oubliée en (*partir*) !

C Solène and her friends are discussing what they do if they do not feel well when they
wake up. Replace the underlined verbs by the appropriate reflexive verbs.

Discussion – La maladie

SOLÈNE Si je suis malade, je reste au lit.
OCTAVIA Moi aussi, je prends du repos.
GERMAIN Moi, je vais vite chez le médecin.
MARGUERITE Moi, je reste à la maison et je joue avec mon ordinateur.
CYRIL et CÉDRIC Nous, on commence à pleurer et on appelle notre mère.

s'amuser   se mettre à   se précipiter   se reposer   se sentir mal

---

[1] *une trousse à pharmacie*: a first-aid kit.

Use of reflexives

1 REFLEXIVE VERBS were introduced in Chapter 2. They are always used with a
REFLEXIVE PRONOUN (**me, te, se, nous, vous**). They are used in many ways.

a Some reflexive verbs describe actions you do to yourself:

Je **me réveille** à huit heures	*I wake up at eight o'clock*
Elle ne **s'habille** pas	*She is not getting dressed*

There is no need to use **mon, ton, son**, etc. (POSSESSIVE ADJECTIVES) with parts of the
body after a reflexive verb because it is clear what you are talking about:

Je me lave **les cheveux** tous les jours	*I wash **my hair** every day*
Sandrine s'est fait mal **à la jambe**	*Sandrine hurt **her leg***

b Verbs used reflexively can describe things that you do to each other:

Ils s'**aiment** beaucoup	*They love **each other** a lot*
Nous **nous sommes embrassés**	*We kissed (**each other**)*

c Some reflexive verbs do not come into the above categories, so you just have to
remember that they are reflexive! Examples:

Tu vas **te plaindre** ?	*Are you going to complain?*
Elle **s'est mariée** avec lui	*She married him*

*More about reflexives: list of common reflexive verbs page 138; sections on
individual tenses*

Impersonal expressions

2 Some verb expressions are IMPERSONAL. This means that the SUBJECT of the verb is
always **il** (*it*). You will be familiar with the following impersonal expressions:

Il pleut aujourd'hui	*It is raining today*
Il est huit heures et demie	*It is half past eight*

3 Many impersonal expressions are followed by **de** before an INFINITIVE:

il est conseillé **de** + INFINITIVE	*it is advisable to*
il est déconseillé **de** + INFINITIVE	*it is not advisable to*
il est interdit **de** + INFINITIVE	*it is/you are forbidden to*
il est permis **de** + INFINITIVE	*it is permitted to/you are allowed to*
il est recommandé **de** + INFINITIVE	*it is recommended that*

Il est interdit de fumer ici	*It is forbidden to smoke here*
Il est recommandé de rester assis	*It is recommended that you stay seated*

4 **Il vaut mieux** and **il faut** are followed directly by the INFINITIVE:

a **il vaut mieux** + INFINITIVE means *it is better to* ...:

Il vaut mieux rester ici	*It is better to stay here*
Il vaut mieux ne pas partir	*It is better not to leave*

b **il faut** + INFINITIVE means *it is necessary to* ...:

Dépêche-toi, **il faut** partir	*Hurry up, it is necessary to leave*
	Hurry up, you/we must leave

You can specify who you are talking about by using **me**, **te**, **lui**, etc. (INDIRECT PRONOUNS: see Chapter 14):

Il **me** faut partir	*I must leave*
Il **nous** faut partir	*We must leave*

5 **Il faut** can also be used with a NOUN to express something you need:

Il **me** faut **de l'argent**	*I need/I must have some money*
Il **vous** faut **quelque chose** ?	*Do you need anything?*

For a list of impersonal expressions, see page 142

The present participle

6 The PRESENT PARTICIPLE is formed by taking the **nous** form of the PRESENT TENSE, removing the **-ons** ending and adding **-ant**:

INFINITIVE	NOUS FORM		PRESENT PARTICIPLE	
parler	nous **parl**ons	→	**parlant**	*speaking*
finir	nous **finiss**ons	→	**finissant**	*finishing*
vendre	nous **vend**ons	→	**vendant**	*selling*
conduire	nous **condui**sons	→	**conduisant**	*driving*

7 Use **en** + PRESENT PARTICIPLE to express *while, when, on* and *by doing something*:

Il fait la vaisselle **en écoutant** la radio	*He washes up **while listening** to the radio*
Je me suis couché **en rentrant**	*I went to bed **when I got home***
	*I went to bed **on returning home***
On réussit **en travaillant**	*You succeed **by working***

CHAPTER 23   WHAT HAVE YOU LEARNT?

A Madame Sanchez calls the doctor in an emergency. Give the French equivalent of the words in brackets using reflexive verbs from the list on page 138.

Venez vite ! C'est urgent

MME SANCHEZ   Allô, docteur ? Mon fils [burnt his arm]. Qu'est-ce qu'il faut faire ?

LE MÉDECIN   La meilleure chose à faire, c'est de l'emmener directement à l'hôpital.

MME SANCHEZ   Impossible. Je ne peux pas [use] de la voiture, je suis dans le plâtre. Je [broke my leg] la semaine dernière.

LE MÉDECIN   Bon, et bien [do not worry], je vous envoie une ambulance.

MME SANCHEZ   Merci et dites à l'ambulance de [hurry up].

B You have been asked to give a few health tips in the school magazine. Rewrite the following sentences starting with **il faut** for things that are good for your health, and **il est déconseillé de** for things that are bad for your health.

e.g. manger régulièrement.   →   Il faut manger régulièrement.

Conseils – Pour être en forme

1 *Alimentation*
   a faire des repas réguliers.
   b avoir une alimentation variée.
   c manger trop de sucre et de gras.
   d consommer beaucoup de fruits et de légumes.

2 *Activités physiques*
   a faire de l'exercice régulièrement.
   b prendre le bus pour 1 kilomètre seulement.
   c pratiquer plusieurs sports.
   d fumer.

C You carry out a survey to find out if the people in your class can cook for themselves. Here are some of the answers. Give the French for the phrases in brackets, using **en** + present participle.

Êtes-vous capable de préparer un repas ?

1 Oui, j'ai appris à faire la cuisine [by watching] ma mère.
2 Oui, je me débrouille [by reading] un livre de cuisine.
3 Bien sûr. Tous les soirs [when I get home], j'aide mon père à préparer le repas.
4 Non. Quand je suis seul, je mange des chips et des cacahouètes [while watching] la télé et c'est très bien !

UNIT

8

A Norbert has just qualified as a nurse. He phones the secretary of a humanitarian organisation, to ask about going to Africa as a volunteer. Replace the words in brackets by the appropriate words from the list below making all necessary changes.

Volontaire en Afrique

NORBERT   Allô, monsieur Fourier ? Bonjour, Monsieur. Je voudrais [information] sur les possibilités de travail en Afrique.

M. FOURIER   [At the moment] il y a des postes libres au Congo.

NORBERT   Je ne sais rien sur le Congo. Où est-ce que je peux me renseigner ?

M. FOURIER   Je suggère que vous alliez à [the library] municipale. Et ensuite, si vous êtes toujours intéressé, on vous demandera de [to attend] à des réunions d'information sur notre mission en Afrique.

NORBERT   J'y rencontrerai [doctors] et des infirmiers qui y ont déjà travaillé ?

M. FOURIER   Oui. Vous verrez, ce sont des jeunes comme vous.

NORBERT   Pouvez-vous aussi me dire si je serai payé ?

M. FOURIER   Vous n'aurez pas un gros salaire. Mais vous gagnerez assez de [money] pour vous nourrir et vous loger.

NORBERT   Et bien, je vous remercie. Au revoir et à bientôt peut-être.

actuellement   l'argent   assister   une bibliothèque   un médecin des renseignements

B Having decided to go to Congo, Norbert attends one of the information sessions mentioned above. Put the verbs in brackets in the present tense.

Réunion d'information

DOCTEUR BRUN   Bonjour, je *(s'appeler)* Guy. C'est avec moi que vous partirez. Vous avez des questions à me poser ?

NORBERT   Est-ce que nous *(commencer)* à travailler tout de suite en arrivant ?

DOCTEUR BRUN   Oui. Inutile de perdre du temps.

NORBERT   Est-ce que nous travaillons toujours en hôpital ?

DOCTEUR BRUN   En général, nous *(partager)* notre temps entre les soins médicaux et l'aide alimentaire[1].

NORBERT   Merci de ces renseignements. C'est tout ce que je voulais savoir.

DOCTEUR BRUN   Bon. Et bien je *(espérer)* vous revoir bientôt !

---

[1] *les soins médicaux*: health care; *l'aide alimentaire*: food aid.

Faux amis

1   **Faux amis** means *false friends* – words which can mislead us. They seem the same in the two languages but are not! See the list of common **faux amis** on page 154.

a   Some words are PLURAL in French but SINGULAR in English:

des bagages (masc.)	*luggage*
des renseignements (masc.)	*information*
des toilettes (fem.)	*toilet*

b   Some words are SINGULAR in French but PLURAL in English:

un jean	*jeans*
un pantalon	*trousers*
un pyjama	*pyjamas*

c   Some words look as if they mean the same thing, but they do not:

actuellement	*at present, now*	une librairie	*bookshop*
assister à	*to attend, be present at*	un médecin	*doctor*
les baskets (masc.)	*trainers*	la monnaie	*change (i.e. coins)*
une caméra	*movie camera*	un photographe	*photographer*
une cave	*cellar*	remarquer	*to notice*
un car	*coach*	rester	*to remain/stay*
large	*wide*	sensible	*sensitive*

-er verbs with spelling changes

2   Some verbs ending in **-er** change slightly in certain tenses, reflecting the way the verb is pronounced. See footnotes for more examples.

a   Some verbs, like **espérer**[1] (*to hope*), have an acute accent (**é**) which changes to a grave accent (**è**) in certain forms of the present tense only:

j'espère	nous espérons
tu espères	vous espérez
il/elle espère	**ils/elles espèrent**

b   Verbs like **appeler**[2] and **acheter**[3] change in most forms of the present and in all forms of the future and conditional.

---

[1] All verbs ending in **-érer** and **-éter** are like **espérer**, e.g.: **considérer**, *to consider*; **s'inquiéter**, *to worry*; **préférer**, *to prefer*; **répéter**, *to repeat*; **suggérer**, *to suggest*.

[2] Other verbs like **appeler**: **s'appeler**, *to be called* (je m'appelle, etc.); **se rappeler**, *to remember*.

[3] Other verbs like **acheter**: **emmener**, *to take someone along*; **enlever**, *to remove* or *take away*; **épeler**, *to spell*; **geler**, *to freeze*; **se lever**, *to get up*; **peser**, *to weigh*; **se promener**, *to go for a walk*.

With verbs like **appeler** (*to call*), double the **-l**:

PRESENT TENSE	FUTURE	CONDITIONAL
j'appelle	**j'appellerai**	**j'appellerais**
tu appelles	**tu appelleras**	**tu appellerais**
il/elle appelle	**il/elle appellera**	**il/elle appellerait**
nous appelons	**nous appellerons**	**nous appellerions**
vous appelez	**vous appellerez**	**vous appelleriez**
ils/elles appellent	**ils/elles appelleront**	**ils/elles appelleraient**

With verbs like **acheter** (*to buy*), add a grave accent (**è**):

PRESENT TENSE	FUTURE	CONDITIONAL
j'achète	**j'achèterai**	**j'achèterais**
tu achètes	**tu achèteras**	**tu achèterais**
il/elle achète	**il/elle achètera**	**il/elle achèterait**
nous achetons	**nous achèterons**	**nous achèterions**
vous achetez	**vous achèterez**	**vous achèteriez**
ils/elles achètent	**ils/elles achèteront**	**ils/elles achèteraient**

c   All verbs ending in **-cer** and **-ger** change in the **nous** form of the present tense, in parts of the imperfect and in the present participle.

These changes show that the verbs are always pronounced with the same soft sound:

c changes to   **ç**   before **o** and **a**
g changes to   **ge**   before **o** and **a**

Example of a verb ending in **-cer**:

PRESENT TENSE	IMPERFECT	PRESENT PARTICIPLE
je commence	**je commençais**	**commençant**
tu commences	**tu commençais**	
il/elle commence	**il/elle commençait**	
nous commençons	nous commencions	
vous commencez	vous commenciez	
ils/elles commencent	**ils/elles commençaient**	

Example of a verb ending in **-ger**:

PRESENT TENSE	IMPERFECT	PRESENT PARTICIPLE
je mange	**je mangeais**	**mangeant**
tu manges	**tu mangeais**	
il/elle mange	**il/elle mangeait**	
nous mangeons	nous mangions	
vous mangez	vous mangiez	
ils/elles mangent	**ils/elles mangeaient**	

CHAPTER 24   WHAT HAVE YOU LEARNT?

A Karim and his friends have been asked to prepare an anti-drug display for the entrance of their college. They are discussing the project. Give the French for the English words in brackets. Beware of **faux amis**!

Lutte antidrogue

KARIM   [Everybody] doit connaître les dangers de la drogue.

YOUSRI   Oui, mais la drogue n'est pas le seul danger ! On doit mentionner aussi l'abus de [medicines].

INÈS   N'oubliez pas de chercher des [photographs] intéressantes.

ISABELLE   Oui, mais attention ! Ne choisissez pas des images trop choquantes ! Il y a des gens qui sont [sensitive].

BRICE   D'accord, mais on veut que les gens [notice] les panneaux. Il faut produire un impact.

B How good are you at dealing with people who are different? Write the verbs in brackets in the appropriate tense (present or present participle).

Jeu-test – La différence et toi

1 Ta meilleure amie est allergique au soleil :
   a tu lui (*acheter*) un chapeau et tu l'entraînes[1] à la plage.
   b au lieu d'aller à la plage, tu l'(*emmener*) au cinéma.

2 Tante Élodie est un peu sourde, il faut toujours répéter :
   a ça te (*rappeler*) les films comiques et tu rigoles.
   b tu (*répéter*) tout sans jamais perdre patience.

3 Sveltana est la fille la plus grande et la plus mince de la classe :
   a tu l'(*appeler*) « grande gigue[2] » pour te moquer d'elle.
   b tu lui dis : « Nous (*commencer*) une équipe de basket. Tu veux en faire partie ? »

4 Il y a un nouvel élève dans ta classe. Il est handicapé :
   a tu (*considérer*) que vous n'avez rien en commun.
   b tu lui dis : « Viens à la cantine avec moi, on fera connaissance en (*manger*) ».

Now do the test to see how good you are with people who are different. Tick the sentences that best describe your attitude and check your results*.

---

[1] *entraîner quelqu'un quelque part*: to drag someone somewhere.

[2] *une grande gigue*: a beanpole.

*Un maximum de a : quelle cruauté ! tu ne dois pas avoir beaucoup d'amis ; un maximum de b : tu as compris que nous sommes tous différents, c'est admirable.

Revision test 22–24

A Your class has been asked by a magazine to propose a number of topics for debate to their readers. Here are some of the suggestions. Put the underlined verb in the conditional tense.

Les grands débats

1 Je <u>veux</u> savoir si l'avenir vous inquiète.
2 <u>Pouvez-vous</u> nous dire ce qu'il <u>faut</u> faire[1] pour réduire la pollution ?
3 Nous <u>aimons</u> avoir votre opinion sur le racisme.
4 Il <u>est</u> intéressant de savoir si vous vous sentez concernés par la violence.
5 <u>Préférez-vous</u> vivre dans une société plus juste ?
6 À votre avis, qu'est-ce qu'on <u>doit</u> faire pour mettre fin au chômage ?

B How much do you know about AIDS (*le sida*)? Give the French for the expressions in brackets.

Le sida – Êtes-vous bien informés ?

Est-ce qu'on risque d'attraper le sida :

1 [by going] à la piscine ?   OUI/NON
2 [by doing] du sport avec une personne séropositive[2] ?   OUI/NON
3 [by eating] dans la même assiette ou [by sitting[3]] à la même table ? OUI/NON
4 [by sharing] une seringue ?   OUI/NON
5 [by having] des relations sexuelles sans utiliser de préservatif ?   OUI/NON

Now let's see how much you know about AIDS. Answer the questions and check your answers*.

C The bits of conversations you hear in a café are partly drowned by the noise from the street. Insert the appropriate reflexive verbs, using the right tense.

Bouts de conversation

1 • Tu as vu Sébastien récemment ?
  – Oui, on … la semaine dernière.
2 • Tu as mal à l'épaule ?
  – Oui, je … en tombant de ma moto.
3 • Explique-moi comment aller chez Sidonie.
  – C'est simple. Son appartement … à côté des Galeries Lafayette.
4 • Votre fils fait quelles études ?
  – Il prépare un diplôme de technicien. Il … beaucoup à l'automobile.

               s'intéresser   se faire mal   se trouver   se voir

---

[1] *ce qu'il faut faire*: what we need to do.

[2] *une personne séropositive*: someone who is HIV positive.

[3] Use *se placer*.

*1 : non; 2 : non ; 3 : non ; 4 : oui ; 5 : oui.

D Read the following advice to babysitters, and then fill the gaps by inserting the appropriate question words, using the information provided in brackets.

Petit guide du baby-sitter

1 Soyez vigilant. Demandez qu'on vous laisse un numéro de téléphone pour pouvoir appeler les parents en cas de problème.
2 Soyez naturel. Le premier contact est très important quand on ne connaît pas les enfants à l'avance.
3 Soyez ferme. Au moment d'aller au lit, les enfants vont essayer d'obtenir quelques minutes supplémentaires. Insistez gentiment.
4 Soyez ordonné. On ne vous demande pas de faire le ménage. Mais débarrassez la table, au moins !
5 Soyez franc. Racontez la soirée aux parents sans rien leur cacher pour obtenir leur confiance.
6 Soyez organisé. Renseignez-vous sur les tarifs pratiqués et mettez-vous d'accord sur le prix avant la soirée.

1 ... vous appellerez en cas de problème ?   [who]
2 ... est très important ?   [what]
3 ... va essayer d'obtenir quelques minutes supplémentaires ?   [who]
4 ... on ne vous demande pas de faire ?   [what]
5 ... est-ce que vous devez raconter la soirée ?   [to whom]
6 ... faut-il vous mettre d'accord ?   [on what]

Now answer these questions briefly.

E A friend asks you to summarise the advice found in the *Petit guide du baby-sitter* above. Use impersonal verbs to replace the expressions in brackets.

Pour être un bon baby-sitter

1 [You must] être vigilant.
2 [It's better to] être naturel.
3 [It's advisable to] être ferme.
4 [It's necessary to] être ordonné.
5 [It's better to] être franc.
6 [It's important to] être organisé.

F You are baby-sitting tonight. The parents give you their instructions. The underlined pronouns refer either to you, the children or the parents. Indicate who the pronouns refer to.
e.g. Il nous faut partir à 7 h.   →   Il nous [the parents] faut partir à 7 h.

Dernières recommandations

1 Il te faut faire manger[1] les enfants vers 7 h 30.
2 Souviens-toi qu'il leur faut beaucoup de temps pour manger.
3 Il te faut les coucher tôt, parce qu'il leur faut beaucoup de sommeil.
4 À tout à l'heure ! On rentrera tôt. Il nous faut travailler demain matin !

---

[1] *faire manger*: to feed.

Help Yourself to Essential French Grammar

UNIT

9 Le monde actuel

Unit 9 goes beyond the requirements of most GCSE and Standard Grade syllabuses, acting as a bridge to further study in French.

Each chapter starts with grammar explanations followed by practice exercises. Read carefully through the explanations before tackling the exercises.

The Revision test at the end of the unit will offer you an opportunity for additional practice.

Possessive pronouns: *yours, mine*, etc.

1 *Yours, mine, hers*, etc. are POSSESSIVE PRONOUNS. Examples in French and English:

Ne prends pas mes baskets, prends **les tiens**   *Don't take my trainers, take **yours***
Je ne peux pas, j'ai perdu **les miens** !   *I can't, I've lost **mine**!*

Note that the POSSESSIVE PRONOUNS in French all start with **le**, **la** or **les**. Like adjectives, they must agree with the noun they refer to:

tes baskets   →   **les tiens**
mes baskets   →   **les miens**

2 Here are all the forms of the POSSESSIVE PRONOUNS:

	SINGULAR		PLURAL	
	MASCULINE	FEMININE	MASCULINE	FEMININE
mine	le mien	la mienne	les miens	les miennes
yours	le tien	la tienne	les tiens	les tiennes
his/hers	le sien	la sienne	les siens	les siennes
ours	le nôtre	la nôtre	les nôtres	
yours	le vôtre	la vôtre	les vôtres	
theirs	le leur	la leur	les leurs	

3 The forms **le sien, la sienne, les siens, les siennes** mean both *his* and *hers*. Like all possessive pronouns, they agree with the NOUN they refer to:

Elsa vient   *Elsa is coming*
Prends ton pull et **le sien** aussi   *Take your sweater and **hers** as well*
Marc vient   *Marc is coming*
Prends tes bottes et **les siennes** aussi   *Take your boots and **his** as well*

An introduction to the subjunctive

4 The SUBJUNCTIVE is a form of the verb which you will often hear and read. You will not need to use the subjunctive at this stage, but it is useful to understand it. Subjunctive forms are usually similar to, and sometimes the same as, the present tense. In the following sentences **payions** and **arrive** are subjunctive forms:

Il veut que nous **payions**   *He wants us to pay*
Attendez que j'**arrive**   *Wait until I arrive*

Help Yourself to Essential French Grammar

a   Here are the subjunctive forms of the three REGULAR VERBS **parler**, **finir** and **vendre**:

je parle	je finisse	je vende
tu parles	tu finisses	tu vendes
il/elle parle	il/elle finisse	il/elle vende
nous parlions	nous finissions	nous vendions
vous parliez	vous finissiez	vous vendiez
ils/elles parlent	ils/elles finissent	ils/elles vendent

b   The subjunctive forms of some IRREGULAR VERBS are less easy to recognise:

aller	j'aille, tu ailles, il/elle aille, nous allions, vous alliez, ils/elles aillent
avoir	j'aie, tu aies, il/elle ait, nous ayons, vous ayez, ils/elles aient
être	je sois, tu sois, il/elle soit, nous soyons, vous soyez, ils/elles soient
faire	je fasse, tu fasses, il/elle fasse, nous fassions, vous fassiez, ils/elles fassent
vouloir	je veuille, tu veuilles, il/elle veuille, nous voulions, vous vouliez, ils/elles veuillent

5   The SUBJUNCTIVE has no equivalent in English. In French, there are many expressions which take the subjunctive. It is used, for example:

a   after certain conjunctions, or linking words:

avant que	Téléphone-lui avant qu'il **sorte**
before	*Call him before he goes out*
pour que	Dépêche-toi pour qu'on ne **soit** pas en retard
in order that, so that	*Hurry so that we aren't late*

b   when you are saying what you want or prefer someone else to do:

vouloir que	Je voudrais que vous le **finissiez**
to want	*I would like you to finish it*
préférer que	Je préférerais que tu **partes**
to prefer	*I'd prefer you to leave*

c   when you are expressing an opinion or a reaction about what someone else does:

être content que	Elle est contente que tu **sois** ici
to be pleased	*She is pleased you are here*
avoir peur que	J'ai peur qu'elle se **fasse** mal
to be afraid	*I'm afraid she'll hurt herself*

For more information about the subjunctive, see Help Yourself to Advanced French Grammar (Addison Wesley Longman)

CHAPTER 25   PRACTICE

A You have been asked to carry out a survey to find out what are the greatest concerns among your age group. Here are some of the answers that you have collected. The underlined verbs are in the subjunctive. Give the infinitive of these verbs.

Qu'est-ce qui vous inquiète le plus aujourd'hui ?

BENJAMIN   Le chômage ! J'ai peur que mon père <u>perde</u> son emploi.

DOROTHÉE   La pollution ! Il faut que nous <u>protégions</u> notre environnement.

SALAH   Le racisme ! Je voudrais que les gens <u>soient</u> plus tolérants.

CONSTANT   La violence et la guerre ! J'aimerais qu'on <u>puisse</u> vivre en paix.

ARLETTE   La faim et la pauvreté dans le monde ! Il faudrait que les pays riches <u>fassent</u> un effort.

B Read the text above carefully and answer the questions with complete sentences. (Notice how the subjunctive has been avoided by using the infinitive.)

e.g. Qui Benjamin a-t-il peur de voir au chômage ?

→   Benjamin a peur de voir son père au chômage.

Quels sont les problèmes les plus importants pour eux aujourd'hui ?

1 Qui Benjamin a-t-il peur de voir au chômage ?
2 Selon Dorothée, que faut-il protéger ?
3 D'après Salah, comment doivent être les gens ?
4 Comment Constant aimerait-il pouvoir vivre ?
5 Pour combattre la faim et la pauvreté, que doivent faire les pays riches, selon Arlette ?

C For this survey, you and your friend have interviewed separate groups. You talk about your respective findings.

Des résultats différents

LUI J'ai fini mon enquête. [Yours] est faite ?

TOI Oui, j'ai presque terminé [mine].

LUI Tes résultats sont comment ? [Mine] ne sont pas très intéressants.

TOI Je suis sûr que [mine] sont pareils que [yours].

LUI Pas nécessairement. J'ai déjà comparé mes réponses à celles d'une copine, et [hers] ne ressemblent pas à [mine].

More about object pronouns

1 Direct and indirect OBJECT PRONOUNS were presented in Chapters 13 and 14.
Sometimes more than one OBJECT PRONOUN is used:

Je **te les** donne   *I am giving them to you*
Ils **me l'**ont acheté   *They bought it for me*

Be careful about the order of OBJECT PRONOUNS when there is more than one:

me	before	le	before	lui	before	y	before	en
te		la		leur				
nous		les						
vous								

More examples:

Tu **le leur** as envoyé ?   *Have you sent it to them?*
Je prends du poulet, s'il **y en** a   *I'm having chicken, if there is any*
Ça suffit ! Je **t'en** ai donné six !   *That's enough! I've given you six (of them)*

2 With the IMPERATIVE, the order of the pronouns depends on whether the verb is
positive or negative.

a with a positive verb, **moi** always comes last:

Donne-**le-moi** !   *Give it to me!*

b with a negative verb, the normal rule applies (see Section 1 above):

Ne **me le** donne pas !   *Don't give it to me!*

3 In two-verb expressions, the object pronouns go before the INFINITIVE:

Tu veux **me le** montrer ?   *Do you want to show it to me?*
Je vais **leur en** acheter   *I'm going to buy them some*

Using the pluperfect tense

4 The PLUPERFECT TENSE describes what you *had* done:

Tu **avais compris** ?   *Had you understood?*
Je n'**avais** pas **fait** mes valises   *I had not packed*
Il **était** déjà **allé** en France   *He had already been to France*

5 The PLUPERFECT TENSE consists of:

IMPERFECT TENSE OF **AVOIR** OR **ÊTRE**   +   PAST PARTICIPLE OF THE VERB

Verbs that take **être** with the PERFECT TENSE (see page 138) also take **être** with the PLUPERFECT TENSE.

a   Pluperfect tense of **parler**, a verb which takes **avoir**:

parler	**j'avais parlé**	*I had spoken*
to speak	**tu avais parlé**	*You had spoken*
	il/elle avait parlé	*He/she had spoken*
	nous avions parlé	*We had spoken*
	vous aviez parlé	*You had spoken*
	ils/elles avaient parlé	*They had spoken*

b   Pluperfect tense of **aller**, a verb taking **être**:

aller	**j'étais allé(e)**	*I had gone*
to go	**tu étais allé(e)**	*You had gone*
	il/elle était allé(e)	*He/she had gone*
	nous étions allé(e)s	*We had gone*
	vous étiez allé(e)(s)	*You had gone*
	ils/elles étaient allé(e)s	*They had gone*

c   Pluperfect tense of **se laver**, a REFLEXIVE VERB:

se laver	**je m'étais lavé(e)**	*I had washed*
to wash	**tu t'étais lavé(e)**	*You had washed*
	il/elle s'était lavé(e)	*He/she had washed*
	nous nous étions lavé(e)s	*We had washed*
	vous vous étiez lavé(e)(s)	*You had washed*
	ils/elles s'étaient lavé(e)s	*They had washed*

6 As you can see in the above tables, the PAST PARTICIPLE agrees with the subject of the verb if it takes **être**. More examples:

Lola était déjà part**ie**   *Lola had already left*
Nous ne nous étions pas amusé**s**   *We did not enjoy ourselves*
Les autres étaient arrivé**s**   *The others had arrived*
Mes sœurs s'étaient couché**es**   *My sisters had gone to bed*

Remember that the past participle also agrees in the perfect tense. See Chapter 6

CHAPTER 26 PRACTICE

A Simon is forever discovering the wonders of technology and assumes that no one else knows about them. At times, gentle sarcasm is the only form of reply. Give the French for the expressions in brackets.

Tu savais … ?

1 • Tu savais que la télévision va devenir interactive ?
   – Oui, quelqu'un [had told me] ça.

2 • On t'a dit que le prix des CD-Rom va baisser ?
   – Non, mais [I had read] ça quelque part.

3 • Et tu savais qu'avec les ordinateurs multimédia on peut faire des choses formidables ?
   – [I had noticed]. On en a un au collège.

4 • Avec un modem branché sur le téléphone, on peut communiquer avec le monde entier !
   – Merci de l'explication. [I had not understood] comment ça marchait !

5 • Et je suppose que tu savais que les progrès de l'informatique vont révolutionner notre vie ?
   – Oui, mais heureusement que tu me le dis. [I had forgotten] !

B What is your attitude to technology? Insert the pronoun supplied at the end of the lines either before or after the underlined pronoun.

Jeu-test – Les nouvelles technologies et vous

1 Votre frère a des problèmes avec son nouveau logiciel :

   a vous trouvez la solution tout de suite et vous <u>lui</u> donnez.   *la*

   b vous allez chercher de l'aspirine et vous <u>lui</u> offrez.   *en*

2 C'est l'anniversaire de votre tante :

   a vous commandez des fleurs avec votre téléphone portable et vous <u>lui</u>
      faites livrer directement.   *les*

   b vous allez choisir un livre chez le libraire et vous <u>le</u> portez.   *lui*

3 La calculatrice électronique de votre voisin ne marche pas :

   a vous lui dites: « Montrez-<u>la</u>, je vais vous aider ».   *moi*

   b vous lui répondez: « N'<u>en</u> parlez pas, je n'y connais rien ».   *me*

Now do the test. Tick the sentences that best describe your attitude to technology and check your results*.

*Un maximum de a : les nouvelles technologies n'ont pas de secrets pour vous ; un maximum de b : les nouvelles technologies ne semblent pas vous attirer – faites tout de même un effort !

More uses of **celui**, **celle**, **ceux**, **celles**

1 The forms **celui**, **celle**, **ceux** and **celles** (see table in Chapter 20) are used with **qui** and **que** to mean *the one who/that/which*:

a **celui**, etc. **qui** is SUBJECT of the next verb:

    Qui est le gagnant ?   *Who is the winner?*
    Celui qui termine premier   *The one who finishes first*

b **celui**, etc. **que** is OBJECT of the next verb:

    Tu invites quelles filles ?   *Which girls are you inviting?*
    Celles que tu connais   *The ones (that) you know*

2 **Celui**, etc. followed by **de** means *that of, the one of*, etc. and can indicate possession, which is often **'s** in English:

    Quelle moto ? **Celle du** prof   *Which motorbike? The teacher's*
    Des gants ? Prends **ceux de** mon frère *Gloves? Take my brother's*

Note that **celui de**, **celle de** can be used to explain which train, aeroplane, etc.:

    Quel train ? **Celui de** 18 h   *Which train? The 6 o'clock one*

Using **ce qui** and **ce que**

3 **Ce qui** and **ce que/ce qu'** are used to mean *what*, to refer to something unknown:

    Dis-moi **ce qui** est arrivé   *Tell me what happened*
    Montre-moi **ce que** tu as acheté *Show me what you bought*

4 **Ce qui** is SUBJECT of the following verb. We know that *something* has happened:

SUBJECT	VERB
quelque chose	est arrivé

but we want to know *what* has happened: Dis-moi ce qui est arrivé

5 **Ce que** is the DIRECT OBJECT of the following verb. We know that you have bought *something*:

SUBJECT	VERB	DIRECT OBJECT
tu	as acheté	**quelque chose**

but we want to see *what* you have bought: Montre-moi ce que tu as acheté

6 **Ce qui** can also mean *which*:

    Il est en retard, **ce qui** est ennuyeux *He is late, which is annoying*

The past historic tense

7 The PAST HISTORIC tense, or **passé simple**, is only used in very formal language. It is found in books and sometimes in newspaper articles.
You will never have to use the PAST HISTORIC, but it is useful to be able to recognise it.
Like the perfect tense, the PAST HISTORIC is used for completed actions in the past:

La guerre **éclata** en 1914   *War broke out in 1914*
La guerre a éclaté en 1914
Les années suivantes **furent** terribles   *The following years were terrible*
Les années suivantes ont été terribles

8 The main forms of the PAST HISTORIC are listed below so that you can recognise them when you are reading French.

a The endings for **-er** , **-ir** and **-re** verbs are as follows:

-er verbs, e.g. **parler**	-ir verbs, e.g. **finir**	-re verbs, e.g. **vendre**
je parl**ai**	je fin**is**	je vend**is**
tu parl**as**	tu fin**is**	tu vend**is**
il/elle parl**a**	il/elle fin**it**	il/elle vend**it**
nous parl**âmes**	nous fin**îmes**	nous vend**îmes**
vous parl**âtes**	vous fin**îtes**	vous vend**îtes**
ils/elle parl**èrent**	ils/elles fin**irent**	ils/elles vend**irent**

The **tu** and **vous** forms are not used any more.

b Many verbs have irregular endings in the PAST HISTORIC. Some common irregulars:

avoir	j'eus, il/elle eut, nous eûmes, ils/elles eurent
devoir	je dus, il/elle dut, nous dûmes, ils/elles durent
être	je fus, il/elle fut, nous fûmes, ils/elles furent
faire	je fis, il/elle fit, nous fîmes, ils/elles firent
mettre	je mis, il/elle mit, nous mîmes, ils/elles mirent
pouvoir	je pus, il/elle put, nous pûmes, ils/elles purent
prendre	je pris, il/elle prit, nous prîmes, ils/elles prirent
tenir	je tins, il/elle tint, nous tînmes, ils/elles tinrent
venir	je vins, il/elle vint, nous vînmes, ils/elles vinrent
voir	je vis, il/elle vit, nous vîmes, ils/elles virent
vouloir	je voulus, il/elle voulut, nous voulûmes, ils/elles voulurent

CHAPTER 27   PRACTICE

A Read carefully the following account of the Chernobyl nuclear disaster. The underlined verbs are in the past historic tense. Give the infinitive of these verbs.

La catastrophe de Tchernobyl

Le 26 avril 1986, la centrale nucléaire[1] de Tchernobyl, située en Ukraine, <u>explosa</u>. Il y <u>eut</u> des centaines de morts et des millions d'autres personnes <u>furent</u> exposées aux radiations. Toute la région <u>fut</u> dangereusement polluée. Après l'explosion, les autorités <u>décidèrent</u> d'enterrer[2] le réacteur sous des tonnes de béton pour stopper la pollution. Mais il faudra des centaines d'années pour que la région retrouve une vie normale !

B Read the text above carefully and write out the sentences which have the same meaning as the sentences below.

Comprehension exercise – La catastrophe de Tchernobyl

1 Many others were exposed to radiation.
2 Many people died.
3 The authorities decided to bury the reactor under tons of concrete.
4 The Chernobyl nuclear plant exploded.
5 The surrounding area was dangerously polluted.

C You have been asked to interview a group of environmentalists. You make a list of the questions that you would like to ask. Using your notes as a guide, complete the sentences below, using **ce qui** or **ce que/qu'**.

e.g. Qu'est-ce que vous suggérez pour l'avenir ? *Dites-nous… .*
→   Dites-nous ce que vous suggérez pour l'avenir.

Votre opinion, s'il vous plaît

1 Qu'est-ce qui vous inquiète le plus aujourd'hui ?
2 Qu'est-ce que vous pensez de l'attitude des gens en général ?
3 Qu'est-ce qu'il faut faire pour réduire le gaspillage ?
4 Qu'est-ce qui arrivera si on ne protège pas l'environnement ?

1 *Peut-on savoir … ?*
2 *Pouvez-vous nous dire … ?*
3 *Dites-nous … .*
4 *Expliquez-nous … .*

---

[1] *une centrale nucléaire*: a nuclear power station.

[2] *enterrer*: to bury.

Revision test 25–27

A What is your attitude to old people? Give the French equivalent of the words in brackets and insert them before or after the underlined pronoun.

Jeu-test – Les personnes âgées et toi

1 Tu as des problèmes au collège et tu n'oses pas le dire à tes parents :
   a tu demandes à ta grand-mère d'<u>en</u> parler.   [to them]
   b tu vois ta grand-mère mais tu ne <u>lui</u> parles pas.   [about it]

2 Ta mobylette ne démarre pas :
   a ton voisin est un ancien mécanicien, tu <u>lui</u> portes.   [it *fem.*]
   b tu l'amènes à un garage pour qu'on <u>la</u> répare.   [you]

3 Tu veux offrir un gâteau d'anniversaire :
   a ta voisine était cuisinière. Tu lui demandes d'<u>en</u> faire un. [you]
   b tu téléphones au pâtissier et tu <u>lui</u> commandes un.   [one of them]

4 Tu veux lire des romans policiers pendant les vacances :
   a ton grand-père en a, tu lui demandes de <u>te</u> prêter.   [them]
   b tu vas dans une librairie pour voir s'il <u>en</u> a.   [there]

Now do the test and check your results∗.

B Dimitri wants to buy a computer, but his mother is not very keen. The subjunctive is used in the underlined expressions. Give the meaning of these expressions in English.

L'informatique, c'est l'avenir !

DIMITRI   Cette année, <u>j'aimerais que tu viennes</u> avec moi au salon de l'informatique[1].

SA MÈRE   <u>Pourquoi veux-tu que j'y aille</u> avec toi ?

DIMITRI   <u>Pour qu'on puisse voir</u> les derniers modèles d'ordinateur.

SA MÈRE   <u>Je suis contente que tu veuilles</u> que j'y aille avec toi. Mais <u>je ne crois pas que tu aies besoin</u> d'un ordinateur à la maison !

DIMITRI   Tu ne comprends pas ! L'informatique, c'est l'avenir ! <u>Il faut que je connaisse</u> les derniers développements technologiques !

SA MÈRE   Mais le collège est bien équipé !

DIMITRI   Oui, mais au collège il n'y a pas de jeux. Et ce sont les jeux qui sont vraiment intéressants.

---

[1] *le salon de l'informatique*: computer trade fair.

∗Un maximum de a : les personnes âgées ont beaucoup à offrir et tu le sais ; un maximum de b : les vieilles personnes ne semblent jouer aucun rôle dans ta vie, c'est dommage pour toi.

C The exams are getting close. Ali and his friends discuss how much support they get from their families. Give the French equivalent of the words in brackets.

On peut compter toujours sur la famille

ALI   Mes parents sont extrêmement gentils. Et [yours] ?

JUSTINE   [Mine] aussi. Et puis mes frères et sœurs m'aident à réviser.

CYRIL et CÉDRIC [Ours] sont trop occupés pour nous aider ! Mais notre grand-mère nous fait des gâteaux pour nous donner du courage !

DIANE   [Mine] aussi ! J'adore !

D Your favourite singer is answering questions on the radio. Insert **qui**, **que** or **de** as required.

Une célébrité répond à vos questions

• De toutes tes chansons, lesquelles préfères-tu ?
– Celles … sont sur mon dernier CD.
• Quels sont les vêtements que tu aimes le mieux ?
– Ceux … je porte sur scène.
• Quel est ton animal préféré ?
– Le chien. Surtout celui … ma mère.
• Quelle voiture aimerais-tu posséder ?
– Celle … Mel Gibson dans *Mad Max 2*.

E As you are not feeling well this morning, you go and see the school nurse. Insert **ce qui** or **ce que** as appropriate.

Ça ne va pas !

TOI   Je ne sais pas … m'arrive, mais je ne me sens pas bien.

L'INFIRMIÈRE   Explique-moi … tu sens.

TOI   J'ai mal à la tête, … est très rare pour moi. Et puis j'ai la nausée.

L'INFIRMIÈRE   Dis-moi … tu as fait hier soir.

TOI   J'ai passé la soirée avec des copains et j'ai fumé ma première cigarette !

L'INFIRMIÈRE   C'est exactement … je pensais !

F Here is an extract from a modern French novel about young people[2]. Rewrite the underlined verbs using the perfect tense.

Révélation

J'arrivai vingt minutes en avance au lycée. Ce jour-là, Johanna m'attendait, assise sur les marches de l'escalier A.
– Salut Julia ! J'ai à te parler, me dit Johanna.
– C'est grave ?
– Non, mais c'est important. Martin m'a dit que Paulus est amoureux de toi.
Johanna alluma sa cigarette tandis que les gens de la classe commençaient à arriver. Quand je vis Paulus entrer dans le hall, je me levai et grimpai l'escalier vers la salle de cours.
C'est vrai qu'il était beau Paulus. Toutes les filles étaient amoureuses de lui.

[2] *Je ne t'aime pas, Paulus* by award winning author Agnès Desarthe. The book was published by L'Ecole des loisirs (11 rue de Sèvres, 75006 Paris), "collection Médium" in 1991.

Appendices

Appendices

1 Verb tables

INFINITIVE PRESENT PARTICIPLE	PRESENT	PERFECT	IMPERFECT

a Regular verbs ending in -er, -ir and -re

INFINITIVE PRESENT PARTICIPLE	PRESENT	PERFECT	IMPERFECT
parler *to speak or talk* parlant	je parle tu parles il/elle parle nous parlons vous parlez ils/elles parlent	j'ai parlé tu as parlé il/elle a parlé nous avons parlé vous avez parlé ils/elles ont parlé	je parlais tu parlais il/elle parlait nous parlions vous parliez ils/elles parlaient
finir *to finish* finissant	je finis tu finis il/elle finit nous finissons vous finissez ils/elles finissent	j'ai fini tu as fini il/elle a fini nous avons fini vous avez fini ils/elles ont fini	je finissais tu finissais il/elle finissait nous finissions vous finissiez ils/elles finissaient
vendre *to sell* vendant	je vends tu vends il/elle vend nous vendons vous vendez ils/elles vendent	j'ai vendu tu as vendu il/elle a vendu nous avons vendu vous avez vendu ils/elles ont vendu	je vendais tu vendais il/elle vendait nous vendions vous vendiez ils/elles vendaient

b Irregular verbs

INFINITIVE PRESENT PARTICIPLE	PRESENT	PERFECT	IMPERFECT
acheter *to buy* achetant	j'achète tu achètes il/elle achète nous achetons vous achetez ils/elles achètent	j'ai acheté tu as acheté il/elle a acheté nous avons acheté vous avez acheté ils/elles ont acheté	j'achetais tu achetais il/elle achetait nous achetions vous achetiez ils/elles achetaient

aller
to go
 	
allant
	je vais
	tu vas
	il/elle va
	
	nous allons
	vous allez
	ils/elles vont
		je suis allé(e)
		tu es allé(e)
		il est allé
		   elle est allée
		nous sommes allé(e)s
		vous êtes allé(e)(s)
		ils sont allés
		   elles sont allées
			j'allais
			tu allais
			il/elle allait
			
			nous allions
			vous alliez
			ils/elles allaient

appeler *to call* appelant	j'appelle tu appelles il/elle appelle nous appelons vous appelez ils/elles appellent	j'ai appelé tu as appelé il/elle a appelé nous avons appelé vous avez appelé ils/elles ont appelé	j'appelais tu appelais il/elle appelait nous appelions vous appeliez ils/elles appelaient
s'appeler	*to be called*	see **appeler**	

IMPERATIVE	FUTURE	CONDITIONAL	PLUPERFECT
	je parlerai	je parlerais	j'avais parlé
parle	tu parleras	tu parlerais	tu avais parlé
	il/elle parlera	il/elle parlerait	il/elle avait parlé
parlons	nous parlerons	nous parlerions	nous avions parlé
parlez	vous parlerez	vous parleriez	vous aviez parlé
	ils/elles parleront	ils/elles parleraient	ils/elles avaient parlé
	je finirai	je finirais	j'avais fini
finis	tu finiras	tu finirais	tu avais fini
	il/elle finira	il/elle finirait	il/elle avait fini
finissons	nous finirons	nous finirions	nous avions fini
finissez	vous finirez	vous finiriez	vous aviez fini
	ils/elles finiront	ils/elles finiraient	ils/elles avaient fini
	je vendrai	je vendrais	j'avais vendu
vends	tu vendras	tu vendrais	tu avais vendu
	il/elle vendra	il/elle vendrait	il/elle avait vendu
vendons	nous vendrons	nous vendrions	nous avions vendu
vendez	vous vendrez	vous vendriez	vous aviez vendu
	ils/elles vendront	ils/elles vendraient	ils/elles avaient vendu
	j'achèterai	j'achèterais	j'avais acheté
achète	tu achèteras	tu achèterais	tu avais acheté
	il/elle achètera	il/elle achèterait	il/elle avait acheté
achetons	nous achèterons	nous achèterions	nous avions acheté
achetez	vous achèterez	vous achèteriez	vous aviez acheté
	ils/elles achèteront	ils/elles achèteraient	ils/elles avaient acheté
	j'irai	j'irais	j'étais allé(e)
va *but* vas-y!	tu iras	tu irais	tu étais allé(e)
	il/elle ira	il/elle irait	il était allé
			elle était allée
allons	nous irons	nous irions	nous étions allé(e)s
allez	vous irez	vous iriez	vous étiez allé(e)(s)
	ils/elles iront	ils/elles iraient	ils étaient allés
			elles étaient allées
	j'appellerai	j'appellerais	j'avais appelé
appelle	tu appelleras	tu appellerais	tu avais appelé
	il/elle appellera	il/elle appellerait	il/elle avait appelé
appelons	nous appellerons	nous appellerions	nous avions appelé
appelez	vous appellerez	vous appelleriez	vous aviez appelé
	ils/elles appelleront	ils/elles appelleraient	ils/elles avaient appelé

INFINITIVE PRESENT PARTICIPLE	PRESENT	PERFECT	IMPERFECT
apprendre	*to learn*	see **prendre**	
avoir *to have* ayant	j'ai tu as il/elle a nous avons vous avez ils/elles ont	j'ai eu tu as eu il/elle a eu nous avons eu vous avez eu ils/elles ont eu	j'avais tu avais il/elle avait nous avions vous aviez ils/elles avaient
boire *to drink* buvant	je bois tu bois il/elle boit nous buvons vous buvez ils/elles boivent	j'ai bu tu as bu il/elle a bu nous avons bu vous avez bu ils/elles ont bu	je buvais tu buvais il/elle buvait nous buvions vous buviez ils/elles buvaient
commencer *to begin* commençant	je commence tu commences il/elle commence nous commençons vous commencez ils/elles commencent	j'ai commencé tu as commencé il/elle a commencé nous avons commencé vous avez commencé ils/elles ont commencé	je commençais tu commençais il/elle commençait nous commencions vous commenciez ils/elles commençaient
comprendre	*to understand*	see **prendre**	
conduire *to drive* conduisant	je conduis tu conduis il/elle conduit nous conduisons vous conduisez ils/elles conduisent	j'ai conduit tu as conduit il/elle a conduit nous avons conduit vous avez conduit ils/elles ont conduit	je conduisais tu conduisais il/elle conduisait nous conduisions vous conduisiez ils/elles conduisaient
connaître *to know* connaissant	je connais tu connais il/elle connaît nous connaissons vous connaissez ils/elles connaissent	j'ai connu tu as connu il/elle a connu nous avons connu vous avez connu ils/elles ont connu	je connaissais tu connaissais il/elle connaissait nous connaissions vous connaissiez ils/elles connaissaient
courir *to run* courant	je cours tu cours il/elle court nous courons vous courez ils/elles courent	j'ai couru tu as couru il/elle a couru nous avons couru vous avez couru ils/elles ont couru	je courais tu courais il/elle courait nous courions vous couriez ils/elles couraient
croire *to believe* croyant	je crois tu crois il/elle croit nous croyons vous croyez ils/elles croient	j'ai cru tu as cru il/elle a cru nous avons cru vous avez cru ils/elles ont cru	je croyais tu croyais il/elle croyait nous croyions vous croyiez ils/elles croyaient

IMPERATIVE	FUTURE	CONDITIONAL	PLUPERFECT
	j'aurai	j'aurais	j'avais eu
aie	tu auras	tu aurais	tu avais eu
	il/elle aura	il/elle aurait	il/elle avait eu
ayons	nous aurons	nous aurions	nous avions eu
ayez	vous aurez	vous auriez	vous aviez eu
	ils/elles auront	ils/elles auraient	ils/elles avaient eu
	je boirai	je boirais	j'avais bu
bois	tu boiras	tu boirais	tu avais bu
	il/elle boira	il/elle boirait	il/elle avait bu
buvons	nous boirons	nous boirions	nous avions bu
buvez	vous boirez	vous boiriez	vous aviez bu
	ils/elles boiront	ils/elles boiraient	ils/elles avaient bu
	je commencerai	je commencerais	j'avais commencé
commence	tu commenceras	tu commencerais	tu avais commencé
	il/elle commencera	il/elle commencerait	il/elle avait commencé
commençons	nous commencerons	nous commencerions	nous avions commencé
commencez	vous commencerez	vous commenceriez	vous aviez commencé
	ils/elles commenceront	ils/elles commenceraient	ils/elles avaient commencé
	je conduirai	je conduirais	j'avais conduit
conduis	tu conduiras	tu conduirais	tu avais conduit
	il/elle conduira	il/elle conduirait	il/elle avait conduit
conduisons	nous conduirons	nous conduirions	nous avions conduit
conduisez	vous conduirez	vous conduiriez	vous aviez conduit
	ils/elles conduiront	ils/elles conduiraient	ils/elles avaient conduit
	je connaîtrai	je connaîtrais	j'avais connu
connais	tu connaîtras	tu connaîtrais	tu avais connu
	il/elle connaîtra	il/elle connaîtrait	il/elle avait connu
connaissons	nous connaîtrons	nous connaîtrions	nous avions connu
connaissez	vous connaîtrez	vous connaîtriez	vous aviez connu
	ils/elles connaîtront	ils/elles connaîtraient	ils/elles avaient connu
	je courrai	je courrais	j'avais couru
cours	tu courras	tu courrais	tu avais couru
	il/elle courra	il/elle courrait	il/elle avait couru
courons	nous courrons	nous courrions	nous avions couru
courez	vous courrez	vous courriez	vous aviez couru
	ils/elles courront	ils/elles courraient	ils/elles avaient couru
	je croirai	je croirais	j'avais cru
crois	tu croiras	tu croirais	tu avais cru
	il/elle croira	il/elle croirait	il/elle avait cru
croyons	nous croirons	nous croirions	nous avions cru
croyez	vous croirez	vous croiriez	vous aviez cru
	ils/elles croiront	ils/elles croiraient	ils/elles avaient cru

INFINITIVE PRESENT PARTICIPLE	PRESENT	PERFECT	IMPERFECT
découvrir	to discover	see **ouvrir**	
devenir	to become	see **venir**	
devoir *to have to* devant	je dois tu dois il/elle doit nous devons vous devez ils/elles doivent	j'ai dû tu as dû il/elle a dû nous avons dû vous avez dû ils/elles ont dû	je devais tu devais il/elle devait nous devions vous deviez ils/elles devaient
dire *to say or tell* disant	je dis tu dis il/elle dit nous disons vous dites ils/elles disent	j'ai dit tu as dit il/elle a dit nous avons dit vous avez dit ils/elles ont dit	je disais tu disais il/elle disait nous disions vous disiez ils/elles disaient
dormir *to sleep* dormant	je dors tu dors il/elle dort nous dormons vous dormez ils/elles dorment	j'ai dormi tu as dormi il/elle a dormi nous avons dormi vous avez dormi ils/elles ont dormi	je dormais tu dormais il/elle dormait nous dormions vous dormiez ils/elles dormaient
écrire *to write* écrivant	j'écris tu écris il/elle écrit nous écrivons vous écrivez ils/elles écrivent	j'ai écrit tu as écrit il/elle a écrit nous avons écrit vous avez écrit ils/elles ont écrit	j'écrivais tu écrivais il/elle écrivait nous écrivions vous écriviez ils/elles écrivaient
envoyer *to send* envoyant	j'envoie tu envoies il/elle envoie nous envoyons vous envoyez ils/elles envoient	j'ai envoyé tu as envoyé il/elle a envoyé nous avons envoyé vous avez envoyé ils/elles ont envoyé	j'envoyais tu envoyais il/elle envoyait nous envoyions vous envoyiez ils/elles envoyaient
espérer *to hope* espérant	j'espère tu espères il/elle espère nous espérons vous espérez ils/elles espèrent	j'ai espéré tu as espéré il/elle a espéré nous avons espéré vous avez espéré ils/elles ont espéré	j'espérais tu espérais il/elle espérait nous espérions vous espériez ils/elles espéraient

IMPERATIVE	FUTURE	CONDITIONAL	PLUPERFECT
	je devrai	je devrais	j'avais dû
	tu devras	tu devrais	tu avais dû
	il/elle devra	il/elle devrait	il/elle avait dû
	nous devrons	nous devrions	nous avions dû
	vous devrez	vous devriez	vous aviez dû
	ils/elles devront	ils/elles devraient	ils/elles avaient dû
	je dirai	je dirais	j'avais dit
dis	tu diras	tu dirais	tu avais dit
	il/elle dira	il/elle dirait	il/elle avait dit
disons	nous dirons	nous dirions	nous avions dit
dites	vous direz	vous diriez	vous aviez dit
	ils/elles diront	ils/elles diraient	ils/elles avaient dit
	je dormirai	je dormirais	j'avais dormi
dors	tu dormiras	tu dormirais	tu avais dormi
	il/elle dormira	il/elle dormirait	il/elle avait dormi
dormons	nous dormirons	nous dormirions	nous avions dormi
dormez	vous dormirez	vous dormiriez	vous aviez dormi
	ils/elles dormiront	ils/elles dormiraient	ils/elles avaient dormi
	j'écrirai	j'écrirais	j'avais écrit
écris	tu écriras	tu écrirais	tu avais écrit
	il/elle écrira	il/elle écrirait	il/elle avait écrit
écrivons	nous écrirons	nous écririons	nous avions écrit
écrivez	vous écrirez	vous écririez	vous aviez écrit
	ils/elles écriront	ils/elles écriraient	ils/elles avaient écrit
	j'enverrai	j'enverrais	j'avais envoyé
envoie	tu enverras	tu enverrais	tu avais envoyé
	il/elle enverra	il/elle enverrait	il/elle avait envoyé
envoyons	nous enverrons	nous enverrions	nous avions envoyé
envoyez	vous enverrez	vous enverriez	vous aviez envoyé
	ils/elles enverront	ils/elles enverraient	ils/elles avaient envoyé
	j'espérerai	j'espérerais	j'avais espéré
espère	tu espéreras	tu espérerais	tu avais espéré
	il/elle espérera	il/elle espérerait	il/elle avait espéré
espérons	nous espérerons	nous espérerions	nous avions espéré
espérez	vous espérerez	vous espéreriez	vous aviez espéré
	ils/elles espéreront	ils/elles espéreraient	ils/elles avaient espéré

INFINITIVE PRESENT PARTICIPLE	PRESENT	PERFECT	IMPERFECT
essayer *to try* essayant	j'essaie tu essaies il/elle essaie nous essayons vous essayez ils/elles essaient	j'ai essayé tu as essayé il/elle a essayé nous avons essayé vous avez essayé ils/elles ont essayé	j'essayais tu essayais il/elle essayait nous essayions vous essayiez ils/elles essayaient
être *to be* étant	je suis tu es il/elle est nous sommes vous êtes ils/elles sont	j'ai été tu as été il/elle a été nous avons été vous avez été ils/elles ont été	j'étais tu étais il/elle était nous étions vous étiez ils/elles étaient
faire *to do or make* faisant	je fais tu fais il/elle fait nous faisons vous faites ils/elles font	j'ai fait tu as fait il/elle a fait nous avons fait vous avez fait ils/elles ont fait	je faisais tu faisais il/elle faisait nous faisions vous faisiez ils/elles faisaient
falloir *to be necessary*	il faut	il a fallu	il fallait
jeter *to throw* jetant	je jette tu jettes il/elle jette nous jetons vous jetez ils/elles jettent	j'ai jeté tu as jeté il/elle a jeté nous avons jeté vous avez jeté ils/elles ont jeté	je jetais tu jetais il/elle jetait nous jetions vous jetiez ils/elles jetaient
se lever	*to get up*	see **acheter**	
lire *to read* lisant	je lis tu lis il/elle lit nous lisons vous lisez ils/elles lisent	j'ai lu tu as lu il/elle a lu nous avons lu vous avez lu ils/elles ont lu	je lisais tu lisais il/elle lisait nous lisions vous lisiez ils/elles lisaient
manger *to eat* mangeant	je mange tu manges il/elle mange nous mangeons vous mangez ils/elles mangent	j'ai mangé tu as mangé il/elle a mangé nous avons mangé vous avez mangé ils/elles ont mangé	je mangeais tu mangeais il/elle mangeait nous mangions vous mangiez ils/elles mangeaient
mettre *to put* mettant	je mets tu mets il/elle met nous mettons vous mettez ils/elles mettent	j'ai mis tu as mis il/elle a mis nous avons mis vous avez mis ils/elles ont mis	je mettais tu mettais il/elle mettait nous mettions vous mettiez ils/elles mettaient
offrir	*to offer or give*	see **ouvrir**	

IMPERATIVE	FUTURE	CONDITIONAL	PLUPERFECT
	j'essayerai	j'essayerais	j'avais essayé
essaie	tu essayeras	tu essayerais	tu avais essayé
	il/elle essayera	il/elle essayerait	il/elle avait essayé
essayons	nous essayerons	nous essayerions	nous avions essayé
essayez	vous essayerez	vous essayeriez	vous aviez essayé
	ils/elles essayeront	ils/elles essayeraient	ils/elles avaient essayé
	je serai	je serais	j'avais été
sois	tu seras	tu serais	tu avais été
	il/elle sera	il/elle serait	il/elle avait été
soyons	nous serons	nous serions	nous avions été
soyez	vous serez	vous seriez	vous aviez été
	ils/elles seront	ils/elles seraient	ils/elles avaient été
	je ferai	je ferais	j'avais fait
fais	tu feras	tu ferais	tu avais fait
	il/elle fera	il/elle ferait	il/elle avait fait
faisons	nous ferons	nous ferions	nous avions fait
faites	vous ferez	vous feriez	vous aviez fait
	ils/elles feront	ils/elles feraient	ils/elles avaient fait
	il faudra	il faudrait	il avait fallu
	je jetterai	je jetterais	j'avais jeté
jette	tu jetteras	tu jetterais	tu avais jeté
	il/elle jettera	il/elle jetterait	il/elle avait jeté
jetons	nous jetterons	nous jetterions	nous avions jeté
jetez	vous jetterez	vous jetteriez	vous aviez jeté
	ils/elles jetteront	ils/elles jetteraient	ils/elles avaient jeté
	je lirai	je lirais	j'avais lu
lis	tu liras	tu lirais	tu avais lu
	il/elle lira	il/elle lirait	il/elle avait lu
lisons	nous lirons	nous lirions	nous avions lu
lisez	vous lirez	vous liriez	vous aviez lu
	ils/elles liront	ils/elles liraient	ils/elles avaient lu
	je mangerai	je mangerais	j'avais mangé
mange	tu mangeras	tu mangerais	tu avais mangé
	il/elle mangera	il/elle mangerait	il/elle avait mangé
mangeons	nous mangerons	nous mangerions	nous avions mangé
mangez	vous mangerez	vous mangeriez	vous aviez mangé
	ils/elles mangeront	ils/elles mangeraient	ils/elles avaient mangé
	je mettrai	je mettrais	j'avais mis
mets	tu mettras	tu mettrais	tu avais mis
	il/elle mettra	il/elle mettrait	il/elle avait mis
mettons	nous mettrons	nous mettrions	nous avions mis
mettez	vous mettrez	vous mettriez	vous aviez mis
	ils/elles mettront	ils/elles mettraient	ils/elles avaient mis

INFINITIVE PRESENT PARTICIPLE	PRESENT	PERFECT	IMPERFECT
ouvrir *to open* ouvrant	j'ouvre tu ouvres il/elle ouvre nous ouvrons vous ouvrez ils/elles ouvrent	j'ai ouvert tu as ouvert il/elle a ouvert nous avons ouvert vous avez ouvert ils/elles ont ouvert	j'ouvrais tu ouvrais il/elle ouvrait nous ouvrions vous ouvriez ils/elles ouvraient
partir *to leave* partant	je pars tu pars il/elle part nous partons vous partez ils/elles partent	je suis parti(e) tu es parti(e) il est parti elle est partie nous sommes parti(e)s vous êtes parti(e)(s) ils sont partis elles sont parties	je partais tu partais il/elle partait nous partions vous partiez ils/elles partaient
permettre	*to allow*	see **mettre**	
pleuvoir *to rain*	il pleut	il a plu	il pleuvait
pouvoir *to be able or can* pouvant	je peux tu peux il/elle peut nous pouvons vous pouvez ils/elles peuvent	j'ai pu tu as pu il/elle a pu nous avons pu vous avez pu ils/elles ont pu	je pouvais tu pouvais il/elle pouvait nous pouvions vous pouviez ils/elles pouvaient
préférer	*to prefer*	see **espérer**	
prendre *to take* prenant	je prends tu prends il/elle prend nous prenons vous prenez ils/elles prennent	j'ai pris tu as pris il/elle a pris nous avons pris vous avez pris ils/elles ont pris	je prenais tu prenais il/elle prenait nous prenions vous preniez ils/elles prenaient
se promener **promettre**	*to go for a walk* *to promise*	see **acheter** see **mettre**	
recevoir *to receive* recevant	je reçois tu reçois il/elle reçoit nous recevons vous recevez ils/elles reçoivent	j'ai reçu tu as reçu il/elle a reçu nous avons reçu vous avez reçu ils/elles ont reçu	je recevais tu recevais il/elle recevait nous recevions vous receviez ils/elles recevaient
répéter **revenir**	*to repeat* *to return*	see **espérer** see **venir**	
rire *to laugh* riant	je ris tu ris il/elle rit nous rions vous riez ils/elles rient	j'ai ri tu as ri il/elle a ri nous avons ri vous avez ri ils/elles ont ri	je riais tu riais il/elle riait nous riions vous riiez ils/elles riaient

Help Yourself to Essential French Grammar

IMPERATIVE	FUTURE	CONDITIONAL	PLUPERFECT
	j'ouvrirai	j'ouvrirais	j'avais ouvert
ouvre	tu ouvriras	tu ouvrirais	tu avais ouvert
	il/elle ouvrira	il/elle ouvrirait	il/elle avait ouvert
ouvrons	nous ouvrirons	nous ouvririons	nous avions ouvert
ouvrez	vous ouvrirez	vous ouvririez	vous aviez ouvert
	ils/elles ouvriront	ils/elles ouvriraient	ils/elles avaient ouvert
	je partirai	je partirais	j'étais parti(e)
pars	tu partiras	tu partirais	tu étais parti(e)
	il/elle partira	il/elle partirait	il était parti
			elle était partie
partons	nous partirons	nous partirions	nous étions parti(e)s
partez	vous partirez	vous partiriez	vous étiez parti(e)(s)
	ils/elles partiront	ils/elles partiraient	ils étaient partis
			elle étaient parties
	il pleuvra	il pleuvrait	il avait plu
	je pourrai	je pourrais	j'avais pu
	tu pourras	tu pourrais	tu avais pu
	il/elle pourra	il/elle pourrait	il/elle avait pu
	nous pourrons	nous pourrions	nous avions pu
	vous pourrez	vous pourriez	vous aviez pu
	ils/elles pourront	ils/elles pourraient	ils/elles avaient pu
	je prendrai	je prendrais	j'avais pris
prends	tu prendras	tu prendrais	tu avais pris
	il/elle prendra	il/elle prendrait	il/elle avait pris
prenons	nous prendrons	nous prendrions	nous avions pris
prenez	vous prendrez	vous prendriez	vous aviez pris
	ils/elles prendront	ils/elles prendraient	ils/elles avaient pris
	je recevrai	je recevrais	j'avais reçu
reçois	tu recevras	tu recevrais	tu avais reçu
	il/elle recevra	il/elle recevrait	il/elle avait reçu
recevons	nous recevrons	nous recevrions	nous avions reçu
recevez	vous recevrez	vous recevriez	vous aviez reçu
	ils/elles recevront	ils/elles recevraient	ils/elles avaient reçu
	je rirai	je rirais	j'avais ri
ris	tu riras	tu rirais	tu avais ri
	il/elle rira	il/elle rirait	il/elle avait ri
rions	nous rirons	nous ririons	nous avions ri
riez	vous rirez	vous ririez	vous aviez ri
	ils/elles riront	ils/elles riraient	ils/elles avaient ri

INFINITIVE PRESENT PARTICIPLE	PRESENT	PERFECT	IMPERFECT
savoir *to know* sachant	je sais tu sais il/elle sait nous savons vous savez ils/elles savent	j'ai su tu as su il/elle a su nous avons su vous avez su ils/elles ont su	je savais tu savais il/elle savait nous savions vous saviez ils/elles savaient
se servir	*to help oneself*	see **sortir**	
sortir *to go out* sortant	je sors tu sors il/elle sort nous sortons vous sortez ils/elles sortent	je suis sorti(e) tu es sorti(e) il est sorti elle est sortie nous sommes sorti(e)s vous êtes sorti(e)(s) ils sont sortis elles sont sorties	je sortais tu sortais il/elle sortait nous sortions vous sortiez ils/elles sortaient
se souvenir	*to remember*	see **venir**	
tenir *to hold* tenant	je tiens tu tiens il/elle tient nous tenons vous tenez ils/elles tiennent	j'ai tenu tu as tenu il/elle a tenu nous avons tenu vous avez tenu ils/elles ont tenu	je tenais tu tenais il/elle tenait nous tenions vous teniez ils/elles tenaient
venir *to come* venant	je viens tu viens il/elle vient nous venons vous venez ils/elles viennent	je suis venu(e) tu es venu(e) il est venu elle est venue nous sommes venu(e)s vous êtes venu(e)(s) ils sont venus elles sont venues	je venais tu venais il/elle venait nous venions vous veniez ils/elles venaient
voir *to see* voyant	je vois tu vois il/elle voit nous voyons vous voyez ils/elles voient	j'ai vu tu as vu il/elle a vu nous avons vu vous avez vu ils/elles ont vu	je voyais tu voyais il/elle voyait nous voyions vous voyiez ils/elles voyaient
vouloir *to want or wish* voulant	je veux tu veux il/elle veut nous voulons vous voulez ils/elles veulent	j'ai voulu tu as voulu il/elle a voulu nous avons voulu vous avez voulu ils/elles ont voulu	je voulais tu voulais il/elle voulait nous voulions vous vouliez ils/elles voulaient

Help Yourself to Essential French Grammar

IMPERATIVE	FUTURE	CONDITIONAL	PLUPERFECT
	je saurai	je saurais	j'avais su
sache	tu sauras	tu saurais	tu avais su
	il/elle saura	il/elle saurait	il/elle avait su
sachons	nous saurons	nous saurions	nous avions su
sachez	vous saurez	vous sauriez	vous aviez su
	ils/elles sauront	ils/elles sauraient	ils/elles avaient su
	je sortirai	je sortirais	j'étais sorti(e)
sors	tu sortiras	tu sortirais	tu étais sorti(e)
	il/elle sortira	il/elle sortirait	il était sorti
			elle était sortie
sortons	nous sortirons	nous sortirions	nous étions sorti(e)s
sortez	vous sortirez	vous sortiriez	vous étiez sorti(e)(s)
	ils/elles sortiront	ils/elles sortiraient	ils étaient sortis
			elles étaient sorties
	je tiendrai	je tiendrais	j'avais tenu
tiens	tu tiendras	tu tiendrais	tu avais tenu
	il/elle tiendra	il/elle tiendrait	il/elle avait tenu
tenons	nous tiendrons	nous tiendrions	nous avions tenu
tenez	vous tiendrez	vous tiendriez	vous aviez tenu
	ils/elles tiendront	ils/elles tiendraient	ils/elles avaient tenu
	je viendrai	je viendrais	j'étais venu(e)
viens	tu viendras	tu viendrais	tu étais venu(e)
	il/elle viendra	il/elle viendrait	il était venu
			elle était venue
venons	nous viendrons	nous viendrions	nous étions venu(e)s
venez	vous viendrez	vous viendriez	vous étiez venu(e)(s)
	ils/elles viendront	ils/elles viendraient	ils étaient venus
			elles étaient venues
	je verrai	je verrais	j'avais vu
vois	tu verras	tu verrais	tu avais vu
	il/elle verra	il/elle verrait	il/elle avait vu
voyons	nous verrons	nous verrions	nous avions vu
voyez	vous verrez	vous verriez	vous aviez vu
	ils/elles verront	ils/elles verraient	ils/elles avaient vu
	je voudrai	je voudrais	j'avais voulu
	tu voudras	tu voudrais	tu avais voulu
	il/elle voudra	il/elle voudrait	il/elle avait voulu
	nous voudrons	nous voudrions	nous avions voulu
	vous voudrez	vous voudriez	vous aviez voulu
	ils/elles voudront	ils/elles voudraient	ils/elles avaient voulu

2 Verbs taking Être

The following verbs take **être** in the PERFECT and PLUPERFECT tenses and the PAST INFINITIVE. See pages 25, 95 and 118.

aller	*to go*
arriver	*to arrive*
descendre	*to go/come down*
devenir	*to become*
entrer	*to go/come in*
monter	*to go/come up*
mourir	*to die*
naître	*to be born*
partir	*to leave*
passer	*to pass by, to call, to go*
rentrer	*to go home*
rester	*to stay, to remain*
retourner	*to go back, to return*
revenir	*to go/come back*
sortir	*to go out*
tomber	*to fall*
venir	*to come*

Don't forget that <u>all</u> reflexive verbs take **être** — see list of common reflexive verbs below.

3 List of common reflexive verbs

See also Chapter 23 for uses of the REFLEXIVE verbs.

s'amuser	*to have fun*
s'appeler	*to be called*
s'arrêter	*to stop*
s'asseoir	*to sit down*
se baigner	*to go swimming*
se brosser (les dents, les cheveux, etc.)	*to brush (one's teeth, hair, etc.)*
se brûler	*to burn oneself*
se casser (la jambe, le bras, etc.)	*to break (one's leg, arm, etc.)*
se coucher	*to go to bed*
se couper	*to cut oneself*
se débrouiller	*to cope, to manage*
se demander	*to wonder, to ask oneself*
se dépêcher	*to hurry*
se déshabiller	*to undress*
se doucher	*to have a shower*

s'en aller	*to go away*
s'endormir	*to fall asleep*
s'ennuyer	*to be bored*
s'entendre bien (avec)	*to get on well (with)*
s'entraîner	*to train, to be in training*
s'excuser	*to apologise, to be sorry*
se faire mal	*to hurt oneself*
s'habiller	*to get dressed*
s'informer	*to find out, to get information*
s'inquiéter	*to worry*
s'intéresser à	*to be interested in*
se laver	*to wash (oneself)*
se lever	*to get up*
se marier (avec quelqu'un)	*to marry (someone)*
se mettre à	*to begin to*
se mettre en colère	*to get angry*
s'occuper de	*to look after*
se passer	*to happen*
se perdre	*to get lost*
se plaindre (de)	*to complain (about)*
se précipiter	*to rush*
se présenter	*to introduce oneself, to apply (for a job)*
se promener	*to go for a walk*
se raser	*to shave*
se rencontrer	*to meet (each other)*
se renseigner (sur quelque chose)	*to find out (about something)*
se reposer	*to rest*
se réveiller	*to wake up*
se sentir (mal, etc.)	*to feel (ill, etc.)*
se servir	*to help oneself*
se servir de	*to use*
se souvenir	*to remember*
se terminer	*to finish*
se tromper	*to make a mistake*
se trouver	*to be (situated)*
se voir	*to see each other*

4 Expressions with **avoir**

See also page 49 for examples of expressions with **avoir**.

1 Many expressions with **avoir** describe ailments and illness:

avoir la grippe	*to have the flu*
avoir mal à	*to be in pain*
j'ai mal à la gorge	*I have a sore throat*
j'ai mal au bras	*my arm hurts*
j'ai mal au pied	*my foot hurts*
j'ai mal aux dents	*I have a toothache*
avoir un rhume	*to have a cold*

2 Here is a list of other common expressions with **avoir**:

avoir 20 ans	*to be 20 (years old)*
avoir besoin de	*to need*
avoir chaud	*to be hot*
avoir de l'ambition	*to be ambitious*
avoir de la chance	*to be lucky*
avoir envie de	*to want*
avoir faim	*to be hungry*
avoir froid	*to be cold*
avoir honte (de)	*to be ashamed (of)*
avoir horreur de	*to hate*
avoir l'air (triste, etc.)	*to look (sad, etc.)*
avoir le droit (de)	*to have the right (to)*
avoir l'intention (de)	*to intend (to)*
avoir le temps	*to have time*
avoir lieu	*to take place*
avoir peur (de)	*to be afraid (of)*
avoir raison	*to be right*
avoir soif	*to be thirsty*
avoir sommeil	*to be sleepy*
avoir tort	*to be wrong*
en avoir marre	*to be fed up*
j'en ai marre	*I'm fed up*
il y a, il y avait	*there is/are, there was/were*

5 Expressions with **faire**

The verb **faire** is used in many everyday expressions to describe the weather, tasks, sports, hobbies, etc. See also Chapter 17 for examples and exercises.

1 Sport and leisure activities:

se faire bronzer	*to sunbathe*
faire de l'auto-stop	*to hitch-hike*
faire de l'équitation	*to go horse-riding*
faire de la gymnastique	*to do gymnastics*
faire de la photo	*to take photos, to do photography*
faire de la planche à voile	*to go windsurfing*
faire du camping	*to go camping*
faire du piano	*to play the piano*
faire du tennis	*to play tennis*
faire du vélo	*to go cycling*
faire une promenade	*to go for a walk*

2 Household tasks:

faire du bricolage	*to do house repairs and decorations (DIY)*
faire la cuisine	*to cook, to do the cooking*
faire la lessive	*to do the washing*
faire la vaisselle	*to wash up*
faire le lit	*to make the bed*
faire le ménage	*to do the housework*
faire les courses	*to do the shopping*
faire nettoyer (quelque chose)	*to have (something) cleaned*
faire réparer (quelque chose)	*to have (something) mended*

3 The weather:

il fait chaud	*it is warm*
il fait froid	*it is cold*
il fait beau	*the weather is fine*
il fait mauvais	*the weather is bad*
il fait du brouillard	*it is foggy*
il fait du vent	*it is windy*
il fait du soleil	*it is sunny*

4 Other useful expressions:

faire erreur	*to make a mistake*
faire attention	*to be careful*
faire des économies	*to save up*
faire le plein	*to fill up (petrol)*

faire mal à (quelqu'un)	*to hurt (someone)*
se faire mal	*to hurt oneself*
ça fait combien ?	*how much is it?*
ça fait onze francs	*that will be eleven francs*
ça ne fait rien	*it doesn't matter*

6 Impersonal expressions

Impersonal expressions (see Chapters 22 and 23) always start with **il** *(it)*.

1   Most expressions describing the weather are impersonal:

il fait beau	*the weather is fine*
il fait chaud	*it is warm*
il fait du brouillard	*it is foggy*
il fait du soleil	*it is sunny*
il fait du vent	*it is windy*
il fait froid	*it is cold*
il fait mauvais	*the weather is bad*
il gèle	*it is freezing*
il neige	*it is snowing*
il pleut	*it is raining*

2   Some impersonal expressions are used with other verbs. Except for **il faut** and **il vaut mieux**, they are usually followed by the preposition **de**:

il faut (faire)	*it is necessary to (do)*
il vaut mieux (faire)	*it is better to (do)*
il est conseillé **de** (faire)	*it is advisable to (do)*
il est déconseillé **de** (faire)	*it is not advisable to (do)*
il est défendu **de** (faire)	*it is forbidden to (do)*
il est difficile **de** (faire)	*it is difficult to (do)*
il est facile **de** (faire)	*it is easy to (do)*
il est interdit **de** (faire)	*it is forbidden to (do)*
il est nécessaire **de** (faire)	*it is necessary to (do)*
il est permis **de** (faire)	*it is permitted to (do)*
il est recommandé **de** (faire)	*it is recommended that you (do)*

7 Two-verb expressions

1   When two verbs are used together, the second is always in the infinitive. Verbs are either linked to the infinitive directly (see page 73), or by a preposition (see page 91).

This list tells you which verbs take a direct infinitive, and which take prepositions **à**, **de** or **par**:

adorer (faire)	*to love (doing)*
aider quelqu'un **à** (faire)	*to help someone to (do)*
aimer (faire)	*to love (doing)*
aimer bien (faire)	*to like (doing)*
aimer mieux (faire)	*to prefer (doing)*
aller (faire)	*to go to (do), to be going to (do)*
s'amuser **à** (faire)	*to enjoy oneself (doing)*
apprendre **à** (faire)	*to learn to (do)*
s'arrêter **de** (faire)	*to stop (doing)*
arriver **à** (faire)	*to manage to (do)*
avoir besoin **de** (faire)	*to need to (do)*
avoir envie **de** (faire)	*to want to (do)*
avoir l'intention **de** (faire)	*to intend to (do)*
chercher **à** (faire)	*to try to (do)*
commencer **à** (faire)	*to start (doing)*
commencer **par** (faire)	*to start by (doing)*
compter (faire)	*to intend to (do)*
continuer **à** (faire)	*to continue to (do), to keep on (doing)*
décider **de** (faire)	*to decide to (do)*
demander **à** (faire)	*to ask to (do)*
détester (faire)	*to hate (doing)*
devoir (faire)	*to have to, must (do)*
espérer (faire)	*to hope to (do)*
essayer **de** (faire)	*to try to (do)*
finir **de** (faire)	*to finish (doing)*
finir **par** (faire)	*to end up (doing)*
inviter quelqu'un **à** (faire)	*to invite someone to (do)*
se mettre **à** (faire)	*to begin to (do), to start (doing)*
oublier **de** (faire)	*to forget to (do)*
penser **à** (faire)	*to think of (doing)*
permettre **de** (faire)	*to permit, allow to (do)*
pouvoir (faire)	*to be able to (do), can (do)*
préférer (faire)	*to prefer (doing)*
promettre **de** (faire)	*to promise to (do)*
proposer **de** (faire)	*to offer to (do)*
refuser **de** (faire)	*to refuse to (do)*

savoir (faire)	*to know how to, can (do)*
souhaiter (faire)	*to hope to, to wish to (do)*
se souvenir **de** (faire)	*to remember (doing)*
suggérer **de** (faire)	*to suggest (doing)*
vouloir (faire)	*to want, to wish to (do)*

2 Some French two-verb expressions only consist of one verb in English:

aller chercher	*to fetch*
faire bouillir	*to boil*
faire cuire	*to cook*
laisser tomber	*to drop*
vouloir dire	*to mean*

8 Verbs and following nouns

Some verbs are linked to a person with a preposition (see also page 63):

acheter **à/pour** quelqu'un	*to buy (for) someone*
demander **à** quelqu'un	*to ask someone*
dire **à** quelqu'un	*to say to, to tell someone*
donner **à** quelqu'un	*to give (to) someone*
montrer **à** quelqu'un	*to show (to) someone*
offrir **à** quelqu'un	*to offer/give (to) someone*
raconter une histoire **à** quelqu'un	*to tell someone a story*
répondre **à** quelqu'un	*to answer someone*
téléphoner **à** quelqu'un	*to call someone*

Other verbs are not linked to a noun with a preposition, unlike the English equivalent:

attendre	*to wait **for***
chercher	*to look **for***
demander	*to ask **for***
écouter	*to listen **to***
regarder	*to look **at***

9 Prepositions

1 Short PREPOSITIONS are introduced in Section 7.1–2 page 30. All common short prepositions are listed below:

à	*to, at, in (see also p.16, p.31)*
chez	*at the house/shop of (see also p.30)*
dans	*in*
de	*from, of (see also p.24)*
derrière	*behind*
devant	*in front of, outside*
en	*in, to, at (see also p.16, App. p.30)*
entre	*between*
jusqu'à	*until, as far as (see also p.31)*
sous	*under*
sur	*on*
vers	*towards, at around (time)*

2 Here is a list of common PREPOSITIONS taking **de** when followed by a noun. Some are presented in Chapter 9, together with exercises:

à côté de	*next to*
à droite de	*to the right of*
à gauche de	*to the left of*
à l'extérieur de	*outside*
à l'intérieur de	*inside*
au bord de	*at the side of*
au bout de	*at the end of*
au coin de	*at the corner of*
au fond de	*at the end of, at the bottom of*
au milieu de	*in the middle of*
au sommet de	*on/at the top of*
au-dessous de	*below*
au-dessus de	*above*
autour de	*around*
aux environs de	*around, in the vicinity of*
en bas de	*below, at the bottom of*
en face de	*opposite*
en haut de	*above, at the top of*
hors de	*outside*
le long de	*along*
loin de	*far (away) from*
près de	*near*

10 Useful linking words (conjunctions)

Linking words, or CONJUNCTIONS, are used at the beginning or in the middle of a sentence. See also page 90.

Here is a list of useful common conjunctions used to describe *when* something happens:

alors que	*when*
après que	*after*
aussitôt que	*as soon as*
comme	*as*
depuis que	*since*
dès que	*as soon as*
en même temps que	*at the same time as*
ensuite	*then*
lorsque	*when*
pendant que	*while*
quand	*when*
tandis que	*while*
une fois que	*once*

Here are some common conjunctions used to describe *why* something happens:

car	*for (meaning because)*
comme	*as, since*
donc	*therefore*
parce que	*because*
puisque	*since*

You should also be familiar with the following common conjunctions:

cependant	*however*
et	*and*
si	*if*
où	*where*
mais	*but*
ou	*or*

Help Yourself to Essential French Grammar

11 Countries, regions and continents

Here are lists of the names of continents, countries and some regions of France. Remember that they are either masculine or feminine. See also Chapters 4 and 6 for how to talk about countries and how to express *going to* or *from* countries.

Continents and world regions:

l'	Afrique *fem.*	Africa
l'	Amérique du Nord *fem.*	North America
l'	Amérique du Sud *fem.*	South America
les	Antilles *fem.*	The West Indies
l'	Asie *fem.*	Asia
l'	Australasie *fem.*	Australasia
l'	Europe *fem.*	Europe

Some countries:

l'	Algérie *fem.*	Algeria
l'	Allemagne *fem.*	Germany
l'	Angleterre *fem.*	England
l'	Australie *fem.*	Australia
l'	Autriche *fem.*	Austria
la	Belgique	Belgium
le	Brésil	Brazil
le	Canada	Canada
le	Danemark	Denmark
l'	Écosse *fem.*	Scotland
l'	Espagne *fem.*	Spain
les	États Unis d'Amérique *masc.*	The United States of America
la	France	France
la	Grande-Bretagne	Great Britain
la	Grèce	Greece
l'	Inde *fem.*	India
l'	Irlande *fem.*	Ireland
l'	Italie *fem.*	Italy
le	Japon	Japan
le	Luxembourg	Luxembourg
le	Maroc	Morocco
le	Mexique	Mexico
la	Norvège	Norway
la	Nouvelle-Zélande	New Zealand
le	Pakistan	Pakistan
le	pays de Galles	Wales
les	Pays-Bas *masc.*	The Netherlands

la	Pologne	*Poland*
le	Portugal	*Portugal*
le	Royaume-Uni	*The United Kingdom*
la	Russie	*Russia*
la	Suède	*Sweden*
la	Suisse	*Switzerland*
la	Tunisie	*Tunisia*

Some regions of France:

la	Bretagne	*Brittany*
la	Guadeloupe	*Guadeloupe*
le	Midi	*The South of France*
la	Normandie	*Normandy*
la	Provence	*Provence*

12 Numbers

Numbers 0–59

0	zéro	20	vingt	40	quarante
1	un, une	21	vingt et un	41	quarante et un
2	deux	22	vingt-deux	42	quarante-deux
3	trois	23	vingt-trois	43	quarante-trois
4	quatre	24	vingt-quatre	44	quarante-quatre
5	cinq	25	vingt-cinq	45	quarante-cinq
6	six	26	vingt-six	46	quarante-six
7	sept	27	vingt-sept	47	quarante-sept
8	huit	28	vingt-huit	48	quarante-huit
9	neuf	29	vingt-neuf	49	quarante-neuf
10	dix	30	trente	50	cinquante
11	onze	31	trente et un	51	cinquante et un
12	douze	32	trente-deux	52	cinquante-deux
13	treize	33	trente-trois	53	cinquante-trois
14	quatorze	34	trente-quatre	54	cinquante-quatre
15	quinze	35	trente-cinq	55	cinquante-cinq
16	seize	36	trente-six	56	cinquante-six
17	dix-sept	37	trente-sept	57	cinquante-sept
18	dix-huit	38	trente-huit	58	cinquante-huit
19	dix-neuf	39	trente-neuf	59	cinquante-neuf

Help Yourself to Essential French Grammar

Numbers 60–900

60	soixante	80	quatre-vingts	100	cent
61	soixante et un	81	quatre-vingt-un	101	cent un
62	soixante-deux	82	quatre-vingt-deux	150	cent cinquante
63	soixante-trois	83	quatre-vingt-trois		
64	soixante-quatre	84	quatre-vingt-quatre	200	deux cents
65	soixante-cinq	85	quatre-vingt-cinq	201	deux cent un
66	soixante-six	86	quatre-vingt-six	250	deux cent cinquante
67	soixante-sept	87	quatre-vingt-sept		
68	soixante-huit	88	quatre-vingt-huit	300	trois cents
69	soixante-neuf	89	quatre-vingt-neuf	301	trois cent un
70	soixante-dix	90	quatre-vingt-dix	350	trois cent cinquante
71	soixante et onze	91	quatre-vingt-onze		
72	soixante-douze	92	quatre-vingt-douze		
73	soixante-treize	93	quatre-vingt-treize	400	quatre cents
74	soixante-quatorze	94	quatre-vingt-quatorze	500	cinq cents
75	soixante-quinze	95	quatre-vingt-quinze	600	six cents
76	soixante-seize	96	quatre-vingt-seize	700	sept cents
77	soixante-dix-sept	97	quatre-vingt-dix-sept	800	huit cents
78	soixante-dix-huit	98	quatre-vingt-dix-huit	900	neuf cents
79	soixante-dix-neuf	99	quatre-vingt-dix-neuf		

Numbers 1 000–100 000

1 000	mille	10 000	dix mille
1 050	mille cinquante	20 000	vingt mille
1 800	mille huit cents	30 000	trente mille
1 900	mille neuf cents	40 000	quarante mille
1 980	mille neuf cent quatre-vingts	50 000	cinquante mille
2 000	deux mille	60 000	soixante mille
2 001	deux mille un	70 000	soixante-dix mille
2 010	deux mille dix	80 000	quatre-vingt mille
3 000	trois mille	90 000	quatre-vingt-dix mille
4 000	quatre mille	100 000	cent mille
5 000	cinq mille		
6 000	six mille		
7 000	sept mille		
8 000	huit mille		
9 000	neuf mille		

Note that in French, thousands are indicated by a space where in English a comma is used:

French	English
10 000	10,000
250 000	250,000

and that a comma is used as the decimal point in French:

French	English
19,75	19.75
250,90	250.90
12 250,50	12,250.50

13 Years

Years are written like this:

1985	mille neuf cent quatre-vingt-cinq
1990	mille neuf cent quatre-vingt-dix
1995	mille neuf cent quatre-vingt-quinze
2000	deux mille
2005	deux mille cinq
2010	deux mille dix

14 Telling the time

1 On the hour:

Quelle heure est-il ?	*What time is it?*
Il est une heure	*It is one o'clock*
Il est cinq heures	*It is five o'clock*

Note that **heure** is singular after **une**, but plural after the other numbers.

2 Use **midi** and **minuit** to express *twelve o'clock, midday* and *midnight*:

il est midi	*it is twelve o'clock, it is midday*
il est minuit	*it is twelve o'clock, it is midnight*

3 How to express *a quarter past, half past, a quarter to*:

Il est une heure et quart	*it is a quarter past one*
Il est midi et quart	*it is a quarter past twelve (midday)*
Il est deux heures et demie	*it is half past two*
Il est minuit et demi	*it is half past twelve (midnight)*
Il est dix heures moins le quart	*it is a quarter to ten*

Note that **demi** has no **-e** after **midi** and **minuit** (e.g. **il est minuit <u>et demi</u>**) and that it takes an **-e** after **heure** or **heures** (e.g. **il est deux heures <u>et demie</u>**).

4 How to express minutes *past* and *to* the hour:

Il est une heure dix	*it is ten past one*
Il est dix heures vingt	*it is twenty past ten*
Il est une heure moins dix	*it is ten to one*
Il est dix heures moins vingt	*it is twenty to ten*

5 Use **à** for *at* a particular time, but note that *at* is sometimes omitted in English:

Tu pars à quelle heure ?	*What time are you leaving?*
À une heure	*One o'clock*
Je pars à cinq heures et demie	*I'm leaving at half past five*
à deux heures et demie	*at half past two*
à midi vingt	*at twenty past twelve (midday)*
à dix heures vingt	*at twenty past ten*

6 Use **vers** to give approximate times:

Je suis arrivé **vers trois heures**	*I arrived at around three o'clock*
Tu seras prêt **vers six heures et demie** ?	*Will you be ready at about half past six?*

7 Use **de** to say *in the morning, in the afternoon,* etc.

À trois heures **du matin**	*At three in the morning*
Il est deux heures **de l'après-midi**	*It's two in the afternoon*
Viens à sept heures **du soir**	*Come at seven in the evening*

15 The 24-hour clock

Telling the time by the 24-hour clock is more common in French than in English:

1 h	une heure	une heure (du matin)	*1 a.m.*
2 h	deux heures	deux heures (du matin)	*2 a.m.*
3 h	trois heures	trois heures (du matin)	*3 a.m.*
4 h	quatre heures	quatre heures (du matin)	*4 a.m.*
5 h	cinq heures	cinq heures (du matin)	*5 a.m.*
6 h	six heures	six heures (du matin)	*6 a.m.*
7 h	sept heures	sept heures (du matin)	*7 a.m.*
8 h	huit heures	huit heures (du matin)	*8 a.m.*
9 h	neuf heures	neuf heures (du matin)	*9 a.m.*
10 h	dix heures	dix heures (du matin)	*10 a.m.*
11 h	onze heures	onze heures (du matin)	*11 a.m.*
12 h	douze heures	midi	*12 p.m.*
13 h	treize heures	une heure (de l'après-midi)	*1 p.m.*
14 h	quatorze heures	deux heures (de l'après-midi)	*2 p.m.*
15 h	quinze heures	trois heures (de l'après-midi)	*3 p.m.*
16 h	seize heures	quatre heures (de l'après-midi)	*4 p.m.*
17 h	dix-sept heures	cinq heures (de l'après-midi)	*5 p.m.*
18 h	dix-huit heures	six heures (du soir)	*6 p.m.*
19 h	dix-neuf heures	sept heures (du soir)	*7 p.m.*
20 h	vingt heures	huit heures (du soir)	*8 p.m.*
21 h	vingt et une heures	neuf heures (du soir)	*9 p.m.*
22 h	vingt-deux heures	dix heures (du soir)	*10 p.m.*
23 h	vingt-trois heures	onze heures (du soir)	*11 p.m.*
0 h	zero heure	minuit	*12 a.m.*

More examples:

8 h 15	huit heures quinze	*8.15 a.m.*
13 h 30	treize heures trente	*1.30 p.m.*
20 h 45	vingt heures quarante-cinq	*8.45 p.m.*

16 French clothing sizes

Here are some approximate French equivalents of British clothing sizes. Exact equivalents cannot always be found.

a Equivalent measurements for men's and women's clothes:

inches	centimetres
32	81
34	87
36	92
38	97
40	102
42	107
44	112
46	117

b Women's clothing sizes:

British	French
10	38
12	40
14	42
16	44
18	46-48
20	50

c Shoe sizes:

British	French
4	37
4½	37½
5	38
5½	39
6	39½
6½	40
7	40½
7½	41
8	42
8½	42½
9	43
9½	43½
10	44½
11	46

17 **Faux amis**

This means *false friends*! These are the words which can mislead us because they seem the same in the two languages, but are not. See also Chapter 24.

1 Some words are plural in one language but not in the other:

des	bagages	*luggage*
un	jean	*jeans*
un	pantalon	*trousers*
un	pyjama	*pyjamas*
des	renseignements	*information*
un	slip	*underpants*
les	toilettes	*toilet*

2 You will have noticed that many words do mean the same, but are spelt slightly differently. Here is a list of common words in which only one letter is different:

	calme	*calm*
une	cathédrale	*cathedral*
un	compartiment	*compartment*
le	confort	*comfort*
la	danse	*dance*
	essentiel	*essential*
	étrange	*strange*
un	exemple	*example*
un	groupe	*group*
	juste	*just*
une	lampe	*lamp*
la	limonade	*lemonade*
une	liste	*list*
	naturel	*natural*
un	objet	*object*
un	passeport	*passport*
le	porc	*pork, pig*
	responsable	*responsible*
un	titre	*title*

3 Some words look as if they mean the same thing, but they do not:

	actuellement	*at present, now*
	assister à	*to attend, to be present at*
une	bague	*ring*
des	baskets	*trainers*
une	caméra	*movie camera*
un	car	*coach*

une	cave	*cellar*
	défendre	*to forbid, to defend*
quel	dommage !	*what a shame!*
une	émission	*television programme*
une	équipe	*team*
s'	excuser	*to apologise, to be sorry*
l'	hôtel de ville	*town hall*
	insupportable	*unbearable*
huit	jours	*one week*
quinze	jours	*two weeks, a fortnight*
	large	*wide*
une	librairie	*bookshop*
une	location	*rented accommodation, rental*
un	machin	*thingummy, whatsit*
une	manifestation	*demonstration*
une	matière	*school subject*
un	médecin	*doctor*
tout le	monde	*everybody*
la	monnaie	*change (i.e. means coins), currency*
un	parking	*car park*
le	pétrole	*oil*
un	photographe	*photographer*
une	pile	*battery (also means pile)*
se	présenter	*to introduce oneself*
	propre	*clean*
	ranger	*to tidy, to put away*
	remarquer	*to notice*
	rester	*to remain*
un	roman	*novel*
un	sac	*bag*
	sensible	*sensitive*
une	veste	*jacket*

18 Beginning and ending letters

1 To someone you do not know personally:

Beginnings	Endings
Madame, Monsieur, Mademoiselle,	Veuillez agréer, Madame/Monsieur/ Mademoiselle, l'expression de mes sentiments distingués. Je vous prie de croire, Madame/Monsieur/ Mademoiselle, à l'assurance de mes sentiments les meilleurs.

Note that you should begin and end the letter with the same title. So if you begin your letter **Madame**, you should finish it with **Veuillez agréer, Madame, l'expression de mes sentiments distingués**.

2 To acquaintances and friends that you do not call by their first name (where **vous** is used):

Beginnings	Endings
Chère Madame, Chère Mademoiselle, Cher Monsieur, Chers amis,	Recevez toutes mes amitiés. Bien amicalement. Amitiés./Meilleures amitiés. Bien à vous.

3 To acquaintances and friends that you call by their first name (where either **vous** or **tu** is used):

Beginnings	Endings
Chère Coralie, Cher Julien, Chers Coralie et Julien,	Amitiés./Meilleures amitiés. Bien amicalement. Je vous embrasse.

4 To close friends and family (where **tu** is normally used):

Beginnings	Endings
Salut ! Bonjour ! Chère/Ma chère Lili, Cher/Mon cher Paul, Chers Lili et Paul, Chère/Ma chère maman, Cher/Mon cher papa, Chers/Mes chers parents,	À bientôt. Salut ! Bises. Grosses bises. Je t'embrasse (très fort). Je vous embrasse (très fort). Bien affectueusement.

Help Yourself to Essential French Grammar

French–English glossary

1er (*fem.*^{ère}) 1st
2e, 3e, 4e, etc. 2nd, 3rd, 4th, etc.

A

à at, in, to
à la télévision on television
à son retour on her return
d' abord first, at first
une absence absence
un abus abuse
accepter to accept
accompagner to accompany, to go with
d' accord alright, OK
être d' accord to agree
accueillir to welcome
accuser to accuse
acheter to buy
un acteur (*fem.* une actrice) actor
actif (*adj. fem.* active) active, lively
une activité hobby, activity
actuellement at present, nowadays
adorable (*adj.*) adorable
adorer to love
une adresse address
un adulte adult
un aéroport airport
les affaires (*fem.*) things, belongings
affectueux (*adj. fem.* affectueuse) affectionate
une affiche poster
une affiche publicitaire advertisement, poster
affreux (*adj. fem.* affreuse) horrible, awful
l' Afrique (*fem.*) Africa
afro (*adj.*) African (music style)
agacer to irritate, to get on somebody's nerves
un âge age
âgé (*adj.*) aged; elderly
une agence agency

une agence de mannequins pour enfants children's model agency
une agence de voyages travel agency
agréable (*adj.*) pleasant
Veuillez agréer, Madame/Monsieur, mes salutations distinguées Yours sincerely
l' aide (*fem.*) help; aid
aider to help
ailleurs somewhere else
aimer to like, to love
aimer (+ *infinitive*) to like (...ing)
aimer bien to like
aimer mieux to prefer
l' aîné (*fem.* l'aînée) eldest
l' air (*masc.*) air
avoir l' air (triste, etc.) to look (sad, etc.)
avoir l' air de (+ *infinitive*) to appear to ...
ajouter to add
l' Algérie (*fem.*) Algeria
l'aide alimentaire (*fem.*) food aid
l' alimentation (*fem.*) food
l' Allemagne (*fem.*) Germany
allemand (*adj.*) German
aller to go
aller (+ *infinitive*) to be going to …; to go and ...
aller à quelqu'un to suit someone (clothes)
aller bien to be well
aller chercher to fetch, to pick up
aller mieux to be better
allergique (*adj.*) allergic
allô ! hello! (when picking up telephone)
allumer to turn/switch on; to light
alors so
alors ! well (then)!
les Alpes (*fem.*) the Alps
une ambition ambition
une ambulance ambulance
amener to bring (someone)

américain (*adj.*)   American
un(e) ami(e)   friend
l' amour (*masc.*)   love
amoureusement   lovingly
être amoureux (*adj. fem.*
   amoureuse) (de)   to be in
   love (with)
amusant (*adj.*)   amusing,
   entertaining
s' amuser   to enjoy oneself, to
   play
un an   year
un ananas   pineapple
ancien (*adj. fem.* ancienne)
   old, antique; former
une ancre   anchor
anglais (*adj.*)   English
l' anglais (*masc.*)   English
   (language)
un(e) Anglais(e)   Englishman/
   woman
l' Angleterre (*fem.*)   England
un animal (*pl.* animaux)   animal
un animal en peluche   fluffy toy
   animal
une année   year
un anniversaire   birthday
une carte d' anniversaire   birthday card
un anniversaire de mariage
   wedding anniversary
bon anniversaire !   happy
   birthday!
annoncer   to announce
annuel (*adj. fem.* annuelle)
   annual, yearly
un anorak   anorak
une crème anti-moustiques   mosquito
   repellent cream
antillais (*adj.*)   West Indian
les Antilles (*fem.*)   West Indies
anxieux (*adj. fem.* anxieuse)
   worried, anxious
août   August
s' apercevoir   to realise, to
   notice
un appareil   appliance
un appareil photo   camera
un appartement   flat
appeler   to call
l' appétit (*masc.*)   appetite
bon appétit !   enjoy your meal!
une application   application;
   piece of software

apporter   to bring
apprécier   to appreciate
apprendre   to learn
approcher   to get near
appuyer sur   to press
après (+ *past infinitive*)
   after (...*ing*)
après (que ...)   after ...;
   afterwards
d' après   according to
après-demain   the day after
   tomorrow
l' après-midi (*masc.*)   (in the)
   afternoon
un arbre   tree
l' argent (*masc.*)   money
l' argent de poche   pocket
   money
un argument   argument
l' armée (*fem.*)   army
une armoire   wardrobe,
   cupboard
un arrêt   stop
un arrêt d'autobus   bus stop
arrêter (quelque chose)   to
   stop (something)
s' arrêter   to stop (oneself)
une arrivée   arrival
arriver   to arrive; to happen
arriver à (+ *infinitive*)   to
   manage to ...
arroser   to water
un article   article; item
les arts martiaux (*masc.*)
   martial arts
un ascenseur   a lift
l' aspirine (*fem.*)   aspirin
s' asseoir   to sit down
assez   quite
assez (de)   enough
je m' assieds (*see* s'asseoir)   I sit
   down
une assiette   plate
assis   seated, sitting down
une assistance   help, assistance
assister à   to attend
prendre de l' assurance (*fem.*)   to become
   confident
assuré (*adj.*)   sure, assured,
   confident
un(e) astronaute   astronaut
un atelier d'écriture   creative
   writing class

un atelier de dessin   drawing class

l' athlétisme (*masc.*)   athletics

attendre   to wait (for)

attention à ... !   watch out for ...!

faire attention   to be careful

attentionné (*adj.*) thoughtful, considerate

atterrir   to land

attirer   to attract, to appeal to

une attitude   attitude

attraper   to catch, to contract (illness)

au moins   at least

au revoir   goodbye

une auberge   inn

(ne ...) aucun(e)   no, not one, not any, none

aujourd'hui   today

dès aujourd'hui   as of today, immediately

aussi   also, too

aussi ... (que)   as ... (as)

l' Australie (*fem.*)   Australia

l' automobile (*fem.*)   cars (in general)

les autorités (*fem.*)   authorities

autour de   around

autre (*adj.*)   other

un(e) autre   another

autre chose   something else

les autres   the others, other people

à l' avance   beforehand

en avance   early

avancer   to move forward

avant   before

avant de (+ *infinitive*) before (...*ing*)

avant tout   first of all

avec   with

un avenir   future

une aventure   adventure

aveugle (*adj.*)   blind

un avion   plane

un avis   opinion

à ton avis   in your opinion

avoir   to have

avoir (10 ans)   to be (10 years old)

avoir à (+ *infinitive*)   to have to ...

avril   April

B

un(e) baby-sitter   baby-sitter

le bacon   bacon

les bagages (*masc.*)   luggage

une baguette   baguette (bread stick)

se baigner   to go for a swim, to swim

un bain   bath

baisser   to drop, to go down (price, etc.)

la balle   ball

une banane   banana

un banc   bench

une banlieue   a suburb

en banlieue   in the suburbs

une banque   bank

barré (*adj.*)   blocked, closed (road)

le basket   basket ball

des baskets (*masc.*) trainers (shoes)

un bâtiment   building

une batterie   drum kit

battre   to beat

battu (*adj.*)   beaten

beau (*adj. fem.* belle) beautiful, good-looking; fine

il fait beau   the weather is fine

beaucoup (de)   a lot (of), much, many

un bébé   baby

la Belgique   Belgium

un besoin   need

avoir besoin de (quelque chose) to need (something)

pas besoin de ... !   no need to ... !

bête (*adj.*)   stupid

une bête   animal

le béton   concrete

le beurre   butter

beurré (*adj.*)   with butter

une bibliothèque   library

une bicyclette   bicycle

à bicyclette   by/on bicycle

bien   well; good, nice, fine

bien sûr !   of course!

(aimer) bien   (to like) a lot

ou bien   or

bientôt   soon

à bientôt !   see you soon, bye for now!

bienvenue ! welcome!
une bière beer
un billet ticket
une bise kiss
blanc (*adj. fem.* blanche) white
se blesser to hurt oneself
il s'est blessé à la jambe he hurt his leg
blond (*adj.*) fair-haired, blond
une blonde fair-haired girl/ woman
boire to drink
une boisson drink
une boîte box, tin
une boîte à lettres letter box
bon (*adj. fem.* bonne) good, fine, right
bon ! right! all right!
ah bon ? really?
bon anniversaire ! happy birthday!
bon appétit ! enjoy your meal!
avoir bon appétit to have a good appetite
le bon jour the right day
bon voyage ! have a good trip!
un bonbon sweet
le bonheur happiness, good luck
porter bonheur to bring good luck
bonjour ! hello! good morning! good afternoon!
envoyer le bonjour to send one's regards
bonne chance ! good luck!
de (très) bonne heure (very) early
la bonne réponse the right answer
au bord de la mer at the seaside
une boucherie butcher's shop
un boulanger (*fem.* une boulangère) baker
une boulangerie baker's, bread shop
une boulangerie-pâtisserie baker's shop (also selling cakes and pastries)
une boum party

un bouquet bouquet
un bout end
au bout de at the end of
une bouteille bottle
une boutique small shop; boutique
un bouton button; switch; spot
branché (*adj.*) (sur) connected (to)
le bras arm
avoir mal au bras to have a sore arm
bref ! in short!
le Brésil Brasil ·
brillamment brilliantly
briller to shine
une brosse brush
une brosse à dents toothbrush
le brouillard fog
il fait du brouillard it's foggy
le bruit noise
faire du bruit to make a noise, to be noisy
brun (*adj.*) dark-haired
Bruxelles Brussels
un budget budget
un buffet buffet
un bureau office; desk
un bureau de poste post office
un bureau de tabac tobacconist's
un bus bus

C

ça it, this, that
ça n'a pas d'importance it does not matter
ça va ? how are you? how are things?
ça va I'm fine; things are OK
une cabine téléphonique telephone box
une cacahouète peanut
cacher to hide
se cacher to hide (oneself)
un cadeau (*pl.* cadeaux) present
un café café; coffee
la caisse checkout, till
une calculatrice calculator
calme (*adj.*) calm
un camion a lorry

un camp de vacances   holiday
   camp
(à) la campagne   (in the)
   countryside
   camper   to camp
le camping   camping; camp site
en camping   camping
faire du camping   to camp, to go
   camping
le Canada   Canada
la cantine   canteen
   capable (*adj.*)   capable
un car   coach
en car   by coach
le caractère   character; temper
un carnet d'adresses   address
   book
une carte   map; card
une carte postale   postcard
une carte d'anniversaire
   birthday card
en cas de problème   if there is a
   problem
   casser   to break
une casserole   saucepan
une cassette   cassette
une catastrophe   disaster
   catégoriquement   flatly,
   categorically
une cathédrale   cathedral
une cave   cellar
un CD   CD (compact disc)
un CD-Rom   CD-Rom
   ce   it, he, she, they
   ce que/ce qui   what, which
   ce, cet (*masc.*)   this, that
   cela (*see* ça)   it, this, that
une célébrité   celebrity
   celle (*fem.*)   this, that, the one
   celles (*fem.*)   these, those,
   the ones
   celui (*masc.*)   this, that, the
   one
des centaines de   hundreds of
une centrale nucléaire   nuclear
   power station
le centre   centre
un centre culturel   arts centre
des céréales   (*fem.*) cereals
   certain (*adj.*)   certain; some
   ces (*pl. adj.*)   these, those
   c'est ça   that's it
   c'est tout   that's all

   c'est, ce sont   it/he/she is,
   they are
   cette (*fem. adj.*)   this, that
   ceux (*masc.*)   these, those,
   the ones
une chaîne hi-fi   sound system
une chaise   chair
un chalet   chalet (house)
une chambre   bedroom, room
le champagne   champagne
un champion (*fem.* une
   championne)   champion
la chance   luck
avoir de la chance   to be lucky/fortunate
bonne chance !   good luck!
   changer (de)   to change
une chanson   song
   chanter   to sing
   chanter faux   to sing out of
   tune
un chanteur (*fem.* une chanteuse)
   singer
un chapeau   hat
un chapeau de soleil   sun hat
une charcuterie   pork butcher's
   shop
un chariot   trolley
un chat (*fem.* une chatte)   cat
un château   castle, large country
   house
   chaud (*adj.*)   hot, warm
avoir chaud   to be hot, warm
le chauffage   heating
faire chauffer   to heat (food)
un chauffeur   driver
   (occupation)
une chaussette   sock
une chaussure   shoe
un chemin   way, road
le chemin de fer   railway
une chemise   shirt
un chèque   cheque
un chèque de voyage
   traveller's cheque
   cher (*adj. fem.* chère)   dear;
   expensive
pas cher (*adj.*)   cheap
   chercher   to look for
   chercher à (+ *infinitive*)   to
   try to ...
aller/venir chercher   to fetch, to pick up
un cheveu (*pl.* des cheveux)
   hair

chez   at (someone's house or shop)

chez moi, toi, lui, *etc.* (at home

chic !   great!

un chien (*fem.* une chienne)   dog

la chimie   chemistry

les chips (*fem.*)   crisps

un chirurgien (*fem.* une chirurgienne)   surgeon

le chocolat   chocolate

au chocolat   (with) chocolate

choisir   to choose

un choix   choice

le chômage   unemployment

au chômage   unemployed

choquant (*adj.*)   shocking

une chose   thing

quelque chose   something

chouette   great, cool

-ci (e.g. celui-ci)   this, these

une cigarette   cigarette

un ciné-club   film club

un cinéma   cinema

cinq   five

clairement   clearly

une classe   class, year; classroom

classer   to file

les classiques   classics

une clé   key

un(e) client(e)   client, customer

cliquer   to click

un Coca   Coke (Coca Cola)

un coiffeur (*fem.* une coiffeuse)   hairdresser

un colis   parcel

collectionner   to collect

un collège   college, school

un(e) collègue   colleague

coller   to glue; to paste

combattre   to fight against

combien (de) … ?   how much, how many?

combien de temps (est-ce que) …? how long … ?

ça fait combien de temps que … ?   for how long …?

on est le combien ?   what date is it?

un comédien (*fem.* une comédienne) actor (actress)

comique (*adj.*)   funny

une commande   order

commander   to order

comme   as, like

commencer   to start

pour commencer   to start with

comment   how

comment (est-ce que …) ?   how …?

ça va être comment ?   what is it going to be like?

comment il est ?   what is he like?

un commerce   business, shop

une commission   errand

en commun   in common

communiquer   to communicate

en compagnie de   with, in the company of

comparer   to compare

une compétition   competition

un complexe   complex, hangup

avoir des complexes   to be self-conscious

complexé (*adj.*)   self-conscious

la compréhension   understanding

comprendre   to understand

compter sur   to count/rely on

concerné (*adj.*)   concerned

un concert   concert

une condition   condition

à condition de   on condition that, provided that

conduire   to drive

la confiance   confidence, trust

faire confiance à   to trust

confier   to confide (a secret)

la confiture   jam

confortable (*adj.*)   comfortable

en congé   on holiday/leave

conjuguer   to conjugate (to give the forms of a verb)

une connaissance   acquaintance

faire connaissance   to get to know someone

connaître   to know (a person or place)

se connaître   to know each other

un conseil   a piece of advice

des conseils   advice

il est conseillé (de)   you are advised (to)

considérer to consider
consommer to eat, to consume
le contact contact
contacter to contact
content (*adj.*) pleased, glad
continuer to continue, to carry on
c'est le contraire it's the opposite
un contrôle test
se contrôler to control oneself
convaincre to convince
une conversation conversation
un copain friend, boyfriend
une copine friend, girlfriend
une corbeille basket
le corps body
un(e) correspondant(e) penfriend
le côté side
à côté de next to
coucher (quelqu'un) to put (someone) to bed
se coucher to go to bed, to lie down
couler to flow
une couleur colour
de quelle couleur est … ? what is the colour of …?
un couloir corridor, passage
un coup de soleil sunburn
couper to cut
une cour yard, courtyard
le courage courage
courage ! be brave!
courir to run
le courrier mail, post
un cours lesson
court (*adj.*) short
un(e) cousin(e) cousin
coûter to cost
coûter cher to cost a lot, to be expensive
mettre le couvert to lay the table
couvert (*adj.*) covered; indoor (swimming pool, etc.)
une couverture blanket
créer to create, to set up
créé (*adj.*) created
la crème cream
une crème anti-moustiques mosquito repellent cream
une crème moussante bubble bath

une crème solaire suncream
une crêpe pancake
crier to shout, to scream
croire to believe, to think
croiser to pass
un croissant croissant
le cuir leather
en cuir leather (gloves, etc.)
la cuisine cooking; kitchen
faire la cuisine to cook
cuisiner to cook
un cuisinier (*fem.* une cuisinière) cook

D

le Danemark Denmark
le danger danger
dangereux (*adj. fem.* dangereuse) dangerous
dangereusement dangerously
dans in
un danseur (*fem.* une danseuse) dancer
une date date
de of, from
un débat debate
se débrouiller to cope, to manage
le début beginning
au début (de) at the beginning (of)
décembre December
décider to decide
une décision decision
il est déconseillé de (+ *infinitive*) you are advised not to
décontracté (*adj.*) relaxed
décorer to decorate
une découverte discovery
découvrir to discover
décrire to describe
déçu (*adj.*) disappointed
un défaut defect, fault
défendre to defend; to forbid
définir to define
déguster to taste, to savour
déjà already
le déjeuner lunch
le petit déjeuner breakfast
un(e) délégué(e) representative

demain   tomorrow
demander   to ask, to require
demander son chemin   to ask one's way
démarrer   to start (engine, etc.)
déménager   to move house
demi   half
demi-écrémé   half-skimmed
un demi-litre (de)   half a litre (of)
une demi-douzaine (de)   half a dozen
une demi-heure   half an hour
une heure et demie   an hour and a half
une dent   tooth
un(e) dentiste   dentist
le départ   departure
un département   department (administrative area like a county)
se dépêcher   to hurry
dépendre de   to depend on
déposer ses bagages   to leave one's luggage
déprimé (adj.)   depressed
depuis   for, since
depuis qu'il est là   since he has been here
depuis quand (est-ce que) … ?   since when …? for how long …?
dernier (adj. fem. dernière)   last
derrière   behind
dès   as soon as, from
dès aujourd'hui   as of today, immediately
dès que possible   as soon as possible
descendre   to go down
la descente   getting off (a train, etc.)
une description   description
un désert   desert
désespéré (adj.)   desperate
désirer   to desire, to want
vous désirez ?   what would you like? can I help you?
désolé (adj.)   sorry
un dessert   dessert
le dessin   drawing
un dessin d'humour   cartoon

dessous   underneath
une destination   destination
se détendre   to relax
détendu (adj.)   relaxed
la détente   relaxation
détester   to hate
deux   two
deuxième   second
devant   in front (of)
un développement   development
devenir   to become
devoir   to have to, must
un devoir   a piece of homework
les devoirs (masc.)   homework
dévorer   to devour
vous devriez   you should, you ought to
un diable   devil
diagnostiquer   to diagnose
dialoguer   to talk
différent (adj.)   different
difficile (adj.)   difficult
une difficulté   difficulty, problem
dimanche (masc.)   Sunday
un dîner   dinner, supper
dîner   to have dinner, supper
diplomate (adj.)   diplomatic
un diplomate   diplomat
un diplôme   diploma, qualification
dire   to say, to tell
directement   directly, straight away
un directeur (fem. une directrice)   headteacher, manager, director
discrètement   discreetly
une discussion   discussion
discuter (avec)   talk (to)
une dispute   quarrel
se disputer   to quarrel
un disque   record
se distinguer   to do particularly well
les distractions (fem.)   entertainment, things to do
distrait (adj.)   absent-minded
distribuer   to deliver
le divorce   divorce
(être) divorcé   (to be) divorced
dix-sept   seventeen

un docteur doctor
un doigt finger
donc therefore
donner to give
donner à manger (à) to feed
doré (*adj.*) gold, golden
dormir to sleep
tu dors (*see* dormir) you are
sleeping/asleep
le dos back
sac à dos rucksack
un dossier file
doucement gently, slowly
une douche shower
se doucher to have a shower,
to shower
doux (*adj. fem.* douce)
gentle; mild (weather)
une douzaine (de) a dozen
un drap sheet
la drogue drugs (in general)
avoir droit à to be entitled to
à droite on the right
drôle (*adj.*) funny
dur (*adj.*) hard
durer to last

E

l' eau (*fem.*) water
une eau de toilette eau de toilette
une écharpe scarf
jouer aux échecs (*masc.*) to play chess
une éclaircie sunny period
une école school
une économie saving
faire des économies to save money
économique (*adj*)
economical, cheap
écossais (*adj.*) Scottish
l' Écosse (*fem.*) Scotland
écouter to listen (to)
écrémé (*adj.*) skimmed
(milk)
écrire to write
l' écriture writing
un effort effort
également equally, also
une église church
électrique (*adj.*) electrical
électronique (*adj.*)
electronic

un(e) élève pupil
elle she, her
elle-même herself
elles (*fem.*) they, them
elles-mêmes (*fem.*)
themselves
à elle hers
à elles (*fem.*) theirs
embrasser to kiss, to embrace
je t' embrasse très fort lots of
love (in a letter)
les embruns (*masc.*) sea spray
une émission programme
(television)
emmener to take (someone
along)
un emploi a job
un(e) employé(e) employee
emporter (quelque chose) to
take (something) along
emprunter to borrow
en (+ *noun*) at, in, on, to
en (+ *present participle*) on,
when, while, by (...ing)
en (*pronoun*) of it, of them,
some
encore again
encore un/une/des ...
another ..., more ...
encore plus difficile even
more difficult
encore un peu ? some more?
s' endormir to fall asleep
un endroit place
un enfant child
l' enfer (*masc.*) hell
enfin finally
enlever to take off; to take
away
s' ennuyer to be bored, to get
bored
une enquête survey,
investigation
enseigner to teach
ensemble together
ensuite then
s' entendre (avec quelqu'un)
to get on (with someone)
enterrer to bury
entier (*adj. fem.* entière)
whole, entire
entouré (*adj.*) (de)
surrounded (by)

l' entraînement (*masc.*) training
entraîner to drag
s' entraîner to train
entre between
l' entrée entrance, admission
entrée payante admission is not free
entrer (dans) to enter, to go in
une enveloppe envelope
une envie desire, wish
avoir envie de (+ *infinitive*) to want to ..., to feel like (...ing)
environ about
l' environnement (*masc.*) environment
les environs (*masc.*) surrounding area
envoyer to send
envoyer le bonjour (à) to send one's regards (to)
une épaule shoulder
une épicerie a grocer's shop
une équipe team
une équipe de rédaction editorial team
équipé (*adj.*) equipped, fitted out
l' équipement (*masc.*) equipment
une erreur mistake
un escalier stairs, staircase.
l' espace (*masc.*) space
les espaces verts (*masc.*) parks, green areas
l' Espagne (*fem.*) Spain
espagnol Spanish
espérer to hope
j' espère que non I hope not
j' espère que oui I hope so
l' esprit mind, spirit
avoir l' esprit sportif to be a good sport
essayer (de + *infinitive*) to try (to ...)
l' essence (*fem.*) petrol
et and
et bien ! well!
établir to establish, to draw up (plan)
un étage floor

au premier étage on the first floor
une étagère shelf
les États-Unis (*masc.*) United States
l' été (*masc.*) summer
les vacances d' été summer holidays
étonnant (*adj.*) amazing
étranger (*adj. fem.* étrangère) foreign
à l' étranger abroad
être to be
être bien to be comfortable, to be fine
être d'accord to agree
être passionné (de) to be keen (on)
faire des études (*fem.*) to study
un(e) étudiant(e) student
eux (*masc.*) them
eux-mêmes (*masc.*) themselves
à eux (*masc.*) theirs
éviter to avoid
exactement exactly
un examen exam
excellent (*adj.*) excellent
exceptionnel (*adj. fem.* exceptionnelle) exceptional
un excès excess
une excursion excursion
une excuse excuse, apology
excuser to excuse
excusez-moi excuse me, sorry
un exemple example
par exemple for example
un exercice exercise
exotique (*adj.*) exotic
une expérience experience
une explication explanation
expliquer to explain
exploser to explode
une explosion explosion
exposé (*adj.*) exposed
une expression expression
extraordinaire (*adj.*) extraordinary
extrêmement extremely

F

F F (franc(s))
fabriquer to make

fabuleux (*adj. fem.* fabuleuse) fabulous

en face de opposite

fâcher to upset

facile (*adj.*) easy

facilement easily

de toutes façons in any case, anyway

un facteur (*fem.* une factrice) postman (postwoman)

la faim hunger

avoir faim to be hungry

faire to do, to make

faire un km to go/cover one km

se faire mal to hurt oneself

fait (*adj.*) done, completed

la chambre fait 6 m de long the bedroom is 6 m long

il fait beau the weather is fine

il fait chaud the weather is warm/hot

il fait froid the weather is cold, it is cold

il fait mauvais the weather is bad

ça fait six mois six months ago

falloir (*see* il faut) to be necessary

familial (*adj. masc. pl.* familiaux) family, of the family

une famille family

en famille with the family, as a family

la farine flour

fatigué (*adj.*) tired

être fauché to be broke, to have no money

il faut (+ *infinitive*) it is necessary (to ...), you/we, etc. must

il me/te, etc. faut I/you, etc. need

un fauteuil armchair

un fauteuil roulant wheelchair

faux (*adj. fem.* fausse) false, untrue

favorable (*adj.*) favourable, good, right

favori (*adj. fem.* favorite) favourite

féminin (*adj.*) female, women's

une fenêtre window

tu ferais mieux de (+ *infinitive*) you had better ...

ferme (*adj.*) firm

une ferme farm

fermer to close, to shut

la fermeture closing

fermeture annuelle closed for holidays

une fête celebration

la fête des Mères Mothers' Day

une feuille sheet (of paper), test answer sheet

février February

un fichier file

fier (*adj. fem.* fière) proud

une fille girl, daughter

un film film

un film de cow-boys western (film)

un fils son

la fin end

à la/en fin de at the end of

fin (*adj.*) fine; top quality

finir to finish

une fleur flower

un(e) fleuriste florist

une fois once

deux fois twice

la fois time (occasion)

fondu (*adj.*) melted

le football football

en (pleine) forme on (good) form

formidable (*adj.*) fantastic, great

fort (*adj.*) strong; loud, hard

un four oven

fragile (*adj.*) fragile

frais (*adj. fem.* fraîche) fresh, cool

franc (*adj. fem.* franche) frank, honest

un franc franc

français (*adj.*) French

le français French (language)

un(e) Français(e) Frenchman, Frenchwoman

la France France

la franchise frankness, honesty

un frère brother

un frigo fridge

être frisé to have curly hair

des frites (*fem.*) chips

froid (*adj.*) cold

le froid   cold (weather)
il fait froid   the weather is cold, it's cold
avoir froid   to be cold
un fromage   cheese
un fruit   fruit, piece of fruit
fumer   to smoke
furieux (*adj. fem.* furieuse)   furious

G

g   g (gramme(s))
gagner   to win; to earn
un gant   glove
un garage   garage
un garçon   boy
garder   to keep, to look after
une gare   station
une gare routière   coach station
le gaspillage   waste
un gâteau (*pl.* des gâteaux)   cake
le gaz   gas
gazeux (*adj. fem.* gazeuse)   fizzy, carbonated
géant (*adj.*)   giant
en général   in general
généralement   generally
généreux (*adj. fem.* généreuse)   generous
un genre   kind, type
les gens (*masc.*)   people
gentil (*adj. fem.* gentille)   kind, nice
gentiment   kindly, nicely
la géographie   geography
une grande gigue   beanpole
un globe-trotter   globe-trotter
avoir mal à la gorge   to have a sore throat
gothique (*adj.*)   gothic
une goyave   guava (tropical fruit)
(être) gourmand   (to be) fond of sweet things/good food
un goût   taste, liking
goûter   to taste
le goûter   afternoon snack, tea
un gramme   gramme
grand (*adj.*)   big, large; tall; great
une grand-mère   grandmother
un grand-père   grandfather

les grands-parents (*masc.*)   grandparents
gras (*adj. fem.* grasse)   fatty; greasy
le gras   fat
grave (*adj.*)   serious
grec (*adj. fem.* grecque)   Greek
une grenouille   frog
grimper   to climb
gris (*adj.*)   grey
gros (*adj. fem.* grosse)   big, fat
un groupe   group, band
le gruyère   gruyère cheese
la Guadeloupe   Guadeloupe (French island in the West Indies)
une guerre   war
un guide   guide
une guitare   guitare
la gymnastique   gymnastics

H

s' habiller   to get dressed
habiter   to live
les habits (*masc.*)   clothes
une habitude   habit, custom
d' habitude   usually, ordinarily
je n'ai pas l' habitude !   I'm not used to it!
un hall   entrance hall
un hamburger   hamburger
handicapé (*adj.*)   disabled
hésiter   to hesitate
l' heure (*fem.*)   time; hour
à l' heure   on time
à quelle heure … ?   at what time …?
de bonne heure   early
heureusement que …   thank goodness that …, it's a good thing that
heureux (*adj. fem.* heureuse)   happy
hier   yesterday
une histoire   story; history
l' hiver (*masc.*)   winter
les sports d' hiver   winter sports
un hôpital   hospital
un horaire   timetable
un horoscope   horoscope
avoir horreur de   to loathe, to hate

un hôtel **hotel**
huit **eight**
de mauvaise humeur **in a bad mood**
de bonne humeur **in a good mood**
humoristique (*adj.*) **funny,**
humorous

I

ici **here**
une icône **icon (on computer**
screen)
une idée **idea**
une identité **identity**
il **he, it**
il y a **there is, there are**
il y a (un an) **(one year) ago**
il y a combien de temps
que … ? **how long ago …?**
une île **island**
illustré (*adj.*) **illustrated**
ils (*masc.*) **they**
une image **picture**
l' imagination **imagination**
immédiat (*adj.*) **immediate**
immédiatement **immediately**
immense (*adj.*) **immense,**
huge
un impact **impact**
impatient (*adj.*) **impatient**
un imperméable **raincoat**
important (*adj.*) **important**
il est important (de + *infinitive*) **it**
is important (to ...)
l' important (*masc.*) **the**
important thing
n' importe quel **any**
impossible (*adj.*) **impossible**
imprimé (*adj.*) **printed**
impulsif (*adj. fem.* impulsive)
impulsive
un impulsif (*fem.* une impulsive)
impulsive person
indépendant (*adj.*)
independent
indien (*adj. fem.* indienne)
Indian
indifférent (*adj.*) **indifferent**
indiquer **to show, to indicate**
une industrie **industry**
un infirmier (*fem.* une
infirmière) **nurse**

une information **piece of**
information
l' informatique (*fem.*)
information technology
informé (*adj.*) **informed**
s' informer **to get information**
un ingénieur **engineer**
inoubliable (*adj.*)
unforgettable
inquiéter **to worry**
(someone)
s' inquiéter **to worry**
s' inscrire **to enrol (on a**
course)
un insecte **insect**
inséparable (*adj.*)
inseparable
insister **to insist**
des installations (*fem.*) **facilities**
être installé (à) **to be living (in)**
un instituteur (*fem.* une
institutrice) **primary**
school teacher
intense (*adj.*) **intense**
interactif (*adj. fem.*
interactive) **interactive**
il est interdit (de + *infinitive*) **it is**
forbidden, prohibited (to ...)
intéressant (*adj.*) **interesting**
intéressé (*adj.*) **interested**
intéresser **to interest**
un intérêt **interest**
interminable (*adj.*) **endless**
international (*adj. masc. pl.*
internationaux)
international
une interro(gation) **test**
une interview **interview**
intimider **to intimidate**
inutile (*adj.*) **useless**
inutile d'insister ! **there's no**
point in insisting!
inviter **to invite**
l' Irlande (*fem.*) **Eire, Ireland**
italien (*adj. fem.* italienne)
Italian

J

(ne …) jamais **never**
jamais de la vie ! **no way!**
la jambe **leg**

le jambon   ham
le Japon   Japan
un jardin   garden
un jardin municipal   public park, local park
le jazz   jazz
je   I
un jeu (*pl.* des jeux)   game
un jeu vidéo (*pl.* des jeux vidéo)   video game
un jeu-test (*pl.* des jeux-tests)   personality test
jeune (*adj.*)   young
un(e) jeune   young person
joli (*adj.*)   pretty, nice
jouer   to play
jouer (à)   to play (sport)
jouer (de)   to play (musical instrument)
un jour   day
le jour J   D-day
un journal (*pl.* des journaux)   newspaper; magazine
un(e) journaliste   journalist
une journée   day
faire du judo   to do judo
juillet   July
juin   June
un jumeau (*pl.* des jumeaux)   twin (boy)
une jupe   skirt
le jus   juice
jusqu'à   until, as far as
juste (*adj.*)   just; fair

K

kg   kg (kilogramme(s))
un kilogramme   kilogramme
km   km (kilometre(s))
un kilomètre   kilometre

L

l   l. (litre (s))
là   there
la/l' (*fem.*)   the; her, it
-là (e.g. ce livre-là, celui-là)   that, those
là-bas   over there
un laboratoire   laboratory
un lac   lake

laisser   to leave
laisser tomber   to drop
le lait   milk
laitier (*adj. fem.* laitière)   milk (products)
une langue   tongue; language
large (*adj.*)   wide
un lave-vaisselle   dishwasher
laver   to wash
se laver   to wash (oneself)
le/l' (*masc.*)   the; him, it
une leçon   lesson
un légume   vegetable
le lendemain   the next day
lent (*adj.*)   slow
lequel ? (*adj. fem.* laquelle)   which one?
les   the; them
lesquels ? (*fem.* lesquelles)   which ones?
une lettre   letter
leur   them
leur (*sg. adj.*)   their
le/la leur (*sg.*)   theirs
les leurs (*pl.*)   theirs
leurs (*pl. adj.*)   their
se lever   to get up
un(e) libraire   bookseller
une librairie   bookshop
libre (*adj.*)   free
être libre de ses mouvements   to move freely
un lieu   place
au lieu de   instead of
limité (*adj.*)   limited, restricted
lire   to read
une liste   list
un lit   bed
au lit   to bed, in bed
un litre   litre
un livre   book
un livre de cuisine   cookery book
faire livrer (quelque chose)   to have (something) delivered
une location   rented accommodation, rental; rent
se loger   to find accommodation
un logiciel   piece of software
loin (de)   far (from)
un loisir   hobby, pastime

Londres **London**
long (*adj. fem.* longue) **long**
le long (de) **along**
longtemps **(for) a long time**
il y a longtemps (que) **it's been a long time (since)**
un look **look, image**
lorsque **when**
louer **to rent, to let**
à louer **to let**
lourd (*adj.*) **heavy**
lui **him; him/her**
lui-même **himself**
à lui **his**
lundi (*masc.*) **Monday**
la lutte antidrogue **the fight against drugs**
le luxe **luxury**
un magasin de luxe **shop selling luxury goods**
le Luxembourg **Luxembourg**
un lycée **secondary school**

M

m **m. (metre(s))**
m² **m² (square metre(s))**
ma (*fem. adj.*) **my**
une machine à café **coffee machine**
Madame **Madam, Mrs.; Dear Madam**
un magasin **shop**
faire les magasins **to go shopping**
un magazine **magazine**
mai **May**
une main **hand**
maintenant **now**
la mairie **town hall**
mais **but**
mais enfin ! **well!**
mais non ! **no!**
mais oui ! **yes!**
une maison **house**
à la maison **at home**
la maison de la presse **newsagent's shop**
une majorité **majority**
mal **badly**
avoir mal (à) **to be in pain, to have a pain (in)**
avoir mal à la gorge/au pied **to have a sore throat/foot**

se faire mal **to hurt oneself**
malade (*adj.*) **ill, sick**
un malade **patient, sick person**
une maladie **illness**
le malheur **bad luck**
porter malheur **to bring bad luck**
malheureusement **unfortunately**
malheureux (*adj. fem.* malheureuse) **unhappy**
maman **Mum**
manger **to eat**
donner à manger **to feed**
une mangue **mango (tropical fruit)**
une manière **way, manner**
de manière amusante **in an entertaining way**
un mannequin **fashion model**
manquer **to miss**
à ne pas manquer **not to be missed**
un manteau **coat**
une marche **step**
un marché **market**
un marché aux puces **flea-market, second-hand market**
bon marché **cheap**
marcher **to walk; to work (machine, system)**
mardi (*masc.*) **Tuesday**
un mariage **wedding**
le Maroc **Morocco**
marocain (*adj.*) **Moroccan**
une marque **mark, trade mark, label**
mars **March**
les arts martiaux (*masc.*) **martial arts**
un match **match (football, etc.)**
un congé de maternité **maternity leave**
les maths (*fem.*) **maths**
une matière **school subject**
le matin **(in/on the) morning**
mauvais (*adj.*) **bad**
il fait (très) mauvais **the weather is (very) bad**
un maximum **maximum**
profiter au maximum de **to make the most of**
me/m' **me**
un mécanicien (*fem.* une mécanicienne) **mechanic**
chez le mécanicien **at/to the mechanic, garage**

la mécanique mechanics
un médecin doctor
la médecine medicine
médical (*adj. masc. pl.*
  médicaux) medical
un médicament medecine
meilleur (*adj.*) better, best
le meilleur (*fem.* la meilleure)
  (the) best
meilleur marché cheaper
le/la/les meilleur marché (the)
  cheapest
un mélange mixture
mélanger to mix (up)
même same
quand même all the same,
  nevertheless
le même jour (on) the same
  day
même (si) even (if)
le ménage housework
mener to lead
un mensonge lie
mentionner to mention
un menu menu
la mer sea
à la mer to/at the seaside
en mer at sea
merci (de) thank you (for)
merci encore thanks again
mercredi (*masc.*)
  Wednesday
une mère mother
merveilleux (*adj. fem.*
  merveilleuse) marvelous
mes (*pl. adj.*) my
un message message
la météo weather forecast
une méthode method
un métier job
un mètre metre
mettre to put; to put on
  (clothes)
mettre deux heures (pour)
  to take two hours (to)
mettre fin à to end, to put
  an end to
mettre la table/le couvert to
  lay the table
se mettre à (+ *infinitive*) to
  begin to ...
se mettre d'accord (sur) to
  agree (about)

un meuble piece of furniture
meublé (*adj.*) furnished
le Mexique Mexico
midi midday, lunch time
le mien (*fem.* la mienne) mine
les miens (*pl. fem.* les miennes)
  mine
mieux better
le mieux (the) best
un million de million
mince (*adj.*) thin
minéral (*adj. masc. pl.*
  minéraux) mineral
une minute minute
une mission mission
une mobylette moped,
  motorised bicycle
un modèle model
un modem modem (computer
  link)
moi I, myself; me
à moi mine
moins ... que less ... than
au moins at least
un mois month
la moitié du/de la/des half (of)
un moment moment
au moment de Noël at
  Christmas time
en ce moment at the moment
mon (*sg. adj.*) my
le monde world
beaucoup de monde a lot of people
tout le monde everybody
un moniteur (*fem.* une monitrice)
  instructor; camp supervisor
Monsieur Sir, Mr.; Dear
  Sir
le Mont-Saint-Michel Mont-
  Saint-Michel (famous
  monument in Brittany)
une montagne mountain
à la montagne in the mountains
montrer to show
se moquer (de) to laugh (at)
la mort death
un mot word
un moteur engine
une moto motorbike
un mouchoir handkerchief
un mouchoir en papier tissue
mouillé (*adj.*) wet
un moule à tarte flan dish

moussant (*adj.*)   foaming
un mouvement   movement
multimédia (*adj.*)
   multimedia
municipal (*adj. masc. pl.*
   municipaux)   local, town,
   public
un jardin municipal   public park, local
   park
un musée   museum
un musicien (*fem.* une
   musicienne)   musician
la musique   musique
une myrtille   blueberry
mystérieux (*adj. fem.*
   mystérieuse)   mysterious

N

naître   to be born
une nappe   table cloth
national (*adj. masc. pl.*
   nationaux)   national
une nationalité   nationality
la nature   nature
naturel (*adj. fem.* naturelle)
   natural
la nausée   sickness, nausea
avoir la nausée   to feel sick
ne ... aucun (e)   no, not one,
   not any
ne ... jamais   never, not ever
ne ... ni ... ni   neither ...
   nor, not either ... or
ne ... pas   not
ne ... personne   no one,
   nobody, not anybody
ne plus   no more, not any
   more
ne ... plus (de)   no more
   (of), not any left
ne ... que   only
ne ... rien   nothing
né (*adj. from* naître)   born
il est nécessaire (de + *infinitive*)
   it is necessary (to)
nécessairement   necessarily
néerlandais (*adj.*)   Dutch
négatif (*adj. fem.* négative)
   negative
le nettoyage   cleaning
nettoyer   to clean
(ne ...) ni ... ni   neither ... nor

Noël   Christmas
noir (*adj.*)   black
un nom   name
un nombre   number
nombreux (*adj. fem.*
   nombreuse)   numerous
non   no, not
le nord   north
normal (*adj. masc. pl.*
   normaux)   normal
normalement   normally,
   usually
la Normandie   Normandy
la Norvège   Norway
nos (*pl. adj.*)   our
une note   note; bill
noter   to note (down)
le/la nôtre (*sg.*)   ours
notre (*sg. adj.*)   our
les nôtres (*pl.*)   ours
nourrir   to feed
la nourriture   food
nous   we, us
nous-mêmes   ourselves
à nous   ours
nouveau/nouvel (*adj. fem.*
   nouvelle)   new
à nouveau   again
quoi de nouveau ?   what's new?
les nouvelles   news
novembre   November
pieds nus   barefooted
un nuage   cloud
une nuit   night
un numéro   number

O

un objectif   aim, objective
obligé (de + *infinitive*)
   obliged (to ...)
une obsession   obsession
obtenir   to obtain, to get
occupé (*adj.*)   busy
s' occuper de   to look after
un œil (*pl.* yeux)   eye
un œuf   egg
un office du tourisme   tourist
   information centre
une offre   offer
offrir   to offer; to give
   (present)
un oiseau (*pl.* oiseaux)   bird

on   we, you, one, they (people in general)

un oncle   uncle

opérer   to operate (on)

une opinion   opinion

un optimiste   optimist

optimiste (*adj.*)   optimistic

une orange   orange

ordinaire (*adj.*)   ordinary

un ordinateur   computer

ordonné (*adj.*)   tidy

en ordre   in order

organiser   to organise

original (*adj. masc. pl.* originaux)   original

d' origine   from

être d' origine italienne   to come from Italy

oser   to dare

ou (bien)   or

où   where

où (est-ce que) … ?   where …?

oublier   to forget

oui   yes

ouvert (*adj.*)   open

ouvrir   to open

P

un paillasson   doormat

le pain   bread

une paire de skis   pair of skis

la paix   peace

une pancarte   notice, sign

la panique   panic

une panne   breakdown

en panne   not working, out of order

un panneau (indicateur)   sign

un pantalon   trousers

une panthère   panther

papa   Dad

le papier   paper

un paquet   packet, parcel

par   per, by

par jour/semaine/mois/an   per day/week/month/year

par terre   on the floor/ ground

un parachute   parachute

parce que   because

parcourir   to travel all over

pardon ?   pardon? sorry?

pareil (*adj. fem.* pareille)   the same, similar

les parents (*masc.*)   parents

parfait (*adj.*)   perfect

parfois   sometimes

le parfum   perfume

une parfumerie   perfume shop

parisien (*adj. fem.* parisienne)   Parisian, of/around Paris

un parking   car park

parler   to talk, to speak

parmi   among

partager   to share

participer (à)   to take part (in)

particulier (*adj. fem.* particulière)   particular

en particulier   in particular

particulièrement   especially, particularly

une partie   game; part

faire partie de   to be a member of

partir   to go, to go away, to leave

partout   everywhere

pas de …   no …

(ne …) pas   not

où est-il passé ?   where has he gone ?

passe-moi de l'argent   give me some money

un passe-temps   hobby, pastime

passer   to spend (time); to go; to undergo, to sit (test, etc.)

je l'ai vu passer   I saw him/her go by

se passer   to happen, to take place

une passion   passion

avoir une passion pour   to be very keen on, very enthusiastic about

passionnant (*adj.*)   exciting

être passionné de   to be keen on

une pâte   pastry, mixture

le pâté   pâté

patiemment   patiently

la patience   patience

un(e) patient(e)   patient

une patinoire   skating rink

la pâtisserie   cake shop; cakes (in general)

un pâtissier (*fem.* une pâtissière)   cakemaker

un patron (*fem.* une patronne) boss

payant (*adj.*) not free (something you have to pay for)

payé paid

payer to pay

un pays country

le pays de Galles Wales

la peinture painting

en peluche fluffy, cuddly (toy)

pendant (que) during, for, while

penser to think

penser (à) to think about

faire penser (à) to remind (of)

penser (de) to think of (opinion)

qu'en pensez-vous ? what do you think of it?

perdre to lose

se perdre to get lost

perdu lost

un père father

permettre (de + *infinitive*) to allow, to permit (to ...)

il (n')est (pas) permis (de + *infinitive*) it is (not) permitted (to ...)

un perroquet parrot

une personne person

(ne ...) personne no one, nobody

le personnel staff

persuasif (*adj. fem.* persuasive) persuasive

peser to weigh

un pessimiste pessimist

pessimiste (*adj.*) pessimistic

petit (*adj.*) small, young, little

peu (de) few

un peu (de) (a) little (of)

encore un peu ? a little more?

la peur fear

avoir peur (de) to be afraid (of)

peut-être perhaps, maybe

une pharmacie chemist's shop

un pharmacien (*fem.* une pharmacienne) chemist

une photo photograph

une phrase sentence

physique (*adj.*) physical

la physique physics

un pied foot

à pied on foot

pieds nus barefooted

piétonnier (*adj. fem.* piétonnière) pedestrian (crossing, etc.)

une pile pile

pique-niquer to have a picnic

une piscine swimming-pool

une piscine couverte indoor swimming-pool

un placard cupboard

à la place de instead (of), in place (of)

une place de parking parking space

placer to put

une plage beach

plaindre quelqu'un to be sorry for someone

plaisanter to joke

le plaisir pleasure

prendre plaisir à to enjoy

faire plaisir à to please

faire de la planche à voile to go windsurfing

un planning schedule

une plante plant

un plat dish; course

le plâtre plaster

plein (*adj.*) (de) full

pleurer to cry

il pleut it rains, it is raining

pleuvoir to rain

la pluie rain

plus ... (que) more ... (than)

en plus in addition

non plus neither

le plus as much as possible; the most

(ne ...) plus no more, not any more

(ne ...) plus (de) no more (of), not any left

plus de (dix) more than, over (ten)

plus facile easier

plus tard later

plusieurs several

plutôt rather

un pneu tyre

une poche pocket

un point de vue point of view

la pointure size (shoes)

un poisson fish
un poisson rouge goldfish
une poissonnerie fishmonger's shop
le poivre pepper
poli (*adj.*) polite
la police police
un roman policier detective story
la politesse courtesy, politeness
pollué (*adj.*) polluted
la pollution pollution
la Pologne Poland
polonais (*adj.*) Polish
une pomme de terre potato
un pont bridge
le porc pork, pig
un port port
une porte door
un portefeuille wallet
porter to carry, to take; to wear (clothes); to have (describing hair, etc.)
porter bonheur to bring good luck
porter malheur to bring bad luck
le porto port (alcoholic drink)
portugais (*adj.*) Portuguese
le Portugal Portugal
poser to put down; to pose
poser une question to ask a question
positif (*adj. fem.* positive) positive
posséder to have, to possess
une possibilité possibility
possible (*adj.*) possible
un poste post, position
la poste post office
poster to post
un poster poster
une poterie piece of pottery
une poubelle dustbin
un poulet chicken
pour for; in order to, to
pourquoi (est-ce que) … ? why …?
je pourrais (*from* pouvoir) I could
pourtant however
pousser to push
pouvoir to be able to, can

pratique (*adj.*) practical, convenient
pratiquer to play (sport), to do (athletics)
se précipiter to rush
préféré (*adj.*) favourite
une préférence preference
préférer to prefer
premier (*adj. fem.* première) first
en premier first
prendre to take, to buy, to have, to catch (train, etc.)
prendre de l'assurance to become confident
prendre du repos to have a rest
prendre un coup de soleil to get sunburnt
préoccupé (*adj.*) preoccupied
les préparatifs (*masc.*) preparations
préparer to prepare
près (de) near
présenter to introduce; to present
se présenter to introduce oneself; to apply (for a job)
un préservatif condom
presque almost, nearly
la maison de la presse newsagent's shop
prêt (*adj.*) ready
prétendre to pretend
prêter to lend
prévenir to warn
principal (*adj. masc. pl.* principaux) main, principal
un principe principle
en principe in principle
par principe on principle
le printemps spring
privé (*adj.*) private
le prix price
un problème problem
prochain (*adj.*) next
proche (de) near
produire to produce, to make
un produit product
un(e) prof (*abbreviation of* professeur) teacher
une profession job, occupation

un professeur   teacher
profiter (de)   to enjoy, take advantage (of)
profiter au maximum de   to make the most of
les progrès (*masc.*)   advances, developments
faire des progrès   to make progress
progresser   to progress
un projet   plan
une promenade   walk
faire une promenade   to go for a walk
se promener   to go for a walk
promettre (de + *infinitive*) to promise (to ...)
en promotion   on special offer
proposer   to propose, to suggest
propre (*adj.*)   clean
protéger   to protect
une ville de province   provincial town
en public   in public
publicitaire (*adj.*)   advertising
puis   then
un pull   jumper
un pyjama   pyjamas

Q

qu'est-ce que ... ?   what ... ?
qu'est-ce qui ... ?   what ... ?
la qualité   quality
quand   when
quand (est-ce que) ... ? when ... ?
depuis quand (est-ce que) ... ? since when ... ?
quand même   all the same, nevertheless
un quart   quarter
un quart d'heure   a quarter of an hour
un quartier   district, area
quatre   four
que   who, that, which
que ... ?   what ...?
que choisir ?   what to choose?
(ne ...) que   only
quel ... ! (*adj. fem.* quelle) what (a) ... !
quel ... ? (*adj. fem.* quelle) which ... ?

quelle heure est-il ?   what time is it?
quelle journée !   what a day!
quelqu'un   someone
quelque chose   something
quelque part   somewhere
quelques (*adj.*)   a few, some
(une) question (de)   (a) question (of)
un questionnaire   questionnaire
une queue   queue
faire la queue   to queue
qui   who(m), that, which
qui ... ?   who ... ?
c'est à qui ?   who does it belong to?
qui est-ce que ... ?   who ...?
qui est-ce qui ... ?   who ...?
quinze   fifteen
quitter   to leave
un quiz   quiz
quoi ?   what?
quoi de nouveau ?   what's new?
de quoi parles-tu ?   what are you talking about?

R

le racisme   racism
raconter   to tell, to talk (about)
la radiation   radiation
la radio   radio
une raffinerie   oil refinery
raide (*adj.*)   straight (hair)
avoir raison   to be right
raisonnable (*adj.*) reasonable, sensible
ramasser   to collect, to pick up
une randonnée   hike
être rangé   to be tidy, to be put away
ranger   to put away, to tidy
rapide (*adj.*)   quick, fast
rapidement   quickly, fast
rappeler   to call back; to remind
se rappeler (de)   to remember
rapporter   bring back

une raquette racket
rare (*adj.*) rare
rarement rarely
rassurer to reassure
rater to miss
rattraper to catch up, to make up
un réacteur (nuclear) reactor
réaliser to realise
réaliste (*adj.*) realistic
rebelle (*adj.*) rebellious, stubborn
récemment recently
récent (*adj.*) recent
la réception reception desk
un(e) réceptionniste receptionist
recevoir to receive
la recherche research
une recommandation recommendation
il est recommandé (de) it is recommended (to)
redescendre to go down again
une réduction reduction, price reduction
réduire to reduce
un réfectoire refectory, canteen
réfléchir to think
un réfrigérateur refrigerator
refuser to refuse
regarder to look at, to watch
une région region
regretter to be sorry
régulier (*adj. fem.* régulière) regular
régulièrement regularly
avoir des relations sexuelles to have sex
relire to read over, to reread
remarquer to notice
un remboursement refund
remercier to thank
un rempart rampart (i.e. old town wall)
remplacer to replace
rempli (*adj.*) full
remplir to fill up
remuer to stir
une rencontre encounter, meeting
rencontrer to meet
un rendez-vous an appointment

avoir rendez-vous (avec) to have an appointment (with)
prendre rendez-vous (avec) to make an appointment (with)
rendre (à) to give back (to)
rendre visite à to visit (a person)
les renseignements (*masc.*) information
un renseignement some (a piece of) information
se renseigner to find out, to get information
rentrer to go back, to return (home)
renvoyer to send back, to return
un réparateur repairman
réparer to repair
repartir to be off again, to leave
un repas meal
repasser to iron
répéter to repeat; to rehearse
répondre to answer
une réponse reply
le repos rest
prendre du repos to have a rest
reposant (*adj.*) restful, relaxing
se reposer to rest
une réservation reservation, booking
faire une réservation make a booking
réserver to book
respirer to breathe
respirer à fond to take a deep breath
une responsabilité responsibility
ressembler à to look like
se ressembler to look like one another
un restaurant restaurant
le reste rest (i.e. what is left)
rester to stay, to remain; to be left
un résultat result
en retard late
retirer to withdraw (money)
le retour return
retourner to go back, to return
la retraite retirement

une maison de retraite retirement home
être à la retraite to be retired
prendre sa retraite to retire
retrouver to regain, to find
se retrouver to find oneself
une réunion meeting
une réunion d'information
briefing meeting
une réunion familiale family
gathering
réussir to succeed, to be
successful; to pass (test)
un rêve dream
un réveil alarm clock
se réveiller to wake up
une révélation revelation,
disclosure
revendre to resell
revenir to come back
réviser to revise
les révisions revision
revoir to see again
au revoir goodbye
révolutionner to
revolutionise (to change)
un revolver revolver
riche (adj.) rich
(ne ...) rien nothing
sans rien dire without saying
anything
rigoler to laugh
risquer (de + infinitive) to
risk (...ing)
une rivière river
une robe dress
un groupe de rock rock band
un roman novel
une rose rose
un rôti roast
rouge (adj.) red
un fauteuil roulant wheelchair
rouler to travel; to drive
une route road
en route on the way
la routine routine
le Royaume-Uni United
Kingdom
une rue street
une ruine ruin
russe (adj.) Russian
le rythme rhythm
un rythme d'enfer very fast
rhythm

S

s'il te plaît, s'il vous plaît
please
sa (fem.) his, her
un sac bag, handbag
un sac à dos rucksack
une salade salad
une salade de fruits fruit salad
un salaire salary
sale (adj.) dirty
une salle room; cinema (in a
film centre)
une salle à manger dining room
une salle de bains bathroom
une salle de cours classroom
une salle de séjour living-room,
lounge
un salon sitting-room, lounge
le salon de l'informatique
computer trade fair
saluer to greet, to say hello
salut ! hello! hi!
samedi (masc.) Saturday
des sandales (fem.) sandals
un sandwich sandwich
sans without
sans excès not too much
la santé health
avoir la santé fragile to be in poor
health
des sardines (fem.) sardines
satisfait (adj.) satisfied
une sauce sauce
un saucisson salami
un saumon salmon
un saut jump
un saut en parachute parachute
jump
sauvage (adj.) wild
quel sauvage ! how unsociable!
savoir to know, to know
how to, can
savourer to savour
un saxophone saxophone
sur scène on stage
se/s' herself, himself,
themselves
sec (adj. fem. sèche) dry
second (adj.) second
un secret secret
un(e) secrétaire secretary
la Seine river Seine

seize   sixteen
un séjour   stay
le sel   salt
selon   according to
une semaine   week
sembler   to seem
sénégalais (*adj.*)
   Senegalese, from Senegal
un sens   direction
un sens unique   one way street
sensationnel (*adj. fem.*
sensationnelle)   fantastic,
   terrific
un sentiment   feeling
sentir   to feel; to smell
se sentir (mal, triste, etc.)   to
   feel (ill, sad, etc.)
se séparer   to split up
sept   seven
septembre   September
sérieusement   seriously
sérieux (*adj. fem.* sérieuse)
   serious
une seringue   syringe
séropositif (*adj. fem.*
   séropositive)   HIV positive
un serveur (*fem.* une serveuse)
   waiter (waitress)
un service   service
une serviette (de table)   napkin
une serviette (de toilette)   towel
servir   to serve
se servir de   to use
ses (*pl. adj.*)   his, her
seul (*adj.*)   alone, lonely;
   single
tout seul   all on one's own
une chambre seule   a single room
seulement   only
sexuel (*adj. fem.* sexuelle)
   sexual
un shampooing   shampoo
le shopping   shopping
un short   pair of shorts
si/s'   if
siamois (*adj.*)   siamese (cat)
le sida   AIDS
le sien (*sg. fem.* la sienne)
   hers, hers
les siens (*pl. fem.* les siennes)
   hers, hers
silencieux (*adj. fem.*
   silencieuse)   silent

simple (*adj.*)   simple
(être) situé   (to be) situated
six   six
le ski   ski, skiing
faire du ski   to ski
skier   to ski
sociable (*adj.*)   sociable
social (*adj. masc. pl.* sociaux)
   social
la société   society
une sœur   sister
avoir soif   to be thirsty
soigner   to look after
soigneusement   carefully
les soins médicaux   health care
le soir   (in the) evening
à dix heures du soir   at ten o'clock in the
   evening
une soirée   evening, party
sois/soyez ... (*see* être)   be ...
une crème solaire   suncream
les soldes (*masc.*)   sales
en solde   in the sales, sales
   goods
le soleil   sun
il y a du soleil   it is sunny
une solution   solution
le sommeil   sleep
son (*sg. adj.*)   his, her
sonner   to ring
faire sonner le réveil   to set the
   alarm clock
(être) sorti   (to be) out; (to be)
   released (CD or cassette)
une sortie   outing, trip; exit
une sortie de ski   ski outing
sortir   to go out; to take out
souffler   to blow
la Soufrière   la Soufrière
   (volcano in Guadeloupe)
souhaiter   to wish
une soupe   soup
sourd (*adj.*)   deaf
un sourire   smile
sourire   to smile
sous   under
sous-titré   subtitled, with
   subtitles
un souvenir   memory, souvenir
se souvenir (de)   to remember
souvent   often
spacieux (*adj. fem.* spacieuse)
   spacious, large

le sparadrap sticking plaster
spatial (*adj. masc. pl.*
  spatiaux) space
spécial (*adj. masc. pl.*
  spéciaux) special
une spécialité speciality
un spectacle show
le sport sport
les sports d'équipe team sports
les sports d'hiver winter sports
sportif (*adj. fem.* sportive)
  sports; athletic, fond of
  sports
un stade stadium
un stagiaire trainee
le stationnement parking
stationnement interdit no
  parking
stationner to park
stopper to stop, to halt
strict (*adj.*) strict
un studio studio flat
un stylo pen
un succès success
le sucre sugar
le sud south
suggérer to suggest
la Suisse Switzerland
suivre to follow
un sujet subject, topic
un supermarché supermarket
supplémentaire (*adj.*) extra
supporter to bear, to put up
  with
supposer to suppose
sur on; about
sûr (*adj.*) sure
bien sûr ! of course!
sûrement surely, definitely
une surface surface, surface area
surgelé (*adj.*) frozen (food)
une surprise surprise
faire une surprise (à) to surprise
surtout especially, above all
surtout pas especially not,
  least of all
sympa(thique) (*adj.*) nice
  (person)

T

un T-shirt T-shirt
ta (*fem. adj.*) your

une table table
une tablette de chocolat bar of
  chocolate
une taille size
le talent talent
tandis que while
tant so much, so many
une tante aunt
un tapis rug
tard late
plus tard later
un tarif rate
les tarifs pratiqués the current
  rates
une tarte tart
un taxi taxi
te/t' you
un technicien (*fem.* une
  technicienne) technician
un collège technique technical school,
  college
une technologie technology
technologique (*adj.*)
  technological
un téléfilm film for television
le téléphone telephone
un téléphone portable mobile
  telephone
téléphoner (à quelqu'un) to
  telephone (someone)
un téléviseur television set
la télévision/la télé television/
  TV
à la télévision on television
le temps time; weather
le temps libre free time
en même temps que at the same time
  as
le tennis tennis
une tente tent
terminer (quelque chose) to
  finish (something)
se terminer to finish
une terrasse terrace
par terre on the floor/ground
tes (*pl. adj.*) your
un test test
le thé tea
un théâtre theatre
le tien (*sg. fem.* la tienne)
  yours
les tiens (*pl. fem.* les tiennes)
  yours

un timbre   stamp
timide (*adj.*)   shy
un timide   a shy person
timidement   shyly
toi   you, yourself
toi-même   yourself
à toi   yours
faire sa toilette   to have a wash
tolérant (*adj.*)   tolerant
tomber   to fall
tomber en panne   to break down
ton (*sg. adj.*)   your
une tonne   ton
avoir tort   to be wrong
tôt   early
une touche   key (computer)
toucher   to touch
toujours   always, still
un tour   trip, excursion; turn
faire le tour (de)   to go round
à tour de rôle   in turn
un tour du monde   trip round the world
le tourisme   tourism
tous   everybody
tous les deux   both
tous les jours   every day
tout   everything, all
tout (*adj. masc. pl.* tous)   all, every, (the) whole
c'est tout ?   is that all?
c'est tout !   that's all!
tout à fait   absolutely
à tout à l'heure !   see you later!
tout ce que   all that
tout de même   all the same
tout de suite   immediately, straight away
un traducteur (*fem.* une traductrice)   translator
un train   train
un transfert   transfer
un travail   work, job
travailler   to work
travailleur (*adj.*)   hard-working
traverser   to cross
très   very
triste (*adj.*)   sad
trois   three
troisième (*adj.*)   third

se tromper   to make a mistake
se tromper de date   to get the date wrong
se tromper de rue   to take the wrong street
se tromper de train   to get on the wrong train
trop (de)   too; too much, too many
une trousse à pharmacie   first aid kit
trouver   to find
se trouver   to be, to be situated
une truite   trout
tu   you
tunisien (*adj. fem.* tunisienne)   Tunisian
typique (*adj.*)   typical

U

un (*fem.* une)   a/an; one
un uniforme   uniform
être fils/fille unique   to be an only son/daughter
urgent (*adj.*)   urgent
user   to wear out
une usine   a factory
utile (*adj.*)   useful
utiliser   to use

V

ça va   I'm fine, things are OK
ça va ?   how are you? how are things?
les vacances (*fem.*)   holiday(s)
les vacances d'été   summer holiday
en vacances   on holiday
(faire) la vaisselle   (to do the) washing-up
une valise   suitcase
une vallée   valley
varié (*adj.*)   varied
il vaut mieux (+ *infinitive*)   it is better (to ...)
le veau   veal, calf
la veille   the day before
vendre   to sell
se vendre   to be sold
venir (de)   to come (from)

venir chercher   to fetch
venir de (+ *infinitive*)   to have just …
le vent   wind
il y a/il fait du vent   it is windy
un verbe   verb
vérifier   to check
un verre   glass
prendre un verre   to have a drink
vers   at about, around; to, towards
verser   to pour
vert (*adj.*)   green
un vêtement   an item of clothing
des vêtements (*masc.*)   clothes
des vêtements de marque   designer clothes
un(e) vétérinaire   vet
Veuillez agréer, Madame/ Monsieur, mes salutations distinguées   Yours sincerely
la viande   meat
vide (*adj.*)   empty
une vidéo   video (cassette)
vider   to empty
la vie   life
jamais de la vie !   no way!
je viens d'arriver   I have just arrived
vieux (*adj. fem.* vieille)   old
vigilant (*adj.*)   watchful, careful
une villa   detached house
un village   village
une ville   town
le vin   wine
vingt   twenty
vingt-deux   twenty-two
la violence   violence
un visage   face
une visite   visit
rendre visite à   to visit (a person)
une visite médicale   physical examination
visiter   to visit (a place)
faire visiter   to show around
vite   quick, quickly, fast
la vitesse   speed
en vitesse   quickly
une vitrine   shop window
vivre   to live
voici …   this is, here is, here are …

voilà …   this is, here is, here are …
voilà !   here you are!
voilà un an   a year ago
voir   to see
se voir   to see one another
un(e) voisin(e)   neighbour
les voisins du dessous   the people below
une voiture   car
une voiture de sport   sports car
un vol   flight
voler   to fly; to steal
le volley   volleyball
un volontaire   volunteer worker
vos (*pl. adj.*)   your
votre (*sg. adj.*)   your
le/la vôtre (*sg.*)   yours
les vôtres (*pl.*)   yours
je voudrais (*from* vouloir)   I would like
vouloir   to want
vouloir (+ *infinitive*)   to want (to …)
vous   you
vous-même/vous-mêmes   yourself/yourselves
à vous   yours
un voyage   trip, journey
bon voyage !   have a good trip!
un voyageur (*fem.* une voyageuse)   traveller
vrai (*adj.*)   true, real
vraiment   really
un VTT (vélo tout terrain)   mountain bike
une vue (sur)   view (on)

W

un week-end   weekend
le whisky   whisky

Y

y   there
il y a   there is, there are
je n' y connais rien   I don't know a thing about it
un yaourt   yoghurt
les yeux (*masc.*)   eyes

English–French glossary

1st (of the month)   le 1er
2nd (of the month)   le 2
the 31st (of the month)   le 31

A

it is advisable to ...   il est
          conseillé de (+ *infinitive*),
          il est recommandé de (+
          infinitive)
      after ...ing   après (+ *past
          infinitive*)
      afternoon   l'après-midi
          (*masc.*)
      airport   un aéroport
  I   am, I'm   *see* to be
      and   et
      animal   un animal (*pl.*
          animaux)
to answer   répondre
      are   *see* to be
      arm   le bras
      as   comme
      as ... (as)   aussi ... (que)
      as soon as   dès que, aussitôt
          que
      at   à
to attend   assister (à)
      August   août

B

      badly   mal
      bank   une banque
to be   être
      because   parce que
      before ...ing   avant de (+
          infinitive)
      behind   derrière
the best   (*adj.*) le meilleur (*fem.*
          la meilleure); (*adv.*) le
          mieux
      better   (*adj.*) meilleur (*fem.*
          la meilleure); (*adv.*)
          mieux
      better than ...   (*adv.*) mieux
          que ...

it is better to ...   il vaut mieux (+
          infinitive)
      between   entre
      blue   bleu
to break (one's leg, etc.)   se
          casser ...
      brother   un frère
to burn oneself   se brûler
      but   mais

C

      can (to know how to)   savoir
      chocolate   un chocolat
      cinema   un cinéma
      clear   clair
      coffee   le café
it is cold   il fait froid
to collect   collectionner
      college   un collège
to come   venir
      comfortable   confortable
      comic   une bande dessinée
to create   créer

D

to do   faire
      do you have ...?   tu as ... ?,
          est-ce que tu as ... ?
      doctor   un médecin
      done   *see* to do

E

      easier   plus facile
      easy   facile
to eat   manger
at the end (of)   au bout (de)
      English (the language)
          l'anglais (*masc.*)
      enough   assez (de)
      evening   le soir
      everybody   tout le monde
      everything   tout
      expensive   cher (*fem.* chère)
      eyes   les yeux (*sg.* un œil)

F

far (from)   loin (de)
faster (than ...)   plus vite (que ...)
the fastest   le plus vite
film   un film
to finish   finir
(the) first   le premier (*fem.* la première)
fish   le poisson
football   le football
to forget   oublier
Friday   vendredi (*masc.*)
in front (of)   devant
fruit juice   un jus de fruits

G

glass   un verre
to go   aller
to go out   sortir
to be going to ...   aller (+ *infinitive*)

H

hair   les cheveux (*masc.*)
to hate (... ing)   détester (+ *infinitive*), avoir horreur de (+ *infinitive*)
to have   avoir
to have a headache   avoir mal à la tête
to help to ...   aider à (+ *infinitive*)
her, his   son, sa, ses
homework   les devoirs (*masc.*)
it was hot   il faisait chaud
how ...?   comment ... ?, comment est-ce que ... ?
how long ...?   combien de temps ... ?, combien de temps est-ce que ... ?
how much/many ... ?   combien de ... ?
to be hungry   avoir faim
to hurry up   se dépêcher
to hurt oneself   se faire mal

I

idea   une idée

it is important to ...   il est important de (+ *infinitive*)
in   à, dans
information   des renseignements (*masc.*)
inside   à l'intérieur (de)
to iron   repasser

J

jumper   un pull
I've just ...   *see* to have just ...
to have just ...   venir de (+ *infinitive*)

K

to know   savoir

L

language   une langue
(the) least ...   le/la/les moins ...
leg   la jambe
less ... (than)   moins ... (que)
library   une bibliothèque
to like ... better   aimer mieux ...
to like ...ing   aimer (+ *infinitive*)
a little   un peu (de)
to live   habiter
London   Londres
long   long (*fem.* longue)
to look   regarder
to look ...   avoir l'air ...
a lot (of)   beaucoup (de)
to love   aimer, adorer
to love ...ing   adorer (+ *infinitive*)
low   bas (*fem.* basse)
lower (than ...)   plus bas (que ...)

M

meat   la viande
medicine   un médicament
to meet   rencontrer
in the middle (of)   au milieu (de)
mineral water   l'eau minérale (*fem.*)

at the moment   actuellement
money   l'argent (*masc.*)
more ... (than)   plus ...
   (que)
morning   le matin
music   la musique
must   devoir (+ *infinitive*), il
   faut (+ *infinitive*)
my   mon, ma, mes
myself   moi-même

N

nature   la nature
near   près (de)
it is necessary to ...   il faut
   (+ *infinitive*),
   il est nécessaire de (+
   infinitive)
neighbour   un voisin
next   prochain
next (to)   à côté (de)
nice   chouette
night   une nuit
no   non
not   pas
to note (down)   noter
to notice   remarquer
now that ...   maintenant
   que ...

O

of it, of them   en
on   sur
once ...   une fois que ...
one   un, une
opposite   en face (de)
our   notre, nos
outside   à l'extérieur (de)

P

particularly   particulièrement
photograph   une
   photographie/une photo
at your place   chez vous
to play   jouer
to prefer (to ...).   préférer
   (+ *infinitive*)
to promise   promettre

R

to read   lire
to remember   se souvenir
rock music   le rock
room (i.e. bedroom)   une
   chambre

S

Saturday   samedi (*masc.*)
school   l'école (*fem.*)
science   la science
to see   voir
sensitive   sensible
to share   partager
short   court
sister   une sœur
to sit (at a table, etc.)   se placer
sport   le sport
spring   le printemps
in spring   au printemps
to start   commencer
to stay   rester
stupid   bête
summer   un été
next summer   l'été prochain
suncream   une crème solaire
sunglasses   des lunettes de
   soleil (*fem.*)
supermarket   un
   supermarché
sure   sûr
sweet   un bonbon

T

to take   prendre
television   la télévision
to tell   dire
term   un trimestre
that one/those ones   celui-là,
   celle-là, ceux-là, celles-là
their   leur, leurs
there is/there are   il y a
this one, these ones   celui-ci/
   celle-ci, ceux-ci/celles-ci
to tidy   ranger
time   le temps
to   à
toilet   les toilettes (*fem.*)
told   *see* to tell

too much/many   trop (de)
at the top (of)   en haut (de)
trousers   un pantalon
to try   essayer
Tuesday   mardi (*masc.*)
two   deux

U

under   sous
to understand   comprendre
unfortunately
    malheureusement
until   jusqu'à
to use ...   se servir de ...

V

vegetable   un légume
video   une (cassette) vidéo

W

to want (to ...)   vouloir (+
    infinitive)
to wash (something)   laver
to wash up/do the washing up

    faire la vaisselle
water   l'eau (*fem.*)
week   la semaine
well   bien
what is your name?
    comment tu t'appelles ?
when ... ?   quand ... ?,
    quand est-ce que ... ?
where... ?   où ... ?, où est-ce
    que ... ?
windsurfing   faire de la
    planche à voile
wine   le vin
with   avec
to worry   s'inquiéter
worse than ...   plus mal
    que ...
the worst   le plus mal
he would like to ...   il voudrait
    (+ *infinitive*)
I would like to ...   je voudrais
    (+ *infinitive*)
to write   écrire
to be wrong   avoir tort

Y

your   votre, vos

Grammar index

For definitions of terms see:

Help Yourself to Essential French Grammar

Help Yourself to Essential French Grammar

Help Yourself to Essential French Grammar

Key to exercises
Detachable answer section for class use

Key to exercises

Chapter 1 – What do you know? (page 1)

A *Un cousin mystérieux*

MOUNIRA Ton cousin Xavier, il est comment ?

SYLVAIN Il est blond et il a **les** cheveux longs.

MOUNIRA De quelle couleur sont ses yeux ?

SYLVAIN Il a **les** yeux verts.

MOUNIRA Il aime **le** sport ?

SYLVAIN Oui, bien sûr. Il pratique **l'**athlétisme et **le** tennis.

MOUNIRA Il aime sortir ?

SYLVAIN Oui, beaucoup. Il déteste **la** télévision mais il adore **le** cinéma.

MOUNIRA Il est gourmand ?

SYLVAIN Oui, très gourmand. Il adore **le** chocolat et **les** gâteaux.

B *Êtes-vous timide ?*

1 Les gens qui sont timides **hésitent** toujours avant de faire quelque chose.

2 Quand ils **rencontrent** quelqu'un, ils ne **parlent** jamais en premier.

Êtes-vous impatient ?

1 Les gens qui sont impatients n'**attendent** jamais.

2 Ils **essaient** toujours de faire les choses très vite.

Êtes-vous travailleur ?

1 Les gens qui sont travailleurs **finissent** toujours leur travail.

2 En général, ils **réussissent** dans la vie.

Chapter 1 – What have you learnt? (page 4)

A *Les goûts et les préférences*

NATHALIE Je n'aime pas beaucoup **le sport**, et surtout pas **le football**.

CHRISTOPHE J'aime bien **les sciences**, mais je préfère **l'anglais**.

PATRICK J'adore **la télévision**. Je regarde surtout **les films**.

ANNE Je suis très gourmande. J'adore **les bonbons** et particulièrement **les chocolats**.

KHALED Moi, j'aime les filles qui ont **les yeux bleus** !

B *Jeu-test – La télévision et vous*

1 Qu'est-ce que vous faites quand vous êtes seul chez vous, le soir ?

a Vous **choisissez** une émission intéressante dans TV Magazine.

b Vous **allumez** la télé et vous **oubliez** de faire votre travail.

c Vous **finissez** vite vos devoirs et vous sortez.

2 Qu'est-ce que vous faites quand vous êtes au bord de la mer ?

a Vous **regardez** quelques bonnes émissions.

    b Vous **passez** des heures devant le téléviseur.

    c Vous **descendez** à la plage tout le temps.

  3 Qu'est-ce que vous faites quand la télé tombe en panne ?

    a Vous **attendez** patiemment le réparateur.

    b Vous **essayez** de trouver quelque chose à faire, mais sans succès.

    c Vous **remarquez** que la maison est silencieuse.

Chapter 2 – What do you know? (page 5)

A *Je me présente : Rémi, dix-sept ans*

    J'habite dans **un** village qui est situé dans **un** département du sud de la France. Je vis près d'**une** plage, dans **une** maison entourée d'**un** jardin. Je fais mes études dans **un** collège technique.

    J'ai **une** guitare électrique et je joue avec **un** groupe de rock pendant les week-ends.

B *Deux professions intéressantes*

  1 Olivier travaille comme pâtissier dans **une** pâtisserie de Toulouse. Il fait **des** gâteaux et **des** desserts. C'est **un** métier dur qui demande beaucoup d'imagination.

  2 Yakine est infirmière. Elle soigne **des** enfants dans **un** grand hôpital de la région parisienne. C'est **une** profession difficile mais passionnante.

C *La routine du matin et du soir*

Le matin   1 je **me lève** vers sept heures

             2 je **me lave**

             3 je **m'habille**

             4 je **me dépêche** pour ne pas être en retard

Le soir   5 je **me douche**

             6 je **me couche** vers dix heures du soir

Chapter 2 – What have you learnt? (page 8)

A *Je me présente : Odile, quinze ans*

    J'habite dans **un** appartement à Genève. C'est **une** ville très agréable. Près de chez moi, il y a **un** théâtre, **un** cinéma, **une** piscine et **un** stade. Je fais mes études dans **un** lycée international.

    J'ai **une** passion pour l'automobile et, le samedi, je travaille dans **un** garage. Je fais aussi partie d'**une** équipe de basket.

B *Tu es optimiste*

    Le matin, quand **tu te réveilles**, tu es de bonne humeur. **Tu te douches** toujours en chantant. Tu as le sens de l'humour et **tu t'amuses** tout le temps.

  Tu es pessimiste

    Le matin, quand **tu te lèves**, tu es de mauvaise humeur. **Tu ne te laves** jamais en chantant. **Tu t'inquiètes** facilement et tu es souvent triste.

Je suis optimiste

Le matin, quand **je me réveille**, je suis de bonne humeur. **Je me douche** toujours en chantant. J'ai le sens de l'humour et **je m'amuse** tout le temps.

Je suis pessimiste

Le matin, quand **je me lève**, je suis de mauvaise humeur. **Je ne me lave** jamais en chantant. **Je m'inquiète** facilement et je suis souvent triste.

C *Quelle est leur profession ?*

1 Il est journaliste.
2 Je suis facteur.
3 Elle est coiffeuse.
4 Il est mécanicien.
5 Elle est chauffeur.
6 Je suis vétérinaire.

Chapter 3 – What do you know? (page 9)

A *En famille*

1 Combien vous êtes dans ta famille ?
  c Sept.
2 Où est-ce que vous habitez ?
  d Dans un appartement.
3 Est-ce que tu aimes faire partie d'une grande famille ?
  e Oui, j'adore.
4 Pourquoi ?
  b Parce que je ne m'ennuie jamais.
5 Comment est-ce que tu t'entends avec tes frères et sœurs ?
  a Très bien, en général.

B *Cédric et Cyril*

1 Cédric et Cyril sont nés le même jour et ils se ressemblent beaucoup. Ce sont des **jumeaux.**
2 Ils ont tous les deux les **yeux** gris et les **cheveux** blonds.
3 Ils aiment les mêmes **films** et les mêmes **jeux.**
4 Ils adorent les **animaux** et ils détestent les **cours** de maths.
5 Pourtant, ils ont des **caractères** très différents.

C *Noël à la montagne*

1 **J'ai** une nouvelle paire de skis !
2 **Je pars** demain dans les Alpes.
3 **Je connais** bien la région.
4 **Je fais** le voyage en train.
5 **Je reviens** le 31 décembre.

Chapter 3 – What have you learnt? (page 12)

A *Tes parents et toi*
1 Comment est-ce que tu t'entends avec tes parents ?
2 Pourquoi est-ce que vous vous disputez ?
3 Est-ce qu'ils te donnent de l'argent de poche ?
4 Combien est-ce qu'ils te donnent ?
5 Pendant le week-end, où est-ce que tu vas ?
6 Le samedi soir, quand est-ce que tu rentres ?

B *Les habitudes de la maison*
1 Ma mère ne **sait** pas faire la cuisine.
2 Mon père **fait** les repas.
3 Mes frères **remplissent** le lave-vaisselle.
4 Mes sœurs **mettent** la table.
5 Et moi, je **sors** la poubelle.

C *Et toi, combien ?*
1 Ma mère m'a fait deux **gâteaux**.
2 Moi, j'ai eu quatre **jeux** vidéo.
3 Mes cousins m'ont envoyé deux **colis**.
4 Moi, j'ai reçu cinq **animaux** en peluche.
5 Mes copains m'ont fait plusieurs **cadeaux**.

Revision test 1–3 (page 13–14)

A *Liste de commissions*
Alimentation (f.) : fromage (m.), poulet (m.), veau (m.), confiture (f.), baguette (f.), gâteaux (m.).
Cadeau (m.) : disque (m.), cassette (f.) ou eau (f.) de toilette (f.).
Bureau (m.) de poste (f.) : paquet (m.), lettres (f.), timbres (m.).
Gare (f.) : renseignements (m.), billet (m.) et réservation (f.).
Essence (f.).

B *Premier contact*
TOI Comment tu t'appelles ? *or* Tu t'appelles comment ? *or* Comment est-ce que tu t'appelles ? *or* Comment t'appelles-tu ? *or* Quel est ton nom ?
LUI Kévin Martin.
TOI Tu as des frères et des sœurs ? *or* Est-ce que tu as des frères et des sœurs ? *or* As-tu des frères et des sœurs ?
LUI Non, je suis fils unique.
TOI Tu habites où ? *or* Où est-ce que tu habites ? *or* Où habites-tu ?
LUI J'habite dans un village de montagne mais je vais à l'école à Genève.

TOI Comment tu vas à l'école ? *or* Comment est-ce que tu vas à l'école ? *or*
Comment vas-tu à l'école ?

LUI En car.

TOI Ça prend combien de temps ? *or* Combien de temps est-ce que ça prend ?

LUI 45 minutes.

TOI Le premier trimestre commence quand ? *or* Quand est-ce que le premier
trimestre commence ? *or* Quand commence le premier trimestre ?

LUI En septembre.

C *Ma valise est prête*
1 **cinq** T-shirts
2 **deux** chapeaux de soleil
3 **quatre** chemises
4 **trois** pyjamas
5 **deux** pulls
6 **six** jeux vidéo

D *Et toi ?*
1 • J'aime bien la radio. Et toi ?
   – Moi, je préfère la télévision et le cinéma.
2 • J'aime assez les cheveux longs. Et toi ?
   – Moi, j'aime mieux les cheveux courts.
3 • Je n'aime pas la campagne. Et toi ?
   – Moi, j'adore la nature et les animaux.
4 • Le français et l'anglais m'intéressent. Et toi ?
   – Moi, je déteste les langues.

E *Championnes de gymnastique*
   • *Sophie et Kenza, vous **êtes** championnes de gymnastique. Vous **pouvez** nous parler
   un peu de vous ?*
   SOPHIE **J'ai** seize ans et **j'habite** à Lille avec mes parents.
   KENZA Moi, **je suis** plus jeune : j'ai quinze ans. Et **je viens** de Grenoble.
   • *Je suppose que vous vous entraînez beaucoup ?*
   SOPHIE Oui, tous les jours. **Nous allons** au lycée le matin, et **nous nous entraînons**
           l'après-midi.
   KENZA Avant les compétitions, l'entraînement **se termine** assez tard.
   • *Vous **avez** un peu de temps libre ?*
   SOPHIE Non, très peu. Le soir, **nous finissons** nos devoirs.
   KENZA Et pendant le week-end, **nous essayons** de nous reposer.
   • *Qu'est-ce vous aimez le plus dans la vie de championne ?*
   KENZA **Nous partons** souvent à l'étranger. Et **nous rencontrons** beaucoup de gens.
   SOPHIE **Nous apprenons** à être indépendantes et **je trouve** ça très bien.

Help Yourself to Essential French Grammar

F *Blague*
L'instituteur demande à Antoine de conjuguer le verbe marcher.
- **Je marche, tu marches** …
- Plus vite, dit l'instituteur.
- **Il court, nous courons, vous courez, ils courent** !

Chapter 4 – What do you know? (page 15)

A *Avant de partir*
1 Commander des chèques de voyage **à la** banque.
2 Acheter des fruits pour le voyage **à l'**épicerie.
3 Prendre une crème anti-moustiques **à la** pharmacie.
4 Donner à manger **au** poisson rouge.
5 Dire « au revoir » **aux** voisins.

B *Où vont-ils cet été ?*
RENAUD Je vais camper **en** Irlande avec des copains.
NICOLAS Je travaille **au** Danemark pour un mois.
CATHIE Je vais passer quelques jours **en** Belgique puis **au** Luxembourg.
MOUSSA Je rends visite à mes grands-parents **en** Algérie.
VIRGINIE Moi, je reste **en** France cette année pour faire des économies Mais l'année
prochaine je pars **au** Canada.

C *Départ pour l'Algérie*
- Comment est-ce que **tu vas partir** ?
MOUSSA **Je vais partir** demain soir en avion.
- À quelle heure est-ce que **tu vas arriver** ?
MOUSSA Vers 23 heures.
- Tes grands-parents **vont venir** te chercher à l'aéroport ?
MOUSSA Non, ils n'ont pas de voiture ! **Je vais prendre** le car jusqu'à Alger.

Chapter 4 – What have you learnt? (page 18)

A *Trois jours en Normandie*
1ᵉʳ jour : Cherbourg
Arrivée **au** port de Cherbourg à 19 h 30. Transfert **à l'**hôtel. Dîner **au** restaurant
« L'Ancre dorée ».
2ᵉ jour : Coutances et Granville
Matinée **à la** cathédrale gothique de Coutances. Excursion **aux** îles de Chausey,
l'après-midi. Nuit **à l'**auberge « Les Embruns » à Granville.
3ᵉ jour : Granville et ses environs
Le matin : excursion **aux** remparts de la vieille ville. L'après-midi : détente **à la**
plage de Granville. Soirée **au** Mont-Saint-Michel.

B *Qu'est-ce qu'on va faire ?*
- Où est-ce qu'on **va aller** aujourd'hui ?
- Ce matin, nous **allons visiter** la cathédrale gothique de Coutances. Et cet après-midi, nous **allons partir** en excursion en mer.
- Et demain matin ?
- Moi, je **vais essayer** de me reposer parce que la journée **va être** longue.
Toi et les autres, vous **allez faire** le tour des remparts de Granville.
- Et le reste de la journée ?
- L'après-midi, si tu aimes la mer, tu **vas pouvoir** te baigner. Et le soir, on **va voir** un spectacle au Mont-Saint-Michel.

C *Un peu de géographie*
1 Copenhague est **au Danemark.**
2 La Nouvelle-Orléans se trouve **aux États-Unis.**
3 Le désert du Sahara est situé **en Afrique.**
4 La Seine coule **en France.**
5 L'île de la Martinique se trouve **aux Antilles.**

Chapter 5 – What do you know? (page 19)

A *Derniers préparatifs*

BAPTISTE Alors, qu'est-ce que je mets dans le sac à dos ?

CLÉMENT **Du** pain, **de l'**eau minérale, **du** jus d'orange, **des** bananes.

BAPTISTE Je prends aussi **du** fromage ?

CLÉMENT Oui, **du** gruyère et **des** yaourts. Et puis **du** saucisson !

BAPTISTE C'est tout ?

CLÉMENT Non, il faut aussi emporter **des** mouchoirs en papier, **du** sparadrap, **de l'**aspirine et **de la** crème solaire.

B *Une randonnée inoubliable*

Cher papa,
   Quelle journée ! **J'ai fait** une randonnée interminable dans la montagne avec Clément. Nous **avons marché** pendant toute la journée et **j'ai pris** un coup de soleil. Nous **avons rencontré** des Espagnols très gentils – mais je n'ai pas parlé avec eux parce que j'étais trop fatigué.
   Bon, j'arrête, je vais me coucher. Bises. À bientôt.
   Baptiste

Chers parents,

Nous **avons passé** une journée formidable et nous **avons vu** des choses extraordinaires (animaux sauvages, fleurs rares, etc.). Nous **avons pique-niqué** en compagnie d'étudiants espagnols à midi. Et puis, en redescendant, nous **avons visité** une vieille église en ruines.

Je vous embrasse très fort. Baptiste vous envoie le bonjour.

Clément

Chapter 5 – What have you learnt? (page 22)

A *Jeu-test – Êtes-vous bon voyageur ?*
1 Vous allez en France. Quand vous arrivez, vous réalisez que :
 a vous **avez apporté** tout ce dont vous avez besoin.
 b vous **avez laissé** votre brosse à dents à la maison.
 c vous **avez perdu** une de vos valises en route.

2 À la fin de votre première journée de vacances :
 a vous êtes un peu fatigué(e) parce que vous **avez visité** toute la ville.
 b vous êtes mouillé(e) parce que vous **avez oublié** votre imperméable.
 c vous êtes déprimé(e) parce que vous **avez passé** toute la journée dans votre chambre.

3 À la fin de la semaine :
 a vous **avez fait** beaucoup de progrès en français.
 b vous **avez appris** quelques expressions nouvelles.
 c vous **n'avez pas progressé** parce que vous parlez toujours anglais.

B *Chez toi, ça va être comment ?*
SYLVIA Chez toi, on mange des hamburgers et des frites ?
NICOLE Non, on mange **du poisson, de la viande** et **des légumes** du jardin.
SYLVIA Et qu'est-ce qu'on boit ?
NICOLE On boit **de l'eau minérale, du jus de fruit** ou **du vin**.
SYLVIA Il va faire chaud ?
NICOLE Oui. Apporte **de la crème solaire** et **des lunettes de soleil**.
SYLVIA Il y a un cinéma dans la ville ?
NICOLE Non, mais il y a **des vidéos** à la maison.
SYLVIA Et c'est facile de trouver des magazines en anglais ?
NICOLE Non. Mais, chez nous, il y a **des bandes dessinées** faciles à comprendre.

Chapter 6 – What do you know? (page 23)

A *Cadeaux rapportés de voyage*
1c Du chocolat **de Suisse**.
2d De la poterie **du Maroc**.
3b Une bouteille de whisky **d'Écosse**.
4a Du café **du Brésil**.

B *Lettre de réservation*
Madame, Monsieur,
    Je souhaite réserver une chambre seule avec douche pour **l'été prochain**.
J'aimerais arriver **le 2 août** et repartir **le 15 août**. Je préférerais une chambre fraîche
pour pouvoir bien dormir **la nuit**.
    Veuillez agréer, Madame, Monsieur, mes salutations distinguées.

C *Notes de voyage*
1 **Je suis partie** de Londres en train le 31 mars à 7 h.
2 **Je suis descendue** du train à 11 h 30.
3 **Je suis arrivée** à l'hôtel vers midi.
4 **Je suis restée** en Belgique jusqu'au 11 avril.
5 **Je suis revenue** en Angleterre en voiture avec Chantal.

Chapter 6 – What have you learnt? (page 26)

A *Quelques habitudes de vie françaises*
1 Les gens ne travaillent pas **le** 14 juillet.
2 On dîne entre 19 heures et 21 heures **le** soir.
3 Les boulangeries sont ouvertes **le** dimanche matin.
4 Certains magasins ferment **le** lundi.
5 Il n'y a pas d'école pour les enfants **le** mercredi.

B *Vous avez fait bon voyage ?*
1 Je suis venu de Londres par Eurostar.
  or Je suis venue de Londres par Eurostar.
2 Je suis descendu du train à 12 h 23.
  or Je suis descendue du train à 12 h 23.
3 Oui, nous avons pris le car ensemble.
4 Le car est parti à 14 h 20.
5 Nous sommes arrivés à Montpellier à 21 h 30.

C *D'où viennent-ils ?*
1 Voici Omar, il vient **d**'Australie.
2 Voici Jocelyne, elle vient **du** Japon.
3 Voici Jan et Dirk, ils viennent **des** Pays-Bas.
4 Voici Sian et Ros, elles viennent **du** pays de Galles.
5 Et enfin voici Nana, elle vient **de** Grèce.

Revision test 4–6 (page 27–28)

A *Ils ont fait le tour du monde*
1 À l'âge de 27 ans, Djamel Balhi **a fait** le premier tour du monde à pied, seul et sans assistance. Son voyage **a duré** deux ans : il **est parti** en 1987 et il **est revenu** en 1989.
2 Ticjk Hansen **a terminé** son tour du monde en fauteuil roulant en 1986. Il **a roulé** plus de 40 000 kilomètres et il **a traversé** 34 pays. Pendant son voyage, il **a ramassé** de l'argent pour la recherche médicale.
3 Françoise et Claude Hervé ont parcouru le monde à bicyclette pendant 14 ans. Ils **ont usé** 89 pneus, ils **ont découvert** 66 pays et ils **ont eu** des aventures formidables. Leur fille, Manon, **est née** pendant le voyage.

B *Interview d'une famille de globe-trotters*
• Françoise et Claude Hervé, vous venez de rentrer en France après un voyage qui a duré 14 ans. Quels sont vos projets ?
– Nous **allons prendre** du repos pour commencer. Et puis nous **allons essayer** de mener une vie « normale ». Cela **va être** assez dur, je pense.
• Vous allez repartir ?
– Pour le moment, nous ne savons pas. D'abord, nous **allons écrire** un livre pour raconter nos aventures.
• Et toi, Manon, qu'est-ce que tu **vas faire** ?
– Je **vais aller** à l'école pour la première fois de ma vie.

C *Une famille très internationale*
1 Ils sont nés au Portugal.
2 Il est né en Amérique.
3 Elle est née aux Pays-Bas.
4 Elles sont nées en Inde.
5 Il est né en Afrique !

D *Allô, est-ce que je peux parler à Malika ?*
1 Non, c'est impossible ! Elle est allée chercher ma mère **à l'aéroport**.
2 Elle est **au collège** ce matin. Je peux prendre un message ?
3 Vous n'avez pas de chance ! Elle est **à Londres** pour le week-end.
4 Elle est allée **au supermarché**. Vous pouvez rappeler plus tard ?
5 Non, elle n'est pas là, elle a emmené ma petite sœur **au cinéma**.
6 Elle est **à la banque**. Essayez d'appeler ce soir.

7 Non, je regrette. Elle a porté quelque chose **aux voisins**.

8 Elle est **aux toilettes**. Elle vous rappelle dans un moment ?

E *Des petits déjeuners typiques*

1 J'ai mangé **des** croissants, et aussi **du** pain avec **du** beurre et **de la** confiture.

2 J'ai pris **des** céréales, **des** œufs au bacon ou **du** poisson, et j'ai bu **du** thé.

3 On m'a servi **du** saucisson, **des** gâteaux, **des** oranges de Séville, et **du** café.

4 On m'a apporté **des** crêpes avec **des** myrtilles et **de la** crème.

5 J'ai dégusté **des** mangues, **de l'**ananas (*or* **des** ananas) et **du** jus de goyaves.

1 Tu arrives **de France**.

2 Tu arrives **du Royaume-Uni**.

3 Tu arrives **d'Espagne**.

4 Tu arrives **des États-Unis**.

5 Tu arrives **des Antilles**.

F *Je te vois quand ?*

LUI On fait quelque chose ensemble **la semaine prochaine** ?

TOI Oui, pourquoi pas ! On se voit **mardi prochain**, après les cours ?

LUI Non, désolé. **Le mardi après-midi** je fais du judo.

TOI Alors mercredi. Je suis libre **l'après-midi**.

LUI Pas moi! J'ai promis d'aller voir ma tante.

TOI Et puis moi, **le soir**, je sors. Et bien alors **samedi matin**.

LUI Samedi, on est le combien ? **Le 1ᵉʳ ou le 2** février?

TOI **Le premier**, je crois. Parce que **vendredi**, j'ai rendez-vous chez le dentiste et c'est **le 31**.

LUI Bon, et bien d'accord pour samedi. À 11 h devant la poste ?

TOI D'accord. Mais arrive à l'heure ! Je n'aime pas attendre.

Chapter 7 – What do you know? (page 29)

A *Où se trouve ... ?*

• Excusez-moi, pour aller à la gare, s'il vous plaît ?

– Vous passez **sous** le pont, et la gare est à droite.

• Vous pouvez m'indiquer où se trouve la cathédrale, s'il vous plaît ?

– Elle est juste **derrière** vous.

• Vous pouvez me dire où est le musée, s'il vous plaît ?

– Vous prenez la rue située **entre** ces deux bâtiments, et le musée est juste **devant** vous.

B *Une journée bien remplie*

Mardi : je suis sortie de bonne heure et **je me suis promenée** toute la matinée. À midi, **je me suis arrêtée** pour manger dans un café et **je me suis assise** à la terrasse pour regarder les gens passer.

L'après-midi, j'ai encore marché pendant deux heures. Vers quatre heures, je me suis couchée sur un banc et **je me suis endormie**. Quand **je me suis réveillée**, je ne savais pas où j'étais. Bref, **je ne me suis pas ennuyée** aujourd'hui.

C *Commerces et services*

1e   On achète du pain **chez le boulanger**.
2d   On prend le journal **à la maison de la presse**.
3a   On prend le car **à la gare routière**.
4f   On achète des fleurs **chez le fleuriste**.
5b   On fait réparer sa voiture **chez le mécanicien**.
6c   On porte le courrier **à la poste**.

Chapter 7– What have you learnt? (page 32)

A *Pendant mon absence*

1   Tu peux laisser ta voiture **devant** la maison.
2   La clé est **sous** le paillasson.
3   La nourriture pour le chat est **sur** la table de la cuisine.
4   Les draps sont rangés **dans** l'armoire de la chambre.
5   Les serviettes sont **derrière** la porte de la salle de bains.
6   Arrose la plante qui est **entre** les deux fenêtres du salon.

B *Où étais-tu ?*

1   J'ai retiré de l'argent **à** la banque.
2   Je suis passée boire le thé **chez** mes grands-parents.
3   J'ai pris des médicaments **chez** le pharmacien.
4   J'ai pris rendez-vous **chez** le dentiste.
5   J'ai acheté des timbres **au** bureau de tabac.
6   J'ai commandé un rôti de bœuf **à** la charcuterie.

C *Vous avez trouvé votre chemin ?*

PASCAL   Je **me suis servi** d'une carte de la ville et j'ai pris le bus.
JEANINE   Je **me suis arrêtée** dix fois pour demander mon chemin et j'ai mis deux heures pour arriver.
MYLÈNE   Je **me suis trompée** une fois, mais quelqu'un m'a aidé.
ABDEL   Je **me suis perdu** assez vite et j'ai appelé un taxi.
SAFIA   Je **me suis débrouillée** toute seule en suivant les panneaux indicateurs.
FLORENT   Je **me suis informé** à l'office du tourisme et j'ai vite trouvé.

Chapter 8 – What do you know? (page 33)

A *1 Au supermarché*

    a Produits laiti**ers**   d Boissons gaz**euses**

    b Fruits exotique**s**   e Eaux miné**rales**

    c Viande surgel**ée**   c Bières étrang**ères**

  2 Dans la vitrine des magasins

    a Librairie anglais**e**   d Offre spéci**ale**

    b Pâtisserie tunisi**enne**   e Soldes exceptionnel**s**

    c Spécialités itali**ennes**   f Prix réduit**(s)**

  3 Dans la rue

    a Parking privé   d Vitesse limit**ée**

    b Stationnement interdit   e Sens unique

    c Rue piétonni**ère**   f Route barr**ée**

B *Distrait*

- Tu sais si le prof de maths est au collège aujourd'hui ?
- **Je ne sais pas.**
- Tu as vu les résultats du match de football ?
- **Non, je n'ai pas vu.**
- Tu as remarqué si la cantine est ouverte ?
- **Non, je n'ai pas remarqué.**
- Tu as regardé si la machine à café marche ?
- **Je n'ai pas regardé.**
- Tu te souviens s'il y a un film au ciné-club ce soir ?
- **Je ne me souviens pas.**
- Mais enfin ! Tu dors ou quoi ?

Chapter 8 – What have you learnt? (page 36)

A *Protégez et aimez votre ville*

1 Mettez vos papiers **sales** et vos bouteilles **vides** dans une poubelle.

2 Ne prenez pas toujours les rues **principales** pour aller au collège, essayez de prendre des chemins **différents**.

3 Regardez autour de vous : dans tous les quartiers, on trouve des maisons **anciennes**, des petites rues **merveilleuses**, des boutiques pas **chères**.

4 Profitez au maximum des espaces **verts** et des installations **sportives** : jardins **municipaux**, piscines **couvertes**, etc.

B *Aimez-vous vivre en ville ?*

ROMAIN   **Je n'aime pas** la ville, je préfère habiter à la campagne.

MARION   Pour le moment, ça va. Mais **je ne veux pas** habiter à Paris toute ma vie.

RACHID   Je trouve que **ce n'est pas** agréable de vivre en ville. Mais **je ne peux pas** imaginer comment c'est ailleurs.

CAMILLE   Moi, j'ai essayé de vivre à la campagne et **je n'ai pas réussi**.

LUCIE   Et bien moi, j'ai passé tout l'été dans une ferme, et **je ne me suis pas ennuyée**.

C *Retour à la nature*
1 On cuisine beaucoup parce qu'il n'y a pas **de restaurant**.
2 On lit beaucoup parce qu'il n'y a pas **de distractions**.
3 On dort bien parce qu'il n'y a pas **de bruit**.
4 L'air n'est pas pollué parce qu'il n'y a pas **d'industries**.

Chapter 9 – What do you know? (page 37)

A *[Petit plan du centre–ville]*
1 L'arrêt d'autobus n'est pas très **loin du** supermarché.
2 La poissonnerie se trouve **près de** la boulangerie.
3 La poste est presque **en face de** la mairie.
4 La boucherie est située **à côté du** bureau de tabac.
5 Le café est **au bout de** la rue.

B *Quand j'étais jeune (1)*
Quand j'<u>étais</u> jeune, avec mes copains on <u>se baignait</u> dans la rivière. Aujourd'hui il n'est pas permis de s'y baigner et tout le monde va à la piscine. Je me souviens aussi qu'il <u>y avait</u> un petit cinéma dans la rue nationale, où on <u>montrait</u> des films de cow-boys le samedi soir. Maintenant, il y a un supermarché à la place du cinéma.

C *Quand j'étais jeune (2)*
1 Mes copains et moi, on se baignait dans la rivière (*we*).
2 On allait au cinéma le samedi soir (*we*).
3 Au cinéma, on montrait des films de cow-boys (*they*).
4 On a mis un supermarché à la place du cinéma (*they*).

Chapter 9 – What have you learnt? (page 40)

A *Arrivée au château de Villeneuve*

Bienvenue à Villeneuve ! Je vous souhaite un excellent séjour.

Pour commencer, je vais vous donner quelques renseignements utiles. La réception se trouve **au bout du** couloir, **à côté du** réfectoire. Les salles de cours sont au premier étage, **en face de** la bibliothèque. Vous trouverez une boîte à lettres **à l'extérieur du** château et deux cabines téléphoniques **au milieu de** la cour. Il y a de belles promenades à faire **près de** la rivière et le village n'est pas très **loin**.

Maintenant, je vais vous montrer vos chambres. Suivez-moi.

B *Premier jour*

On est arrivés au château de Villeneuve en fin d'après-midi. Le directeur nous attendait. **On a déposé** nos bagages dans nos chambres. Puis **on a visité** le centre avant d'aller dîner. **On a** très bien **mangé**. Le soir, **on est allés** faire une promenade le long de la rivière, et **on a bu** le café au village.

C *Avant ...*

• Depuis quand est-ce que vous travaillez ici ?

– Depuis cet été. Avant, je **travaillais** dans un lycée.

• Vous habitez au château ?

– Oui. Avant, **j'habitais** au village mais ce **n'était pas** pratique.

• Vous croyez qu'il va faire beau cette semaine ?

– J'espère que oui. La semaine dernière, il **faisait** froid et il **y avait** du brouillard. Je n'aime pas ça.

• Avant de travailler ici, vous **connaissiez** le château ?

– Oui, parce que je **venais** en vacances à Villeneuve.

Revision test 7–9 (page 41–42)

A *Pourquoi êtes-vous en retard ?*

LUCAS	Je **me suis souvenu** au dernier moment que j'avais oublié mon argent. Je suis retourné chez moi et, après, je **me suis trompé** de train.
CÉDRIC et CYRIL	Maman **ne s'est pas rappelée** de faire sonner le réveil, et nous **nous sommes réveillés** à 9 heures.
PIERRE	Je **me suis arrêté** dans un magasin pour acheter quelque chose et j'ai fait la queue pendant une demi-heure.
CÉLINE	Je **me suis levée** en retard. Je **me suis dépêchée** mais j'ai raté le bus.
KARIMA	Je **suis venue** à pied et je **me suis perdue** plusieurs fois.

B *Pourquoi tu n'es pas venu ?*
1 • Tu n'es pas venu dimanche après-midi. Pourquoi ?
  – **Je ne suis pas sorti.**
2 • Mais tu avais promis de venir !
  – **Je ne me souviens pas.**
3 • Bon, d'accord. Mais tu viens demain ?
  – **Je ne sais pas. Je ne suis pas sûr** *or* **Je ne suis pas sûre.**
4 • Pourquoi ? Tu ne veux pas venir ?
  – Demain, **je ne vais pas avoir le temps.**
5 • Et bien, viens un autre jour.
  – Bon, je vais essayer. **Mais je ne promets pas.**

C *Quels sont vos animaux préférés ?*
BENOÎT   J'adore les chiens parce qu'ils sont **drôles** et **affectueux**. Ma chienne, Irma, est très **active**. Elle est toujours **prête** à s'amuser.
MURIEL   Moi, je suis passionnée par les bêtes **sauvages** même si elles sont **dangereuses**.
MARINA   Moi, j'ai deux poissons **rouges** qui sont très **amusants** et une grenouille **verte** qui est **sensationnelle**. Je suis **contente**.
GUILLAUME Moi, j'aime bien les chats **siamois**. À la maison, j'ai une chatte **adorable**: elle est **jolie, fière** et **indépendante**.

D *Quand j'étais petite*
1 Quand j'**étais** petite, je **passais** l'été chez mes grands-parents.
2 Mes cousins **venaient** parfois et nous **nous amusions** beaucoup.
3 Quand il **pleuvait**, on **ne sortait pas**.
4 Mais lorsqu'il **faisait** beau, on **allait** à la plage.
5 Mes parents me **téléphonaient** souvent et je leur **racontais** tout.

E *C'est parce que …*
1 Je ne sors pas parce que je n'ai pas **de** copains.
2 Je n'ai rien acheté parce que je n'avais pas **d'**argent.
3 Je ne me baigne jamais parce qu'il n'y a pas **de** piscine.
4 Je ne lis pas parce qu'on ne m'achète pas **de** livres intéressants.

F *Jeu-test – Êtes-vous un(e) bon(ne) voisin(e) ?*
1 Vous trouvez le portefeuille de votre voisin dans le couloir :
  a vous mettez son portefeuille **à l'intérieur de** sa boîte aux lettres.
  b vous le posez **près de** sa porte.
  c vous le laissez **au milieu du** couloir.
2 Vous voyez votre voisine dans la rue. Son sac est lourd :
  a vous l'aidez et vous déposez son sac **à côté de** sa porte.
  b vous l'aidez et vous laissez son sac **devant** l'ascenseur.
  c vous vous cachez **derrière** un arbre pour l'éviter.

3 Vous rencontrez vos nouveaux voisins dans l'escalier :
  a vous les invitez à prendre un verre **chez vous**.
  b vous les saluez timidement **en haut de** l'escalier.
  c vous vous précipitez **à l'extérieur** sans rien dire.

4 Votre voisin est très malade :
  a vous lui envoyez une petite carte : « Courage, on est bientôt **au printemps** ! ».
  b vous allez au lit **à** 22 h 30 pour ne pas faire de bruit.
  c vous écoutez de la musique très fort **jusqu'au matin**.

Chapter 10 – What do you know? (page 43)

A *La fête des Mères*

ALINE   Je suggère qu'on lui achète une **jolie** robe.

ROLAND   Oui, mais ça va être difficile de trouver la **bonne** taille. Pourquoi pas un **beau** bouquet de fleurs ?

CÉCILE   Mais non, les fleurs ça ne dure pas. Prenons une **grosse** plante pour le jardin !

ROLAND   Il y a des choses plus utiles. Par exemple, on peut lui offrir des serviettes **blanches** avec une **grande** nappe pour la table de la salle à manger.

JULIEN   Ou bien une **nouvelle** valise. **Toutes** ses valises sont **vieilles** !

CÉCILE   Et bien, voilà ce que je propose. **Cet** après-midi, Julien et moi on fait les magasins et on voit si on trouve quelque chose.

B *On n'a rien acheté*

1 Ils ne sont pas restés parce qu'il y avait beaucoup de monde.
2 Ensuite, ils sont passés chez le fleuriste.
3 Ils n'ont pas acheté de fleurs parce qu'elles étaient trop chères.
4 Non, les robes étaient affreuses.
5 Ils sont vite rentrés parce qu'il pleuvait.

Chapter 10 – What have you learnt? (page 46)

A *Bon anniversaire !*

ROLAND   **Cette** année, on va faire une surprise à Aline pour son anniversaire.

MME ROBIN   Ah bon ? C'est la **première** fois que vous m'en parlez !

JULIEN   On vient juste de décider ! On a eu une **longue** discussion.

CÉCILE   On va préparer en secret une **grosse** boum dans le garage.

JULIEN   Et on va inviter **tous** ses copains.

MME ROBIN   Le garage est un peu triste, non ?

ROLAND   On va le décorer avec de **jolis** posters.

MME ROBIN   Et pour la musique ?

CÉCILE   On a emprunté une **vieille** chaîne hi-fi.

ROLAND   Et donc, le soir de son anniversaire, j'appelle Aline.

JULIEN   Et quand elle ouvre la porte du garage, elle trouve tous ses copains. Ça va être une **belle** surprise !

MME ROBIN   C'est une très **bonne** idée !

B *Merci de ta carte d'anniversaire*

Romorantin, le 15 mai

Cher Antonio,

    Merci de ta carte. C'est gentil d'avoir pensé à mon anniversaire. Mais tu **t'es trompé** de date ! **C'était** le 14, pas le 15.

    Hier, quand je **me suis levée**, je **pensais** que toute la famille **allait** me souhaiter un bon anniversaire. Mais rien. **J'ai attendu** toute la journée. Toujours rien. **J'étais** désespérée.

    Le soir, je **regardais** la télévision toute seule, quand mon frère Roland **m'a appelée** pour me montrer quelque chose dans le garage : « Viens voir ! ». Je **suis descendue** et quelle surprise ! Il **y avait** de la musique et des posters partout. Et tous mes copains **se trouvaient** là. **C'était** formidable !

    Voilà les nouvelles. Je t'embrasse. Et merci encore !

    Aline

Chapter 11 – What do you know? (page 47)

A *Une dispute*

1   TRISTAN   Elle n'est pas gentille avec **ma** copine.

     AMÉLIE   Mais non, maman ! Ce n'est pas vrai. J'adore **sa** copine.

2   AMÉLIE   Si **mon** copain téléphone, il répond que je suis sortie.

     TRISTAN   Mais non, papa ! Je n'ai jamais dit ça à **son** copain.

3   AMÉLIE   Il emprunte toujours **mes** affaires mais il ne les rend jamais.

     TRISTAN   C'est faux ! Je n'ai pas besoin de **ses** affaires.

4   TRISTAN   Elle m'accuse toujours. Mais c'est elle qui a perdu **vos** clés et **votre** carnet d'adresses.

     AMÉLIE   Qu'est-ce que tu racontes ? Je n'ai pas touché **leurs** clés et **leur** carnet d'adresses !

B *Des amis attentionnés*

1d   Ils t'offrent un sandwich **si tu as faim**.

2f   Ils t'aident **quand tu as besoin d'assistance**.

3a   Ils te prêtent un pull **lorsque tu as froid**.

4c   Ils t'emmènent au théâtre ou à la patinoire **quand tu as envie de sortir**.

5b   Ils te donnent de l'aspirine **si tu as mal à la tête**.

6e   Ils te disent ce qu'ils pensent de toi **sans avoir peur de te fâcher**.

Chapter 11 – What have you learnt? (page 50)

A *Jeu-test – Es-tu sociable ?*
  1 Prêtes-tu facilement **tes** affaires ?
    a « Seulement aux copains qui me prêtent **leurs** affaires. »
    b « Oui, en général, je prête assez facilement **mes** affaires. »
    c « Tout le temps ! **Ma** mère n'est pas contente. »

  2 Une amie te confie un secret.
    a Tu ne répètes **son** secret à personne.
    b Tu en parles seulement aux gens qui ne sont pas dans **sa** classe.
    c Tu racontes **son** histoire à tout le monde.

  3 Vous avez une interro de physique.
    a Tu fais **ton** interro tout(e) seul(e).
    b Tu regardes la feuille de **ton** voisin ou de **ta** voisine.
    c Tu passes **ta** feuille à **ton** ami ou à **ton** amie.

  4 Tes parents annoncent une grande réunion familiale, tu réponds :
    a « Nous passons presque tous **nos** week-ends en famille. C'est trop ! »
    b « Super ! On va revoir **vos** cousins. »
    c « Les copains vont être furieux. C'est le jour de **notre** match ! »

B *Soyons francs !*
  1 Tu sors avec nous demain ? **Non, il y a un film** à la télévision.
  2 Tu viens au restaurant ce soir ? **Non, je n'ai pas faim.**
  3 Tu m'écris pendant les vacances ? **Non, j'ai horreur d'écrire.**
  4 Pourquoi tu n'es pas d'accord avec nous ? **Parce que vous avez tort.**
  5 Pourquoi tu n'as pas été gentil avec moi ? **J'avais mal à la tête.**
  6 Pourquoi tu t'es moquée de nous ? **Parce que vous aviez l'air bête.**

Chapter 12 – What do you know? (page 51)

A *Discussion – Les garçons m'intimident*

LOLA   Tout le monde se moque **de moi** parce que je ne suis jamais sortie avec un garçon.

PATRICE   Si tes amis se moquent **de toi**, c'est qu'ils sont bêtes.

MAMADOU   Tu n'es pas obligée de sortir avec un garçon en particulier. Essaie de faire **comme moi** ! J'ai beaucoup de copines, elles m'adorent et je m'amuse bien **avec elles**.

ÉLODIE   Si aucun garçon ne t'a demandé de sortir **avec lui**, c'est peut-être parce que tu es trop jeune. Tu as le temps.

GABRIEL   Si vraiment c'est très important **pour toi** d'avoir un copain, demande **toi-même** à un garçon s'il veut sortir **avec toi**.

Help Yourself to Essential French Grammar

B *Quoi de nouveau ?*
1 Sa mère **a** un nouvel emploi depuis deux ans.
2 Son père **est** à la retraite depuis un an.
3 Son frère **travaille** dans une usine depuis six mois.
4 Violaine **vit** en Australie depuis le mois dernier.
5 Olga **va** au collège depuis la semaine dernière.

Chapter 12 – What have you learnt? (page 54)

A *Depuis quand ?*
1 a Jules et Maud se connaissent depuis l'an dernier.
  b Ils sortent ensemble depuis le 14 juillet.
2 a Malik et Lydie se connaissent depuis deux ans.
  b Ils sortent ensemble depuis un mois.
3 a Claude et Dominique se connaissent depuis la semaine dernière.
  b Non, Claude et Dominique sortent ensemble depuis hier soir.

B *Discussion – Le divorce*

LUC   Depuis le divorce de mes parents, j'habite chez mes tantes. J'ai décidé **moi-même** d'aller vivre chez **elles**, parce que je m'entends bien avec **elles**.

PAULA   Mes parents viennent de se séparer. J'ai deux frères et c'est dur pour **nous**, surtout au moment de Noël.

SANDRINE   Comme **vous**, je suis très triste à Noël. Ma mère a quitté mon père il y a trois ans. Pour **lui** et pour **moi**, c'est dur de vivre sans **elle**.

AUBAIN   Fais un effort. Sois positive ! C'est bien d'avoir deux familles différentes.

MALIKA   Je suis d'accord avec **toi**. Mes parents sont divorcés depuis longtemps. Je vais chez **eux** à tour de rôle, et c'est très bien.

C *Je viens de tout faire !*
1 Tu n'as pas rangé ta chambre !
   – Mais si, **je viens de ranger ma chambre** !
2 Et ton pull, tu l'as lavé ?
   – Oui, **je viens de laver mon pull** !
3 Et ton pantalon tu l'as repassé ?
   – Oui, **je viens de repasser mon pantalon** !
4 Et tu as fait tes devoirs ?
   – Oui, **je viens de faire mes devoirs** !

Revision test 10–12 (page 55–56)

A *Les quatre filles du docteur March.*
1 C'est l'histoire de quatre **sœurs inséparables**.
2 Il y a Meg, l'aînée, une **jolie fille** qui a **mauvais caractère**.
3 Jo, une **fille impulsive**.
4 Beth, une **jeune musicienne** qui a la **santé fragile**.
5 Et enfin Amy, qui est un **petit diable**.
6 Une **histoire simple** pleine de **bons sentiments**.
7 Quatre **nouvelles comédiennes** au **talent exceptionnel**.
8 Un **beau film**.

B *Tout est prêt !*
1 Habib **vient de** laver les verres.
2 Carmen et Marie-José **viennent de** nettoyer le salon.
3 Moi, **je viens de** prévenir les voisins.
4 Estelle **vient de** faire une salade de fruits.
5 Et toi, **tu viens d'**amener des disques.

C *C'est à qui ?*
• Cet anorak est à Ahmed ou **à toi** ?
– Il n'est pas **à moi**. Mais il est peut-être **à lui**.
• Et ces affaires ? Elles sont à Jocelyne ?
– Oui, je pense qu'elles sont **à elle**.
• Les CD qui restent, ils sont aux jumeaux ? Ou à leurs cousines ?
– Il y en a deux qui sont **à eux**. Les autres sont **à elles**.
• Qu'est-ce qu'on fait des bouteilles de Coca qui restent ?
– On les garde. Elles sont **à nous**.

D *Interview – Mannequin à 11 ans*
• Comment est-ce que **tu es devenue** mannequin ?
CLIO Quand **j'étais** petite – **j'avais** environ trois ans – **je suis allée** avec ma mère dans une agence de mannequins pour enfants.
• Qu'est-ce que tu **as fait** au début ?
CLIO **J'ai commencé** à poser pour des affiches publicitaires. Et **j'ai eu** beaucoup de succès. Vers l'âge de cinq ans **j'ai décidé** que je **voulais** continuer.

E *À ne pas manquer !*
Un nouveau groupe « afro » au rythme d'enfer. Il y a Youssef, un Français qui **joue** de la guitare depuis l'âge de cinq ans. Manu, le batteur, qui **habite** à Paris depuis dix ans. Et Héma, la chanteuse, une Marocaine qui **vit** en France depuis 1997.
Ils **travaillent** ensemble depuis un an et leur premier enregistrement **est** dans tous les magasins depuis le mois de juin. À ne pas manquer !

F *Mariane, une fille très active*
1 **Ces** jours-ci, je ne passe jamais une soirée **toute** seule.
2 **Ce** soir, par exemple, je sors avec **toutes** mes copines.
3 **Cette** semaine, je suis en vacances. Je vais à la piscine **tous** les jours.
4 Et **cet** été, je vais visiter **tout** le Portugal.

Translation:
1 ces jours-ci : *these days*   toute seule : *(all) on my own*
2 ce soir : *tonight, this evening*   toutes mes copines : *all my friends*
3 cette semaine : *this week*   tous les jours : *every day*
4 cet été : *this summer*   tout le Portugal : *the whole of Portugal*

G *Conseils – Essayez de comprendre vos parents*
1 **Vos** parents vous agacent parfois. C'est normal. Mais personne n'est parfait. Acceptez **leurs** qualités et **leurs** défauts.
2 Ils ont parfois besoin de parler de **leurs** problèmes. Si **votre** père ou **votre** mère ont l'air préoccupé, discutez avec eux.
3 Si votre mère travaille, elle sera fatiguée à la fin de **sa** journée. Aidez-la.
4 Les petites choses sont importantes. N'oubliez pas, par exemple, **leur** anniversaire de mariage.

Chapter 13 – What do you know? (page 57)

A *À l'épicerie*
TOI   Excusez-moi, Monsieur, vous pouvez me dire où se trouve le lait ?
M. TRI À votre droite.
TOI   Il n'y a pas de lait demi-écrémé !
M. TRI Je regrette, mais il n'y en a plus.
TOI   Bon, je vais prendre **un litre de** lait écrémé. Il me faut aussi **une demi-douzaine d'**œufs et **un petit morceau de** fromage.
M. TRI Au fond du magasin à gauche.
TOI   Maintenant, je voudrais **deux kilos de** pommes de terre.
M. TRI Voilà. C'est tout ?
TOI   Oui, je crois. Ah non ! Attendez, je reviens ! J'ai oublié plusieurs choses : il me faut aussi **trois bouteilles d'**eau minérale, **un paquet de** sucre et **cinq cents grammes de** farine !
M. TRI Vous n'avez rien oublié cette fois ? Et bien passez à la caisse, s'il vous plaît.

B *Où est-ce que je mets les provisions ?*
1 Où est-ce que je mets les œufs ? Tu **les** mets dans le frigo.
2 Où est-ce que je range le lait? Tu **le** ranges dans le frigo aussi.
3 Où est-ce que je place la farine ? Tu **la** places dans le placard.
4 Qu'est-ce que je fais avec l'eau minérale ? Tu **la** portes à la cave.
5 Et les pommes de terre ? Tu **les** laisses par terre !

Chapter 13 – What have you learnt? (page 60)

A *Une question de goût !*

ZITA   J'ai trouvé qu'il n'y avait pas **assez de** sel dans la soupe.

THIERRY   Mais il y avait **trop de** poivre dans le pâté !

GAËLLE   Le poisson avait besoin d'**un peu de** sauce.

MATTHIAS La viande n'avait pas **beaucoup de** goût.

NINA   Pour les légumes, il y avait **peu de** choix.

CARLOS   Moi, j'ai encore faim. J'aurais aimé **plus de** gâteau.

B *Jeu-test – Es-tu gourmand ?*
  1 On t'a donné une boîte de chocolats fins :
   a tu manges un chocolat par jour et tu **le** savoures longtemps.
   b tu ouvres tout de suite la boîte et tu **la** termines le même jour.
   c tu n'ouvres pas la boîte. Tu **l'**offres à des copains.

  2 Des amis russes t'invitent à manger :
   a tu demandes le nom des plats et tu **les** essaies tous.
   b tu remplis plusieurs fois ton assiette et tu **la** finis.
   c tu ne connais pas les plats et donc tu ne **les** goûtes pas.

  3 Tu es tout seul un soir pour manger :
   a tu vas acheter une truite et tu **la** prépares amoureusement.
   b tu demandes à ta tante de **t'**inviter en disant que tu as très faim.
   c tu ouvres une boîte de sardines et tu **les** manges avec les doigts.

  4 On t'emmène dans un grand restaurant :
   a tu dis au serveur « vous **m'**aidez à choisir ? » et tu écoutes ses conseils.
   b tu commandes n'importe quel plat et tu **le** dévores.
   c tu demandes des frites et tu **les** laisses dans ton assiette.

Chapter 14 – What do you know? (page 61)

A *Que choisir ?*
  1b Je prends ce T-shirt à 70 francs. C'est **le moins cher**.
  2d Donnez-moi ces sandales. Ce sont **les plus confortables**.
  3a Essaie la jupe verte. C'est **la plus jolie**.
  4c Achète ces deux CD. Ce sont **les meilleurs**.

Translation:
  1 le moins cher : *the least expensive* **or** *the cheapest*.
  2 les plus confortables : *the most comfortable*.
  3 la plus jolie : *the nicest*.
  4 les meilleurs : *the best*.

      Help Yourself to Essential French Grammar

B *Qu'est-ce qu'on a acheté ?*
1 Cette jupe est jolie mais elle coûte cher. Elle est **plus chère** que ton pantalon.
2 Les T-shirts que tu as achetés ne sont pas très longs. Ils **sont moins longs** que les miens.
3 Mes sandales sont vraiment confortables. Elles sont **aussi confortables** que mes baskets.
4 Ce CD est excellent. Il est **meilleur** que l'autre.

C *C'est pour qui ?*
FATIMA Cette bouteille de parfum n'est pas pour moi. Je vais **la** donner à ma mère.
JÉRÔME Moi, ma mère adore la musique, je vais **lui** donner un des CD.
FATIMA Qu'est-ce que tu penses ? Ce T-shirt, je **l'**offre à ma sœur ?
JÉRÔME Pas à ta sœur ! Tu **lui** offres toujours des T-shirts. Trouve quelque chose d'autre !
FATIMA Ce poster, pour qui tu **l'**as acheté ?
JÉRÔME Pour mon correspondant. Quand je pars en vacances, je **lui** envoie toujours quelque chose.

Chapter 14 – What have you learnt? (page 64)

A *Discussion – Faut-il acheter des vêtements de marque ?*
RENZO Non, parce qu'ils sont **plus chers que** les vêtements ordinaires.
AURÉLIE Et souvent, les vêtements normaux sont **aussi chouettes que** les autres.
ARMAND Pas toujours ! Mes **meilleurs** pantalons sont tous de marque.
JUDITH Par principe, j'achète les choses **les moins chères**.
YVON Moi, j'attends les soldes. Là, les prix sont **plus bas que** d'habitude.
AURÉLIE Je vais au marché aux puces et j'ai un **meilleur** look que mes copines.
HASSAN Moi, j'emprunte les affaires de mes frères. C'est encore **plus facile**.

B *Jeu-test – Êtes-vous poli(e) ?*
1 Vous allez acheter du pain. La boulangère vous dit un grand bonjour.
   a Vous **lui** dites : « Bonjour, madame ».
   b Vous **lui** souriez timidement.
   c Vous ne **lui** répondez pas.
2 Au restaurant, la serveuse vous apporte un plat que vous n'avez pas commandé.
   a Vous **la** remerciez et vous **le** mangez. Il est excellent.
   b Vous **lui** montrez discrètement son erreur.
   c Vous criez : « Appelez le directeur, je veux **lui** parler ».
3 Vous faites la queue à une caisse, les gens devant vous sont lents.
   a Vous **leur** offrez de **les** aider à vider leur chariot.
   b Vous **leur** demandez gentiment de se dépêcher.
   c Vous **les** poussez pour qu'ils avancent plus vite.

Chapter 15 – What do you know? (page 65)

A *J'y vais et j'en achète*

1 Tu vas au supermarché aujourd'hui ? – Oui, j'**y** vais.
2 Tu m'achètes des oranges, s'il te plaît ? – D'accord, j'**en** achète.
3 Et puis du jus de fruit ! – Pas besoin, il y **en** a dans le frigo.
4 Il y a aussi du lait ? – Oui, on **en** a acheté un litre hier.
5 Il faut prendre mes médicaments à la pharmacie. – Bien, j'**y** passe.

B *Fais vite !*

1 **Va** au village et **achète** du pain. Il est tard, **dépêche-toi** !
2 **Prends** la mobylette et n'**oublie** pas de mettre de l'essence.
3 **Achète** des timbres et **poste** cette lettre.
4 **Passe** chez ma mère, mais ne lui **dis** pas que je suis malade.
5 **Téléphone** au docteur et **demande** un rendez-vous.
6 C'est bien, merci. Maintenant **repose-toi**.

C *Fais comme je te dis !*

1 Apporte-**moi** le journal, mais ne **m'**apporte pas de magazines illustrés.
2 Achète-**moi** du pain, et ne **m'**achète pas de croissants.
3 Ne **me** donne pas de café, mais prépare-**moi** du thé.
4 Réponds-**moi** quand je te pose une question et parle-**moi** gentiment.
5 Et surtout ne **me** dis pas que tu es fatigué(e) !

Chapter 15 – What have you learnt? (page 68)

A *Un week-end de shopping*

1 **N'attendez pas** les vacances ! **Offrez**-vous vite un week-end de shopping à Londres ou à Bruxelles.
2 Pour tous renseignements, **contactez** notre agence de voyages.
3 **Dépêchez-vous** ! **Profitez** de notre réduction exceptionnelle de 25 %.
4 Et **soyez** assurés d'un voyage confortable et reposant.
5 **Choisissez** vos dates et **faites** votre réservation par téléphone.

B *Jeu-test – L'argent et toi*

1 On t'invite à un concert. Les billets sont très chers, tu réponds :
   a « Allez-**y** sans moi. Je suis fauché ! »
   b « OK ! Je n'ai pas d'argent mais je vais **en** emprunter à ma sœur ! »
   c « Excellente idée. Réservez-**moi** un billet. »

2 L'anniversaire de ta mère approche.
   a Tu vois des roses dans un jardin public. Tu **en** voles une pour elle.
   b Tu revends quelques CD et, avec l'argent, tu **l'**invites au restaurant.
   c Tu vas dans un magasin de luxe pour **y** acheter du parfum.

3 Ton meilleur ami te demande de lui prêter de l'argent. Tu réponds :
  a « Ne **me** demande pas d'argent ! Je n'en ai pas ! Débrouille-**toi** ! »
  b « Donne-**moi** une semaine, et je vais **en** trouver. »
  c « Voici 200 F. Tu **en** veux plus ? »

4 Ta grand-mère te donne un chèque pour Noël.
  a Tu **le** perds.
  b Tu as besoin de vêtements. Mais tu attends les soldes pour **en** acheter.
  c Il y a longtemps que tu n'es pas allé en France. Tu utilises cet argent pour **y** aller.

Revision test 13–15 (page 69–70)

A *Encore un peu ?*
  1 Vous prenez **un peu de** champagne ?
  2 Vous voulez **un verre de** jus de fruit ?
  3 Vous avez **assez de** café ?
  4 Je trouve qu'il y a **beaucoup de** bruit ici !
  5 Vous connaissez **combien de** personnes ici, ce soir ?
    a Oui, j'**en** veux bien **un verre**. (2)
    b Oui, j'**en** prends **un peu**. (1)
    c J'**en** connais **une ou deux**. (5)
    d Vous avez raison, il y **en** a **trop** ! (4)
    e Non, je n'**en** ai pas **assez**. (3)

B *Jeu-test – Savez-vous dire non ?*
  1 Un de vos amis veut vous donner un petit chat.
    a Vous **en** avez déjà un, mais vous acceptez pour **lui** faire plaisir.
    b Vous **lui** répondez : « D'accord, mais à condition que tu **le** gardes pendant les vacances ».
    c Vous refusez : « Inutile d'insister. Je n'**en** veux pas ».

  2 Des amis vous invitent à dîner.
    a Vous **leur** dites « oui » pour **leur** faire plaisir.
    b Vous refusez mais vous **les** invitez à prendre le café chez vous.
    c Vous **leur** répondez : « Impossible. Je mange déjà chez ma sœur ».

  3 Votre sœur vous demande de l'accompagner chez le médecin.
    a Vous **l'**accompagnez pour la rassurer.
    b Vous ne pouvez pas. Mais vous **lui** téléphonez le soir.
    c Vous **lui** dites : « Impossible ! Je ne peux pas **y** aller ».

C *Sois diplomate !*
1 Avant de demander quelque chose, **réfléchis** bien à tes arguments.
2 **Aie** la patience d'attendre un moment favorable.
3 Au bon moment, **présente** tes arguments clairement.
4 **Sois** persuasif, mais **n'insiste pas** trop.
5 Et si la discussion n'avance pas, **contrôle-toi** !
6 **Va** faire une petite promenade et **essaie** plus tard.

D *Pas de panique !*
1 Où sont mes clés ? Cherche-les. Non ça va, **ne les cherche pas** ! Je les ai trouvées.
2 Surtout ne me téléphone pas ce soir. Et puis si, **téléphone-moi** ! Ce sera sympa.
3 Vite, prête-moi 300 F. Non, **ne me prête pas** d'argent ! J'en ai.
4 Dis-moi bonne chance. Oh non ! **Ne me dis pas** ça. Ça porte malheur.
5 Ne m'embrasse pas, je n'ai pas le temps. Et puis si, **embrasse-moi**. À bientôt !

E *Locations*
1 a La villa est **plus chère que** l'appartement et le studio.
b L'appartement est **moins économique que** le studio.
c Le studio n'est pas **aussi spacieux que** l'appartement.
d L'appartement a une **meilleure** vue **que** les autres.

2 a Ce sont la villa et l'appartement qui sont **les plus chers**.
b C'est le studio qui est **le plus économique**.
c C'est le studio qui est **le moins spacieux**.
d Mais c'est l'appartement qui a **la meilleure** vue.

Chapter 16 – What do you know? (page 71)

A *Des loisirs différents*
ÉLISE
1 – Il n'y a **rien** à faire.
2 – Je ne sors **jamais**.
3 – Je ne connais **personne**.
4 – **Personne** ne m'invite à des soirées.

B *Que font-ils pendant le week-end ?*
SERGE Comme **il n'y a pas** beaucoup de distractions ici, j'organise souvent des soirées chez moi.
MYRIAM Moi, je **ne sors jamais** le soir ! Mes parents disent que je suis trop jeune.
AICHA Je sers dans un magasin le samedi et le dimanche. Alors **je n'ai que** le dimanche après-midi libre. Ce n'est pas beaucoup.
DIDIER Comme je fais de l'athlétisme, je m'entraîne tous les week-ends. **Je n'ai plus** le temps de voir mes copains !

C *Que font-ils quand ils ne peuvent pas sortir ?*
1 J'aime **regarder** des vidéos.
2 J'adore **faire** de la peinture.
3 Je préfère **jouer** aux échecs.
4 J'aime bien **lire** des romans d'aventure.
5 Je déteste **m'ennuyer**.

Chapter 16 – What have you learnt? (page 74)

A *Leurs passe-temps favoris*
CAROLE   Je prends des photos. Je **ne** sors **jamais** sans mon appareil-photo.
FARID   Je fais du saxophone mais en ce moment je **ne** joue avec **personne**. Je vais essayer de créer un groupe.
GONTRAN   Moi, je collectionne les cartes téléphoniques depuis deux ans. Malheureusement, je **n'**ai **que** vingt cartes étrangères.
LYDIA   Je n'aime pas rester chez moi. Je **ne** trouve **rien** à faire. Alors j'ai acheté un VTT. C'est formidable !
NELLY   Je passe tout mon temps libre devant mon ordinateur. Je **ne** regarde **plus** la télévision !

B *Que savez-vous d'eux ?*
1 Carole **aime prendre** des photos.
2 Farid **voudrait créer** un groupe.
3 Gontran **adore collectionner** les cartes téléphoniques.
4 Lydia **déteste rester** chez elle.
5 Nelly **préfère jouer** avec son ordinateur.

C *Tu vas au match ?*
ÉMILE   Moi, je ne **peux** pas y aller. Je **dois** finir deux devoirs de maths.
LOÏC   Si tu **veux**, on peut le voir ensemble à la télé.
MARIETTE   J'aimerais y aller, mais je ne **sais** pas comment. C'est loin !
SARAH   Moi non plus ! C'est difficile quand on ne **sait** pas conduire.
KAMAL   Vous **voulez** venir avec nous ? Mon père m'a dit qu'il **peut** emmener plusieurs personnes. Mais on **doit** partir tôt pour pouvoir trouver une place de parking.

Chapter 17 – What do you know? (page 75)

A *Choisissez bien vos loisirs*
1 Si vous êtes timide, essayez **vite** de faire un peu de théâtre. Mais oui ! Les meilleurs acteurs sont **généralement** de grands timides.
2 **Normalement**, les impulsifs adorent les sports d'équipe. Mais les arts martiaux sont **également** bons pour les gens comme vous. Essayez pour voir !
3 Vous avez beaucoup d'imagination ? Et bien inscrivez-vous **immédiatement** à un atelier d'écriture ou de dessin. Vous serez **sûrement** content.

B *Qui est-ce qui gagne ?*

1 Elle joue le mieux.
2 Il court le plus vite.
3 Personne ne joue aussi bien qu'eux.
4 Elle joue mal.

d Elle est championne.
a Il arrive toujours premier.
b Ils gagnent tous les matchs.
c Elle perd souvent.

C *En camping*
1 On **fait du camping** près d'un lac.
2 **Il fait beau** depuis notre arrivée.
3 On **fait une promenade** et on **fait du tennis** presque tous les jours. *or* On **fait une promenade** et **du tennis** presque tous les jours.
4 Le soir, je **fais la cuisine** pour tout le monde.
5 Et les autres **font la vaisselle**.
6 Hier, Raoul **s'est fait mal** à la jambe. Mais ce n'est pas très grave.

Chapter 17 – What have you learnt? (page 78)

A *Jeu-test – Avez-vous l'esprit sportif ?*
1 On vous propose de faire un saut en parachute :
   a Vous acceptez **immédiatement**.
   b Vous avez **vraiment** peur mais vous acceptez quand même.
   c Vous refusez **catégoriquement**.

2 C'est l'été. On vous invite à faire une partie de volley sur la plage :
   a Vous jouez **sérieusement** pour faire gagner votre équipe.
   b Vous participez **seulement** pour faire plaisir aux copains.
   c Vous refusez en disant : « Je me suis **récemment** cassé le bras ».

B *On a bien joué !*
VOUS J'ai **mal** joué ce matin. J'ai **mieux** joué cet après-midi.
FÉLIX Moi, c'est le contraire ! C'est ce matin que j'ai **le mieux** joué.
VOUS Oui, c'est vrai, tu étais **particulièrement** en forme. Tu renvoyais la balle **plus vite que** d'habitude. (*or* Tu renvoyais la balle **plus rapidement que** d'habitude.)

C *Tu viens ?*

TOI   Je n'ai pas envie de faire de la planche à voile aujourd'hui.

SÉVERINE   Mais tu adores **faire de la planche à voile** !

TOI   La météo annonce de la pluie.

SÉVERINE   Mais **il ne fait pas froid** !

TOI   J'ai mal au bras.

SÉVERINE   Ah bon ? Comment est-ce que **tu t'es fait mal** ?

TOI   Ma mère m'a demandé de **faire la vaisselle** hier et je n'ai pas l'habitude !

SÉVERINE   Tu plaisantes ou quoi ?

Chapter 18 – What do you know? (page 79)

A *Qu'en pensez-vous ?*

1 Avez-vous vu la première partie de *Pierre et Paul* ?   e Oui.

2 Où l'histoire se passe-t-elle ?   c au Havre.

3 Que raconte-t-elle ?   a L'histoire de deux frères.

4 Lequel des deux frères préférez-vous ?   b Pierre.

5 Que pensez-vous de ce téléfilm ?   d Il est passionnant.

B *Qu'est-ce qui se passe ?*

1 **Qui** c'est ?   – C'est la copine de Paul.

2 **Qu'**est-ce qu'elle fait ?   – Elle cache l'argent.

3 **Qui** lui a envoyé cette lettre ?   – Son copain.

4 **Qu'**est-ce qu'il a dit ?   – Il a dit : « Trop tard ! ».

5 **Qu'**est-ce qu'il cherche ?   – Son revolver.

6 **Qui** a appelé la police ?   – Un client.

C *Comment les convaincre ?*

1 Ce **sera** une bonne expérience pour moi.

2 « Je **prendrai** de l'assurance. »

3 Il n'y **aura** pas de danger.

4 Nous **ferons** très attention.

5 Je vous **téléphonerai** souvent.

6 Vous **pourrez** venir me voir si vous voulez.

Chapter 18 – What have you learnt? (page 82)

A *Questionnaire sur le cinéma*
1 **Aimez-vous** le cinéma ?
2 **Allez-vous** souvent au cinéma ?
3 **Y a-t-il** un cinéma près de chez vous ?
4 **A-t-il** plusieurs salles ?
5 Quel genre de film **préférez-vous** ?
6 Quels films **avez-vous vus** cette année ?
7 **Allez-vous voir** les films sous-titrés ?

B *Quels CD j'achète ?*

LUCIE **Qui** est-ce que tu as invité ?
ADRIEN Mes copains et ceux de Clothilde.
LUCIE **Quelle** musique est-ce que tes copains préfèrent ?
ADRIEN Ils aiment tout.
LUCIE Et les copains de Clothilde, **qu'**est-ce qu'ils aiment ?
ADRIEN Aucune idée ! Alors, à ton avis, **qu'**est-ce que je prends ?
LUCIE Achète des classiques ! Regarde, il y a plusieurs CD en promotion.
ADRIEN Oui, mais **lesquels** je prends ? *or* Oui, mais **lequel** je prends ?
LUCIE Mais je n'en sais rien ! C'est toi qui invites, ce n'est pas moi !

C *Quel temps fera-t-il demain ?*

Le matin, le soleil **brillera** dans le nord de la France. Au Sud, les nuages **seront** nombreux avec quelques orages.

L'après-midi, les nuages **deviendront** plus nombreux dans le Nord, mais le temps **restera** sec. Le Sud **aura** de belles éclaircies. Il **fera** généralement doux.

En fin de journée, le vent **soufflera** partout.

Revision test 16–18 (page 83–84)

A *Déçus et furieux !*

Courchevel, le 15 février

Madame,

Nous sommes très déçus par le chalet meublé que votre agence nous a loué.

Je **n'**ai **jamais** vu un chalet si mal équipé :
- il **n'**y a **pas** de réfrigérateur dans la cuisine ;
- il **n'**y a **qu'**une chaise dans la salle à manger ;
- je n'ai trouvé **ni** draps **ni** couvertures dans les chambres ;
- et, en plus, le chauffage **ne** marche **plus**.

La voisine, qui nous a donné les clés, **ne** sait **rien**. J'ai appelé votre agence, mais il **n'**y avait **personne** pour répondre.

Je voudrais une explication et un remboursement immédiats.

Veuillez agréer, Madame, mes salutations distinguées.

Diana Wild

B *En Guadeloupe*

BERNADETTE	Qu'est-ce que tu veux faire demain matin ?
TOI	Je **dois écrire** à ma famille.
BERNADETTE	Et l'après-midi ?
TOI	Je **veux voir** la Soufrière.
BERNADETTE	Le soir, on va manger chez ma sœur. Tu es d'accord ?
TOI	Oui, bien sûr. Je **voudrais rencontrer** ta sœur.
BERNADETTE	Et après-demain, tu viens jouer au volley avec nous ?
TOI	Le problème c'est que je **ne sais pas jouer** au volley.
BERNADETTE	Tu **peux essayer**. Ce n'est pas difficile !
TOI	Bon, je **vais essayer**.
BERNADETTE	Et maintenant, tu veux prendre une douche ?
TOI	Oui, parce **qu'il faisait chaud** dans la voiture.
BERNADETTE	Pendant ce temps, je prépare à manger.
TOI	D'accord. Et après, je t'**aiderai à faire** la vaisselle.

C *Un horoscope de rêve !*

Succès Ta vie **changera** cette année. À l'école, tu **réussiras** brillamment et tes parents **seront** très contents.

Vie sociale Tu **auras** de nouveaux amis et, ensemble, vous **ferez** des choses formidables. Tu **te sentiras** plus fort(e) que l'an dernier.

Amours Tu **rencontreras** le garçon ou la fille de tes rêves, et tu **découvriras** l'amour. Vous **partagerez** des moments de bonheur très intense.

D *Visite d'usine*
1 a Combien d'employés **avez-vous** ?
b Combien d'heures **font-ils** par semaine ?
c **Travaillent-ils** pendant le week-end ?
d **Y a-t-il** beaucoup de jeunes dans votre usine ?

2 a **Qu'est-ce que** vous fabriquez ?
b **Qui** sont vos clients ?
c **Quels** sont vos meilleurs produits ?
d **Lesquels** se vendent le mieux ?

E *Résultats sportifs*
1 a Bénabou a **bien** couru.
b **Malheureusement**, Pérec s'est blessée.
2 a Gonzalez a roulé **plus vite que** Berger.
b C'est Gonzalez qui a roulé **le plus vite**.
3 a Redon a joué **plus mal que** Lambert.
b C'est Redon qui joué **le plus mal**.
4 a Lyon a joué **mieux que** Marseille.
b C'est Marseille qui a joué **le mieux**.

Chapter 19 – What do you know? (page 85)

A *Aimez-vous l'école ?*
1 J'ai des copains **qui** adorent le collège. Mais moi je déteste ça !
2 C'est dur parfois. Mais je m'entends bien avec les filles et les garçons **qui** sont dans ma classe.
3 Ça dépend des jours et des matières ! La matière **que** je préfère, c'est l'histoire.
4 Moi, ça dépend des profs ! C'est le prof de maths **que** j'aime le plus.
5 Je pense qu'on a de la chance d'aller à l'école. Dans certains pays du monde, il y a des enfants de notre âge **qui** sont obligés de travailler.
6 Moi, j'aime bien le collège mais je plains les professeurs. C'est un métier **que** je ne voudrais pas faire.

B *Je ne serai jamais ...*
MARIANE Comme je chante faux, je ne serai jamais **chanteuse**.
HUBERT Je n'ose pas parler en public. Je ne pourrai donc pas être **acteur**.
BERTRAND Je ne deviendrai pas **instituteur** parce que je ne supporte pas les enfants.
SYLVIE **Cuisinière** ? Jamais ! Je n'aime pas manger.
IBRAHIM Je ne voudrais pas être **mécanicien**. Je déteste la mécanique.
LAURA Impossible de devenir **pharmacienne** ! Je suis trop mauvaise en chimie.

Help Yourself to Essential French Grammar

Chapter 19 – What have you learnt? (page 88)

A *Esprits rebelles*
1 *Esprits rebelles* est un film **qui** raconte l'histoire de LouAnne Johnson.
2 LouAnne est une jeune prof américaine **qui** se retrouve avec une « classe difficile ».
3 Les élèves **qu'**elle a dans sa classe sont âgés de 16–17 ans.
4 L'attitude **qu'**ils ont avec leurs profs est assez négative.
5 Mais LouAnne, **qui** a travaillé dans l'armée, n'est pas un professeur comme les autres.
6 Elle enseigne avec des méthodes **qu'**on utilise rarement dans les collèges.

B *Les métiers du tourisme*
1 Étienne est **réceptionniste** dans un hôtel. Il accueille les clients et répond au téléphone.
2 Adèle est **serveuse** dans un café. Elle sert les clients.
3 Jean-Paul est **guide** à Strasbourg. Il fait visiter la ville aux étrangers.
4 Djemila est **monitrice** de ski. Elle donne des cours de ski.

Les métiers de la santé
1 Émilie est **médecin**. Elle diagnostique les maladies.
2 Coline est **infirmière** dans une maison de retraite. Elle soigne des personnes âgées.
3 Audrey est **chirurgien** dans un hôpital. Elle opère les malades.
4 Madji est **dentiste**. Il soigne les dents de ses patients.

C *Patron et collègues*
1 Le directeur, monsieur Angevin, est **une** personne très gentille.
2 La secrétaire est en congé maternité. Elle a eu une fille, la semaine dernière. La maman et **le** bébé vont bien.
3 Mademoiselle Martin travaille ici depuis le mois dernier. C'est **le** nouvel ingénieur.
4 On va tous prendre des cours d'allemand une fois par semaine. **Le** professeur est madame Marchand.

Chapter 20 – What do you know? (page 89)

A *Excuses*
Je serai en retard demain matin **parce que** j'ai rendez-vous chez le dentiste. Je vous demande **donc** de m'excuser.

Comme mon rendez-vous est à 10 heures, je vais arriver vers midi. **Mais** je vous promets de rattraper le temps perdu.

Merci de votre compréhension.

B *Discussion – Qu'est-ce qu'un(e) bon(ne) délégué(e) ?*

ELVIRE	Je pense que c'est quelqu'un qui a envie **de** prendre des responsabilités.
VINCENT	C'est aussi quelqu'un qui ne refuse jamais **d'**écouter.
ARNAUD	Quelqu'un qui arrive **à** comprendre le point de vue des autres.
SAID	Et qui essaye **de** défendre les intérêts de tous, pas seulement de ses copains.
ELVIRE	En plus, les délégués doivent être diplomates et toujours chercher **à** dialoguer.
LAURETTE	Dis-moi, Elvire, tu as pensé **à** devenir déléguée ?

C *Devant l'ordinateur*

1 … celui-là : *that one*
2 … celle-ci : *this one*
3 Ceux-ci : *these (ones)*
4 Celles-là : *those (ones)*
5 … celle-là : *that one*

Chapter 20 – What have you learnt? (page 92)

A *Discussion – J'ai des difficultés à l'école*

FABRICE	Les leçons sont trop difficiles à apprendre !
CONSTANCE	**Quand** tu trouves des mots difficiles, tu as essayé de les remplacer par des mots simples ?
FABRICE	Oui. Mais **comme** je ne comprends rien, c'est impossible !
THOMAS	Demande à quelqu'un de t'aider **lorsque** tu n'y arrives pas.
FABRICE	Tout ça est inutile ! J'oublie tout **dès que** j'arrive en classe.
AZIZA	Tu oublies tout **parce que** tu es anxieux. Détends-toi ! Reste calme !

B *Les révisions*

Commencez **par** établir un planning de travail réaliste et suivez-le. Si vous n'arrivez pas **à** réviser tout(e) seul(e), organisez des soirées-révisions avec des copains. Suggérez **de** faire un quiz, par exemple.

Arrêtez-vous **de** réviser une journée au moins avant l'examen. Cela vous permettra **de** vous reposer. Si vous continuez **à** apprendre jusqu'au dernier moment, vous finirez **par** tout mélanger.

La veille du contrôle, essayez **de** vous détendre et pensez **à** vous coucher de bonne heure ! Vous aurez besoin **d'**être en pleine forme le lendemain.

Et enfin, le matin du jour J, n'oubliez pas **de** prendre toutes vos affaires : stylos, papier, etc.

C *Premier jour de stage*

1 Je m'assieds à ce bureau ? – Non, pas à **celui-là**, à **celui-ci** !
2 Je prends cette chaise ? – Non, pas **celle-ci**, **celle-là** !
3 Je commence à classer ces dossiers ? – Non, pas **ceux-ci**, **ceux-là** !
4 Je mets le courrier dans ces enveloppes ? – Non, pas dans **celles-là**, dans **celles-ci** !

Chapter 21 – What do you know? (page 93)

A *Serveuse*

1f Je vais travailler par le train : le restaurant est **à 500 m de la gare**.
2e Je commence le matin, à 11 heures **et quart**.
3c Je termine vers 5 heures **et demie l'après-midi**.
4g Je mange dans la cuisine avec le personnel. J'ai droit au menu **à 60 francs**.
5b Je suis assez bien payée : je gagne 4 500 francs **par mois**.
6d J'ai une journée libre **par semaine**.
7a Je porte un uniforme. Mais il est un peu trop grand – c'est **du 42**.

B *Service compris*

1 Nettoie bien la table **avant de** mettre la nappe.
2 Vérifie que la nappe est propre **avant de** mettre le couvert.
3 Accompagne les clients jusqu'à leur table **après** avoir pris leurs manteaux.
4 **Après** avoir servi le premier plat, dis « Bon appétit ! ».
5 Prends la commande des cafés **après** avoir enlevé les assiettes.
6 Demande aux clients s'ils sont satisfaits **avant d'**apporter la note.

Chapter 21 – What have you learnt? (page 96)

A *Moniteur dans un camp de vacances*

Villefauneix, le 3 août

Salut !

Le voyage a été long. Mais je ne me suis pas ennuyé parce que j'ai dormi la moitié **du** temps.

Seul problème : on m'a volé mon sac de sport pendant que je dormais ! Je suis allé tout de suite m'acheter un T-shirt **à** 50 F et un short **à** 80 F, mais il n'y avait pas ma pointure pour les chaussures – j'ai été obligé de prendre **du** 42.

Le camp est situé **à** 60 km de Limoges, dans une jolie vallée. La tente des moniteurs est immense : 5 m **de** long et 4 m **de** large !

On a un jour de repos **par** semaine. C'est bien, je vais pouvoir visiter la région.
Je t'embrasse très fort.
Louis

B *Une Française dans l'espace*

1 Avant de **se présenter** pour devenir astronaute, elle a été médecin.
2 Après **avoir passé** une visite médicale, elle est devenue stagiaire.
3 Elle a passé des tests pendant six mois avant d'**aller** à Moscou.
4 Elle a participé à sa première mission après **s'être entraînée** pendant deux ans.

Revision test 19–21 (page 97–98)

A *Qu'est-ce que je vais mettre ?*
   – Tu as un pantalon noir à me prêter ?
   • Oui. Essaie **celui-ci**, il est très chouette.
   – J'ai aussi besoin de chaussures noires.
   • Prends **celles-là**, je te les donne.
   – La météo annonce du froid. Tu as des gants en cuir ?
   • Oui. Prends **ceux-là**.

B *Jeu-test – Le look, c'est important pour toi ?*
   1 Le matin, pour t'habiller :
      a Tu mets les premiers vêtements **que** tu trouves.
      b Tu perds un quart d'heure à choisir le T-shirt **que** tu vas mettre.
      c Tu mets les habits **que** tu as soigneusement préparés la veille.

   2 Quand tu achètes des vêtements :
      a C'est ta mère **qui** choisit. Tu lui fais confiance.
      b Tu vas dans les magasins **que** tu connais déjà.
      c Tu cherches les boutiques **qui** vendent les articles les plus originaux.

   3 En général, quels sont tes vêtements préférés ?
      a Ceux **qui** sont les plus pratiques.
      b Ceux **qui** te vont le mieux.
      c Ceux **que** tout le monde remarque.

C *Appartement à louer*
   – Il se trouve **à** 2 km du centre.
   – Oui, il est **à** 300 m de la plage.
   – 9 000 F **par** mois.
   – Oui, c'est 2 700 F **par** semaine.
   – Oui, elle fait 6 m **de** long et 5 m **de** large.

D *Comment réussir votre prochain contrôle ?*
   1 **Dès que/Aussitôt que vous êtes** dans la classe, respirez à fond.
   2 Lisez les questions plusieurs fois **avant de répondre**.
   3 Notez vos idées **comme elles viennent**.
   4 **Après avoir noté vos idées**, mettez-les en ordre.
   5 **Maintenant que tout est clair** dans votre esprit, commencez à écrire.
   6 **Une fois que vous avez fini**, prenez le temps de relire.

Help Yourself to Essential French Grammar

E *Elles ont fait plusieurs métiers dans leur vie*

FRANÇOISE J'ai commencé par vendre des livres : j'ai été **libraire** pendant plusieurs années. Mais maintenant je suis **chauffeur** de taxi.

LAURENCE Moi, j'ai d'abord travaillé comme **ingénieur** dans une raffinerie. Ensuite, comme je connaissais plusieurs langues étrangères, je suis devenue **traductrice**.

ZUWEINA Aujourd'hui, je suis **directrice** d'un laboratoire à Paris. Mais avant, j'étais **pharmacienne** dans une petite ville de province.

DORINE Je suis **journaliste**. J'écris pour un grand magazine féminin. Mais quand j'étais plus jeune, j'étais **danseuse**.

F *Faites votre journal de collège*

1 *L'équipe de rédaction*

Commencez **par** créer une équipe de rédaction. Vous connaissez sûrement des filles et des garçons qui ont envie **de** faire un journal. Invitez aussi un professeur **à** participer ; il ou elle vous aidera **à** prendre les décisions importantes.

2 *L'identité du journal*

Essayez **de** définir vos objectifs. Cela vous permettra **de** donner une « identité » à votre journal. Pensez ensuite **à** faire un budget. Vous aurez besoin **d'**obtenir de l'argent de votre collège.

3 *Le premier numéro*

Amusez-vous **à** faire la liste de tous les sujets possibles : vie du collège, sport, films, disques, dessins d'humour, etc. Cherchez **à** présenter l'information de manière amusante. Et puis n'oubliez pas **d'**utiliser des mots simples et **de** faire des phrases courtes.

Chapter 22 – What do you know? (page 99)

A *Et surtout fais attention !*
1 L'hiver.
2 Dans sa valise.
3 Sa vieille tante.
4 Le docteur Schmidt.
5 À toute la famille.
6 Un taxi.

B *Ne vous inquiétez pas !*
1 Si j'avais faim, je me **ferais** à manger.
2 S'il n'y avait pas de train, il y **aurait** des taxis.
3 Si l'hiver était très froid, les gens **mettraient** le chauffage.
4 Si j'étais malade, le docteur Schmidt me **soignerait**.
5 Si nécessaire, vous **pourriez** m'envoyer des médicaments.
6 Et puis je **rentrerais** si j'étais vraiment malheureux.

Chapter 22 – What have you learnt? (page 102)

A *Discussion – Avez-vous des complexes ?*
1 **Qui est-ce qui** est toujours complexé ?
2 **Qu'est-ce que** les garçons ont aussi ?
3 **Qu'est-ce qu'**Alexandre a sur le visage ?
4 **Qu'est-ce qui** n'est pas vraiment important ?

B *Tu voudrais être comment ?*

LEÏLA   Je suis frisée. Je **voudrais** avoir les cheveux raides. Et toi ?
ALICE   Moi, si j'avais le choix, **j'aimerais** bien avoir les cheveux bruns.
XIAO   Moi, je suis trop petit. Si j'étais plus grand, je **pourrais** faire du basket !
ALICE   Et vous les jumeaux, vous **voudriez** être comment ?
CYRIL et CÉDRIC Si on pouvait, on **aurait** l'air différent !

C *Pardon ? Je n'ai pas compris*
1 Je me lave les cheveux avec un shampooing doux.   – **Avec quoi ?**
2 Je mets une crème moussante dans mon bain.   – **Dans quoi ?**
3 Pour mes boutons, j'ai demandé conseil au pharmacien.   – **À qui ?**
4 J'ai trouvé une parfumerie pas chère avec ma copine.   – **Avec qui ?**

Chapter 23 – What do you know? (page 103)

A *Attention au soleil et aux insectes l'été !*
1 **Il faut** savoir que le soleil est très dangereux entre 11 et 14 heures.
2 Pour éviter les coups de soleil, **il vaut mieux** ne pas rester au soleil.
3 De toutes façons, **il est recommandé** d'utiliser une crème solaire.
4 **Il est conseillé** de ne pas marcher pieds nus dans la nature.
5 **Il vaut mieux** porter des chaussures et des chaussettes.
6 Quand on part en randonnée, **il ne faut pas** oublier d'emporter une trousse à pharmacie.

B *Qu'est-ce qui t'est arrivé ?*

SAMI Qu'est-ce que tu as fait ? Tu es tout rouge !
TOI   J'ai pris un coup de soleil en **restant** trop longtemps au soleil.
SAMI Et tu t'es fait mal au pied ?
TOI   Oui, je me suis coupé le pied en **marchant** pieds nus.
SAMI Tu n'as pas de trousse à pharmacie normalement ?
TOI   Si, mais je l'ai oubliée en **partant** !

C *Discussion – La maladie*

SOLÈNE	Si **je me sens mal**, je reste au lit.
OCTAVIA	Moi aussi, **je me repose**.
GERMAIN	Moi, **je me précipite** chez le médecin.
MARGUERITE	Moi, je reste à la maison et **je m'amuse** avec mon ordinateur.
CYRIL et CÉDRIC	Nous, **on se met à** pleurer et on appelle notre mère.

Chapter 23 – What have you learnt? (page 106)

A *Venez vite ! C'est urgent*

MME SANCHEZ	Allô, docteur ? Mon fils **s'est brûlé le bras**. Qu'est-ce qu'il faut faire ?
LE MÉDECIN	La meilleure chose à faire, c'est de l'emmener directement à l'hôpital.
MME SANCHEZ	Impossible. Je ne peux pas **me servir** de la voiture, je suis dans le plâtre. Je **me suis cassé la jambe** la semaine dernière.
LE MÉDECIN	Bon, et bien **ne vous inquiétez pas**, je vous envoie une ambulance.
MME SANCHEZ	Merci et dites à l'ambulance de **se dépêcher**.

B *Conseils – Pour être en forme*

1 a **Il faut** faire des repas réguliers.
  b **Il faut** avoir une alimentation variée.
  c **Il est déconseillé de** manger trop de sucre et de gras.
  d **Il faut** consommer beaucoup de fruits et de légumes.

2 a **Il faut** faire de l'exercice régulièrement.
  b **Il est déconseillé de** prendre le bus pour 1 kilomètre seulement.
  c **Il faut** pratiquer plusieurs sports.
  d **Il est déconseillé de** fumer.

C *Êtes-vous capable de préparer un repas ?*

1 Oui, j'ai appris à faire la cuisine **en regardant** ma mère.
2 Oui, je me débrouille **en lisant** un livre de cuisine.
3 Bien sûr. Tous les soirs **en rentrant**, j'aide mon père à préparer le repas.
4 Non. Quand je suis seul, je mange des chips et des cacahouètes **en regardant** la télé et c'est très bien !

Chapter 24 – What do you know? (page 107)

A *Volontaire en Afrique*

NORBERT   Allô, monsieur Fourier ? Bonjour, monsieur. Je voudrais **des renseignements** sur les possibilités de travail en Afrique.

M. FOURIER   **Actuellement** il y a des postes libres au Congo.

NORBERT   Je ne sais rien sur le Congo. Où est-ce que je peux me renseigner ?

M. FOURIER   Je suggère que vous alliez à **la bibliothèque** municipale. Et ensuite, si vous êtes toujours intéressé, on vous demandera **d'assister** à des réunions d'information sur notre mission en Afrique.

NORBERT   J'y rencontrerai **des médecins** et des infirmiers qui y ont déjà travaillé ?

M. FOURIER   Oui. Vous verrez, ce sont des jeunes comme vous.

NORBERT   Pouvez-vous aussi me dire si je serai payé ?

M. FOURIER   Vous n'aurez pas un gros salaire. Mais vous gagnerez assez **d'argent** pour vous nourrir et vous loger.

NORBERT   Et bien, je vous remercie. Au revoir et à bientôt peut-être.

B *Réunion d'information*

DOCTEUR BRUN   Bonjour, je **m'appelle** Guy. C'est avec moi que vous partirez. Vous avez des questions à me poser ?

NORBERT   Est-ce que nous **commençons** à travailler tout de suite en arrivant ?

DOCTEUR BRUN   Oui. Inutile de perdre du temps.

NORBERT   Est-ce que nous travaillons toujours en hôpital ?

DOCTEUR BRUN   En général, nous **partageons** notre temps entre les soins médicaux et l'aide alimentaire.

NORBERT   Merci de ces renseignements. C'est tout ce que je voulais savoir.

DOCTEUR BRUN   Bon. Et bien **j'espère** vous revoir bientôt !

Chapter 24 – What have you learnt? (page 110)

A *Lutte antidrogue*

KARIM   **Tout le monde** doit connaître les dangers de la drogue.

YOUSRI   Oui, mais la drogue n'est pas le seul danger ! On doit mentionner aussi l'abus de **médicaments**.

INÈS   N'oubliez pas de chercher des **photographies** intéressantes.

ISABELLE   Oui, mais attention ! Ne choisissez pas des images trop choquantes ! Il y a des gens qui sont **sensibles**.

BRICE   D'accord, mais on veut que les gens **remarquent** les panneaux. Il faut produire un impact.

B *Jeu-test – La différence et toi*
1 Ta meilleure amie est allergique au soleil :
   a tu lui **achètes** un chapeau et tu l'entraînes à la plage.
   b au lieu d'aller à la plage, tu l'**emmènes** au cinéma.

2 Tante Élodie est un peu sourde, il faut toujours répéter :
   a ça te **rappelle** les films comiques et tu rigoles.
   b tu **répètes** tout sans jamais perdre patience.

3 Sveltana est la fille la plus grande et la plus mince de la classe :
   a tu l'**appelles** « grande gigue » pour te moquer d'elle.
   b tu lui dis : « Nous **commençons** une équipe de basket. Tu veux en faire partie ? »

4 Il y a un nouvel élève dans ta classe. Il est handicapé :
   a tu **considères** que vous n'avez rien en commun.
   b tu lui dis : « Viens à la cantine avec moi, on fera connaissance en **mangeant** ».

Revision test 22–24 (page 111–112)

A *Les grands débats*
1 Je **voudrais** savoir si l'avenir vous inquiète.
2 **Pourriez-vous** nous dire ce qu'il **faudrait** faire pour réduire la pollution ?
3 Nous **aimerions** avoir votre opinion sur le racisme.
4 Il **serait** intéressant de savoir si vous vous sentez concernés par la violence.
5 **Préféreriez-vous** vivre dans une société plus juste ?
6 A votre avis, qu'est-ce qu'on **devrait** faire pour mettre fin au chômage ?

B *Le sida – Êtes-vous bien informés ?*
Est-ce qu'on risque d'attraper le sida :
1 **en allant** à la piscine ?
2 **en faisant** du sport avec une personne séropositive ?
3 **en mangeant** dans la même assiette ou **en se plaçant** à la même table ?
4 **en partageant** une seringue ?
5 **en ayant** des relations sexuelles sans utiliser de préservatif ?

C *Bouts de conversation*
1 • Tu as vu Sébastien récemment ?
   – Oui, on **s'est vus** la semaine dernière.
2 • Tu as mal à l'épaule ?
   – Oui, je **me suis fait mal** en tombant de ma moto.
3 • Explique-moi comment aller chez Sidonie.
   – C'est simple. Son appartement **se trouve** à côté des Galeries Lafayette.
4 • Votre fils fait quelles études ?
   – Il prépare un diplôme de technicien. Il **s'intéresse** beaucoup à l'automobile.

D *Petit guide du baby-sitter*
1 **Qui est-ce que** vous appellerez en cas de problème ?
2 **Qu'est-ce qui** est très important ?
3 **Qui est-ce qui** va essayer d'obtenir quelques minutes supplémentaires ? *or* **Qui** va essayer d'obtenir quelques minutes supplémentaires ?
4 **Qu'est-ce qu'**on ne vous demande pas de faire ?
5 **À qui** est-ce que vous devez raconter la soirée ?
6 **Sur quoi** faut-il vous mettre d'accord ?

Answers to the questions:
1 Les parents.
2 Le premier contact.
3 Les enfants.
4 Le ménage.
5 Aux parents.
6 Sur le prix.

E *Pour être un bon baby-sitter*
1 **Il faut** être vigilant. *or* **Il te faut** être vigilant.
2 **Il vaut mieux** être naturel.
3 **Il est conseillé d'**être ferme. *or* **Il est recommandé d'**être ferme.
4 **Il faut** être ordonné. *or* **Il te faut** être ordonné. *or* **Il est nécessaire d'**être ordonné.
5 **Il vaut mieux** être franc.
6 **Il est important d'**être organisé.

F *Dernières recommandations*
1 Il te [you] faut faire manger les enfants vers 7 h 30.
2 Souviens-toi qu'il leur [the children] faut beaucoup de temps pour manger.
3 Il te [you] faut les coucher tôt, parce qu'il leur [the children] faut beaucoup de sommeil.
4 À tout à l'heure ! On rentrera tôt. Il nous [the parents] faut travailler demain matin !

Chapter 25 – Practice (page 116)

A *Qu'est-ce qui vous inquiète le plus aujourd'hui ?*
perde : **perdre**
nous protégions : **protéger**
soient : **être**
on puisse : **pouvoir**
fassent : **faire**

B *Quels sont les problèmes les plus importants pour eux aujourd'hui ?*
1 Benjamin a peur de voir son père au chômage.
2 Selon Dorothée, il faut protéger l'environnement.
3 D'après Salah, les gens doivent être plus tolérants.
4 Constant aimerait pouvoir vivre en paix.
5 Pour combattre la faim et la pauvreté les pays riches doivent faire un effort, selon Arlette.

C *Des résultats différents*
LUI J'ai fini mon enquête. **La tienne** est faite ?
TOI Oui, j'ai presque terminé **la mienne**.
LUI Tes résultats sont comment ? **Les miens** ne sont pas très intéressants.
TOI Je suis sûr que **les miens** sont pareils que **les tiens**.
LUI Pas nécessairement. J'ai déjà comparé mes réponses à celles d'une copine, et **les siennes** ne ressemblent pas **aux miennes**.

Chapter 26 – Practice (page 119)

A *Tu savais … ?*
1 • Tu savais que la télévision va devenir interactive ?
   – Oui, quelqu'un **m'avait dit** ça.
2 • On t'a dit que le prix des CD-Rom va baisser ?
   – Non, mais **j'avais lu** ça quelque part.
3 • Et tu savais qu'avec les ordinateurs multimédia on peut faire des choses formidables ?
   – **J'avais remarqué.** On en a un au collège.
4 • Avec un modem branché sur le téléphone, on peut communiquer avec le monde entier !
   – Merci de l'explication. **Je n'avais pas compris** comment ça marchait !
5 • Et je suppose que tu savais que les progrès de l'informatique vont révolutionner notre vie ?
   – Oui, mais heureusement que tu me le dis. **J'avais oublié** !

B *Jeu-test – Les nouvelles technologies et vous ?*
1 Votre frère a des problèmes avec son nouveau logiciel :
   a vous trouvez la solution tout de suite et vous **la lui** donnez.
   b vous allez chercher de l'aspirine et vous **lui en** offrez.
2 C'est l'anniversaire de votre tante :
   a vous commandez des fleurs avec votre téléphone portable et vous **les lui** faites livrer directement.
   b vous allez choisir un livre chez le libraire et vous **le lui** portez.
3 La calculatrice électronique de votre voisin ne marche pas :
   a vous lui dites : « Montrez-**la moi**, je vais vous aider ».
   b vous lui répondez : « Ne **m'en** parlez pas, je n'y connais rien ».

Help Yourself to Essential French Grammar

Chapter 27 – Practice (page 122)

A *La catastrophe de Tchernobyl*
   explosa : **exploser**
   eut : **avoir**
   furent : **être**
   fut : **être**
   décidèrent : **décider**

B *Comprehension exercise – La catastrophe de Tchernobyl*
   1 Many others were exposed to radiation:
      des millions d'autres personnes furent exposées aux radiations.
   2 Many people died:
      Il y eut des centaines de morts.
   3 The authorities decided to bury the reactor under tons of concrete:
      les autorités décidèrent d'enterrer le réacteur sous des tonnes de béton.
   4 The Chernobyl nuclear plant exploded:
      la centrale nucléaire de Tchernobyl [...] explosa.
   5 The surrounding area was dangerously polluted:
      Toute la région fut dangereusement polluée.

C *Votre opinion, s'il vous plaît*
   1 Peut-on savoir **ce qui** vous inquiète le plus aujourd'hui ?
   2 Pouvez-vous nous dire **ce que** vous pensez de l'attitude des gens en général ?
   3 Dites-nous **ce qu'**il faut faire pour réduire le gaspillage.
   4 Expliquez-nous **ce qui** arrivera si on ne protège pas l'environnement.

Revision test 25–27 (page 123–124)

A *Jeu-test – Les personnes âgées et toi ...*
   1 Tu as des problèmes au collège et tu n'oses pas le dire à tes parents :
      a tu demandes à ta grand-mère de **leur en** parler.
      b tu vois ta grand-mère mais tu ne **lui en** parles pas.

   2 Ta mobylette ne démarre pas :
      a ton voisin est un ancien mécanicien, tu **la lui** portes.
      b tu l'amènes à un garage pour qu'on **te la** répare.

   3 Tu veux offrir un gâteau d'anniversaire :
      a ta voisine était cuisinière. Tu lui demandes de **t'en** faire un.
      b tu téléphones au pâtissier et tu **lui en** commandes un.

   4 Tu veux lire des romans policiers pendant les vacances :
      a ton grand-père en a, tu lui demandes de **te les** prêter.
      b tu vas dans une librairie pour voir s'il **y en** a.

B *L'informatique, c'est l'avenir !*

j'aimerais que tu viennes …	*I would like you to come …*
Pourquoi veux-tu que j'y aille … ?	*Why do you want me to go there … ?*
Pour qu'on puisse voir …	*So that we can see …*
Je suis content que tu veuilles …	*I am pleased that you want …*
je ne crois pas que tu aies besoin …	*I don't think that you need …*
Il faut que je connaisse …	*I must know …*

C *On peut compter toujours sur la famille*

ALI — Mes parents sont extrêmement gentils. Et **les tiens** ?

JUSTINE — **Les miens** aussi. Et puis mes frères et sœurs m'aident à réviser.

CYRIL et CÉDRIC — **Les nôtres** sont trop occupés pour nous aider ! Mais notre grand-mère nous fait des gâteaux pour nous donner du courage !

DIANE — **La mienne** aussi ! J'adore !

D *Une célébrité répond à vos questions*
- De toutes tes chansons, lesquelles préfères-tu ?
- Celles **qui** sont sur mon dernier CD.
- Quels sont les vêtements que tu aimes le mieux ?
- Ceux **que** je porte sur scène.
- Quel est ton animal préféré ?
- Le chien. Surtout celui **de** ma mère.
- Quelle voiture aimerais-tu posséder ?
- Celle **de** Mel Gibson dans *Mad Max 2.*

E *Ça ne va pas !*

TOI — Je ne sais pas **ce qui** m'arrive, mais je ne me sens pas bien.

L'INFIRMIÈRE — Explique-moi **ce que** tu sens.

TOI — J'ai mal à la tête, **ce qui** est très rare pour moi. Et puis j'ai la nausée.

L'INFIRMIÈRE — Dis-moi **ce que** tu as fait hier soir.

TOI — J'ai passé la soirée avec des copains et j'ai fumé ma première cigarette !

L'INFIRMIÈRE — C'est exactement **ce que** je pensais !

F *Révélation*

Je suis arrivée vingt minutes en avance au lycée. Ce jour-là, Johanna m'attendait, assise sur les marches de l'escalier A.
- Salut Julia ! J'ai à te parler, **m'a dit** Johanna.
- C'est grave ?
- Non, mais c'est important. Martin m'a dit que Paulus est amoureux de toi.

Johanna **a allumé** sa cigarette tandis que les gens de la classe commençaient à arriver. Quand **j'ai vu** Paulus entrer dans le hall, **je me suis levée** et **j'ai grimpé** l'escalier vers la salle de cours.

C'est vrai qu'il était beau Paulus. Toutes les filles étaient amoureuses de lui.